22.00

CANADA
Gaétan Morin & Associés Ltée
C.P. 965, Chicoutimi, P.Q.
Tél.: 1-418-545-3333

Algérie
**Société Nationale d'Edition
et de Diffusion**
3, boulevard Zirout Youcef
Alger
Tél.: 19 (213) 30-19-71

Benelux et pays scandinaves
Bordas-Dunod-Bruxelles S.A.
44, rue Otlet
B. 1070 - Bruxelles (Belgique)
Tél.: 19 (32-2) 523-81-33
Télex: 24899

Brésil
Sodexport-Grem
Avenida Rio Branco 133 GR 807
Rio-de-Janeiro
Tél.: 19 (55-21) 224-32-45

Espagne
D.I.P.S.A.
Francisco Aranda n° 43
Barcelone
Tél.: 19 (34-3) 300-00-08

France
**Bordas-Dunod
Gauthier-Villars**
37, r. Boulard - 75680 Paris
cedex 14 - Tél.: 539-22-08
Telex: 270004

Guadeloupe
Francaribes
Bergevin
Zone des petites industries
97110 Pointe-à-Pitre
Tél.: 19 (33-590) par opératrice
82-38-76

Italie
C.I.D.E.B.
Strada Maggiore, 37
41125 Bologne
Tél.: 19 (39-51) 22-79-06

Japon
Hachette International Japon S.A.
Daini-Kizu Bldg. n° 302
10, Kanda-Ogawacho 2-chrome
Chiyoda-Ku, Tokyo
Tél.: 19 (81-3) 291-92-89

Maroc
Société Atlantique
140, rue Karatchi
Casablanca
Tél.: 19 (212) 30-19-71

Martinique
Francaribes
Boulevard François Reboul
Route de l'Eglise Sainte Thérèse
97200 Fort-de-France
Tél.: 19 (33-596) par opératrice
71-03-02

Portugal
LIDEL
Av. Praia de Vitoria 14 A
Lisbonne
Tél.: 19 (351-19) 57-12-88

Suisse
CRISPA
16, avenue de Beaumont
1700 Fribourg
Tél.: 19 (41-37) 24-43-07

Tunisie
Société tunisienne de diffusion
5, avenue de Carthage
Tunisie
Tél.: 19 (216-1) 25-50-00

 **gaëtan morin & associés ltée**
C.P. 965, CHICOUTIMI, P.Q. G7H 5E8
TEL.: (418) 545-3333

ISBN 2-89105-002-9

TABLEAU (couverture): ''LA TRALEE''.
Oeuvre de Benoît Simard.

Imprimerie Le Lac-St-Jean enr.

Dépôt légal 2e trimestre 1979
Bibliothèque nationale du Québec
Bibliothèque nationale du Canada

TOUS DROITS RESERVES
©1979, Gaëtan Morin & Associés Ltée
2e édition, 2e impression, mai 1980.

GESTION DES RESSOURCES HUMAINES

APPROCHE SYSTEMIQUE

Exposés et travaux pratiques

2e édition

Laurent Bélanger, PH.D.

Département des relations industrielles

Faculté des sciences sociales

Université Laval, Québec

AVANT-PROPOS

Cet ouvrage s'adresse avant tout à celui qui veut s'initier à la gestion des ressources humaines au sein des organisations de travail. Au cours de la rédaction des exposés, nous avons pris pour acquis que le lecteur a déjà suivi des enseignements de base en gestion des entreprises et en psychologie sociale et industrielle. Celui qui possède quelques années d'expérience dans le domaine y trouvera une formulation nouvelle qui l'incitera, du moins nous le croyons, à repenser et à ré-orienter sa pratique quotidienne.

Cette reformulation qui se veut une vision globale et intégrée de la gestion des ressources humaines, s'appuie en grande partie sur l'apport des sciences du comportement et de la théorie des systèmes. Pour ce faire, nous avons dans un premier exposé circonscrit le domaine de la gestion des ressources humaines en explicitant les objectifs généraux et en regroupant les activités sous deux grandes dimensions: administrative et énergétique.

La première dimension consiste en une description des activités de nature administrative normalement accomplies par un service de gestion des ressources humaines:

— Mise en place d'un support structurel (exposé no 2)
— Elaboration des politiques (exposé no 3)
— Planification des effectifs (exposé no 4)
— Recrutement, sélection et accueil (exposé no 5)
— Développement des ressources humaines (exposé no 6)
— Politiques de rémunération (exposé no 7)
— Relations syndicat-direction (exposé no 8)

La deuxième dimension traite de la notion de climat organisationnel (exposé no 9) et de la création d'un milieu de travail satisfaisant et valorisant (exposé no 11). Les problèmes de roulement, d'absentéisme et de sécurité au travail, les problèmes de désaffection à l'endroit du travail chez les catégories ouvriers et employés de bureau font l'objet d'un traitement assez élaboré (exposé no 10), puisque ces problèmes et leurs solutions possibles sont à l'origine d'une préoccupation nouvelle, à savoir l'amélioration de la qualité de la vie au travail.

Tous les exposés, sauf le premier, sont suivis de travaux pratiques. Le lecteur-étudiant y trouvera une occasion d'approfondir ses connaissances et d'acquérir les habilités de base nécessaires à la pratique quotidienne. Nous avons également préparé un répertoire de cas et de films destinés à servir de compléments aux travaux qui suivent les exposés. Ce répertoire apparaît en annexe.

Nous tenons à remercier sincèrement tous ceux qui ont contribué à la préparation de cet ouvrage, plus particulièrement M. Raymond Gagnon, Mme Louise Turgeon et Mlle Hélène Gosselin.

_____

TABLE DES MATIERES

6

EXERCICE DE REVISION

La corbeille d'entrée (in-basket)

exercice portant sur la première partie:
la dimension administrative
de la gestion des ressources humaines

PARTIE II
LA DIMENSION ENERGETIQUE
DE LA
GESTION DES RESSOURCES HUMAINES

FIGURES et TABLEAUX

Exposé no 1
INTRODUCTION

UNE VISION SYSTEMIQUE DE LA GESTION DES RESSOURCES HUMAINES

La gestion des ressources humaines se définit conventionnellement comme un ensemble d'activités qui consistent dans l'acquisition, le développement et la conservation des ressources humaines dont une organisation de travail a besoin pour réaliser ses objectifs. Une telle conception de la gestion des ressources humaines met l'accent avant tout sur la description des activités qui la composent sans chercher à expliciter les objectifs spécifiques poursuivis dans l'accomplissement de ces activités.

Cet exposé introductif se veut une reformulation du domaine de la gestion des ressources humaines en empruntant un cheminement propre à la théorie des systèmes. Cette théorie, qui connaît actuellement une diffusion intensive, ouvre l'accès à une compréhension plus globale et intégrée des phénomènes qu'on veut étudier (1, 2, 3, 4)[*].

En appliquant cette théorie au domaine de la gestion des ressources humaines pour en dégager une vision plus globale et cohérente, nous présenterons dans un premier temps les concepts de base et les liens logiques qu'ils entretiennent. Dans un deuxième temps, nous essayerons de préciser d'abord les résultats recherchés en matière de gestion des ressources humaines, nous procéderons ensuite à la description des activités et des ressources nécessaires à la réalisation des résultats. Enfin, nous décrirons les facteurs d'environnement internes et externes qui peuvent exercer une influence sur l'une ou l'autre des composantes du système.

1.1 Les concepts de base de la théorie des systèmes

On s'entend généralement pour définir la notion de système comme une entité composée de parties différenciées et interdépendantes, chacune fournissant une contribution spécifique à la réalisation et au maintien de l'équilibre du système. Une telle définition traduit une réalité complexe qui n'évolue pas ou qui ne cherche pas à évoluer puisque l'on fait de *l'équilibre stable* l'objectif unique du système.

---

[*] Ces chiffres renvoient à des ouvrages consultés ou cités dont une bibliographie apparaît à la fin de chaque exposé.

Une définition qui permet de saisir le caractère dynamique et évolutif d'une réalité sociale complexe fait d'un système "un ensemble d'éléments différenciés et interdépendants qui complète et renouvelle un cycle d'activités en utilisant des ressources dans le but de produire des résultats déterminés[5]."

Cette définition permet d'identifier les principales composantes d'un système:

1.1.1 Les résultats recherchés

Tout système cherche à produire un ou plusieurs résultats qui seront utilisés par d'autres systèmes. La composante *résultats recherchés* constitue la raison d'être d'un système. Elle permet de distinguer un système d'un autre et elle légitime l'engagement de ressources humaines et matérielles dans des programmes d'activités. Le degré d'atteinte des résultats recherchés permet également de juger du fonctionnement et de l'efficacité du système.

1.1.2 Les activités

C'est l'ensemble ou la séquence des actions qu'il faut accomplir pour atteindre le ou les résultats recherchés.

1.1.3 Les ressources (inputs ou entrées)

Sous ce vocable, on regroupe habituellement les ressources humaines, la technologie, l'équipement, les moyens financiers et l'information.

1.1.4 La rétroaction ou le retour d'information

C'est une information générée par le système qui permet de saisir le degré de réalisation des résultats recherchés et d'y apporter, s'il y a lieu, des correctifs au niveau de l'allocation des ressources, de l'ordonnancement des activités ou de la formulation des objectifs.

1.1.5 La distribution

C'est un processus qui consiste à acheminer dans l'environnement les résultats produits de manière à ce qu'ils servent de ressources aux autres systèmes qui en sont les utilisateurs.

1.1.6 Un système et son environnement

Tout système opère dans un environnement donné avec lequel

chacune des composantes ou l'ensemble des composantes entretient des liens d'interdépendance. L'environnement se caractérise par une multitude de forces facilitantes ou contraignantes qui agissent sur le système. On distingue alors deux types d'environnement: le *micro-environnement* qui comprend l'ensemble des forces qui agissent directement sur le système; le *macro-environnement* qui comprend l'ensemble des forces qui agissent indirectement sur le système. La nature et l'intensité des relations qu'un système entretient avec son environnement diffèrent d'un système à l'autre et cela nous permet d'établir une distinction entre *système ouvert* et *système fermé.*

— *système ouvert:* transige avec son environnement de manière à obtenir et à utiliser l'information qui lui permet d'effectuer les adaptations nécessaires à sa survie.

— *système fermé:* transige peu avec son environnement se privant ainsi de l'information nécessaire à son adaptation. Ce type de système tend plutôt à générer de son propre fonctionnement interne l'information nécessaire au maintien de son équilibre.

Une représentation symbolique de la notion de système se fait habituellement à l'aide du graphique suivant:

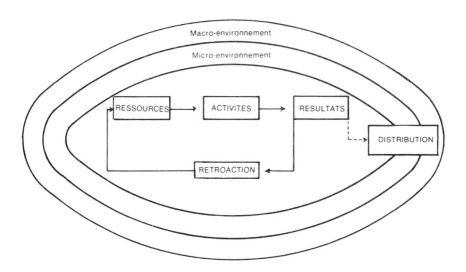

Figure 1.1   Représentation symbolique d'un système

1.2 La notion de système appliquée à la gestion des ressources humaines

1.2.1 Les résultats recherchés

Pour circonscrire les finalités de la gestion des ressources humaines, il faut se baser sur les objectifs et les besoins du système utilisateur, i.e. l'organisation dans son ensemble et dans chacune de ses composantes. L'organisation se donne comme objectif la production de biens et de services pour satisfaire les besoins spécifiques d'une population. En plus de ses finalités de nature économique, elle se donne un objectif d'ordre humain, à savoir la satisfaction des membres qui lui donnent corps. La réalisation de tels objectifs suppose l'utilisation de ressources matérielles, financières, technologiques, informationnelles et humaines. En engageant des ressources humaines dans une multitude de programmes d'activités, l'organisation prévoit toute une gamme de rémunérations de façon à leur assurer un niveau relatif de satisfaction. Pour répondre à ces exigences d'ordre économique et humain, la fonction *ressources humaines* doit chercher à atteindre les résultats suivants:
— des effectifs à la disposition de l'organisation en qualité et quantité suffisantes pour occuper les postes existants
— des effectifs productifs
— des effectifs relativement stables
— des possibilités pour les individus et les groupes de trouver réponse à leurs attentes et à leurs besoins; en d'autres termes, des possibilités qui concourent à la création et au maintien d'un milieu de travail satisfaisant et valorisant.

1.2.2 Productivité et satisfaction

Productivité et satisfaction sont deux termes retenus pour traduire les finalités spécifiques du système *gestion des ressources humaines.*

Cependant, il serait utopique de croire qu'un tel système puisse maximiser l'atteinte de ces résultats recherchés. Plusieurs possibilités s'offrent alors: privilégier la productivité au détriment de la satisfaction des individus et des groupes; privilégier la satisfaction au détriment de la productivité; tenter d'optimiser l'atteinte des deux éléments. C'est cette dernière possibilité qu'a retenu P. H. Sappey: "La *fonction personnel* est donc par essence une fonction d'optimisation dans la mesure où ce terme implique non pas la satisfaction totale des besoins en présence (souvent impossible), mais la recherche d'un point d'équilibre optimal, variable d'un moment à l'autre, tel que les attentes des uns comme des autres soient satisfaites dans toute la mesure du possible, et que l'action des forces en présence aille dans un sens correspondant à la finalité de l'entreprise, ou du moins acceptable par elle[6]."

Cette troisième voie semble la plus réaliste parce qu'elle colle de près à la réalité de l'organisation moderne qui présente un milieu de travail avant tout conflictuel, c'est-à-dire un contexte humain où les attentes et les aspirations des gens sont rarement tout à fait compatibles avec les exigences de la rentabilité et des tâches. Cette constatation devient plus évidente quand il existe au sein même de l'organisation un contre-pouvoir syndical capable de médiatiser les conflits ou de les faire éclater au grand jour. Pendant longtemps, surtout à l'époque de la diffusion intensive des enseignements de l'Ecole des Relations humaines, les dirigeants ont cru qu'un accroissement de la satisfaction au travail devait normalement se traduire par un accroissement de la productivité. Le lien de causalité directe entre ces deux variables n'est pas toujours confirmé par les résultats de nombreux travaux de recherche; ce lien n'apparaît pas toujours aussi évident qu'on le voudrait. Le rendement d'un individu peut s'améliorer suite à une modification de la technologie ou du processus de production sans nécessairement être suivi d'une plus grande satisfaction au travail. Ainsi l'on peut modifier les conditions physiques de travail et accroître la satisfaction sans nécessairement accroître la productivité des ressources humaines quand le rythme de travail demeure contrôlé par la vitesse de la machine. C'est ce raisonnement, pour le moment esquissé à grands traits[*], qui nous incite à présenter la PRODUCTIVITE et la SATISFACTION AU TRAVAIL comme deux finalités distinctes du système de gestion des ressources humaines.

1.2.3 Les activités reliées à la gestion des ressources humaines

La gestion des ressources humaines, en terme d'activités, comprend deux grandes dimensions:

LA DIMENSION OPERATIONNELLE: activités concernant l'acquisition, l'affectation, le développement et la conservation des ressources humaines.

LA DIMENSION ENERGETIQUE: activités reliées à la création et au maintien d'un climat organisationnel ou d'un milieu de travail satisfaisant, voire même valorisant pour les individus.

En d'autres termes, il s'agit de programmes d'actions qui visent le développement et le maintien de l'intérêt au travail, et l'établissement d'un état de relations inter-personnelles satisfaisantes.

1.2.4 **La dimension opérationnelle:** elle se compose d'activités spécifiques dont l'énumération obéit à une séquence logique et temporelle.

---

[*] Nous prenons pour acquis que le lecteur connaît déjà la multitude des travaux de recherche, d'ouvrages et d'articles de revues publiés sur ce sujet. Nous y reviendrons dans la deuxième partie de cet ouvrage.

1.2.4.1

— La détermination des objectifs généraux et des politiques qui serviront à encadrer la prise de décision concernant l'utilisation efficace et le traitement équitable des ressources humaines.

1.2.4.2

— La mise sur pied d'un support structurel par l'établissement d'un partage des responsabilités et de l'autorité entre les responsables hiérarchiques et les spécialistes de la fonction ressources humaines, ou par la révision des structures existantes en vue d'effectuer un nouveau partage des responsabilités.

1.2.4.3
— La planification des effectifs d'encadrement.

1.2.4.4
— L'acquisition des ressources humaines avec ses sous-systèmes:
    — la description des postes et des qualifications requises
    — le recrutement
    — la sélection
    — l'accueil.

1.2.4.5

— Le développement des ressources humaines:
    — l'appréciation de la performance et du potentiel
    — la détermination des besoins en formation
    — l'élaboration des programmes de formation
    — le déroulement des actions de formation
    — l'évaluation et le contrôle.

1.2.4.6

— La conservation des ressources humaines:
    — l'évaluation des postes de travail
    — la mise en place d'une structure de rémunération
    — l'administration des avantages sociaux
    — les activités reliées aux décisions touchant les promotions, les mutations, l'expansion ou la réduction des effectifs
    — l'administration de la discipline
    — l'élaboration et l'administration des programmes de sécurité et d'hygiène industrielle.

1.2.5 La dimension énergétique: toutes les activités et les décisions prises en matière de planification d'effectifs, d'acquisition, de développement et de conservation des ressources humaines peuvent avoir un impact sur le climat organisationnel dans le sens d'une amélioration ou une détérioration de ce climat *.

Sans en fournir une liste exhaustive, les activités normalement reliées à la création et au maintien d'un climat organisationnel satisfaisant sont les suivantes:

— Apporter, avec la participation du personnel concerné, les correctifs nécessaires révélés par les résultats d'enquêtes psycho-sociologiques.

— Réviser ou adopter une philosophie de gestion qui soit compatible avec les nouvelles valeurs de la société et avec les attentes des individus et des groupes au travail.

— Procéder, s'il y a lieu, à l'établissement de nouvelles formes d'organisation au travail comme l'enrichissement vertical des tâches, la création de groupes semi-autonomes ou la modification des horaires de travail. Bref, mener des actions qui s'inscrivent dans un effort d'amélioration de la qualité de la vie au travail.

— Modifier le système de gestion de façon à ce que les cadres subalternes se sentent plus impliqués dans la réalisation des objectifs de l'organisation et pour qu'ils puissent, par la suite, impliquer leurs propres collaborateurs.

1.2.6 Les ressources reliées à la fonction ressources humaines

On retrouve dans cette catégorie...

— les ressources qui sont actuellement à l'emploi de l'organisation et qu'il faut soit assigner différemment, soit former, soit promouvoir et et intéresser à la réalisation des objectifs de l'organisation

— les ressources qui sont dans l'environnement de l'organisation (le marché du travail externe) et qui sont susceptibles d'être embauchées par l'organisation

---

* La notion de climat organisationnel et de ses composantes est traitée dans l'exposé no 9.

— les spécialistes et des techniciens de la gestion des ressources humaines

— les ressources financières ou budgets qui seront utilisés dans les différents programmes d'activités liés à la fonction ressources humaines

— l'information tirée de l'environnement ou générée par le système lui-même

— une multitude d'instruments sous forme de modèles, de tests et de questionnaires qui servent soit à traiter l'information ou encore à supporter techniquement les activités.

1.2.7   La rétroaction ou l'information en retour

C'est une information obtenue à la suite d'une cueillette de données sur le degré d'atteinte des résultats. Cette information est retournée au système aux fins d'analyse et d'évaluation des programmes d'activités et pour effectuer une nouvelle allocation de ressources.

Si l'on veut juger du degré d'atteinte des résultats recherchés, il faut au préalable définir ces résultats de manière à ce que l'on puisse, par la suite, en mesurer le degré de réalisation.

Traditionnellement, la fonction *personnel* se donnait comme objectif de "rendre les gens heureux" ou de "faire du bien". C'était là des objectifs non quantitatifs dont le degré de réalisation était alors difficilement exercé au niveau des activités et de l'état des effectifs. Les listes de contrôle qu'on retrouve dans la plupart des ouvrages en gestion des ressources humaines témoignent de cette tendance encore présente.

En s'appuyant sur des études faites aux Etats-Unis [7] et en France [8] et en tenant compte uniquement du contexte nord-américain, on peut établir des indications qui permettent de juger de l'efficacité de la gestion des ressources humaines.

1.2.7.1   Les indicateurs reliés à la mesure du degré de réalisation des objectifs d'ordre économique

— Valeur ajoutée/effectifs moyens

— Production par homme-heure

— Taux de roulement de la main-d'oeuvre par catégorie et coûts de remplacement

— Fréquence et sévérité des accidents de travail: coûts impliqués.

— Pourcentage des effectifs qui satisfont aux exigences des tâches.

1.2.7.2 Les indicateurs reliés au degré de réalisation des objectifs d'ordre humain:

— Le profil de satisfaction observé à l'aide d'un questionnaire psycho-sociologique versus le profil de satisfaction souhaitée

— La proportion du taux de roulement qui serait explicable par des facteurs d'ordre psycho-sociologique

— Le taux d'absentéisme par catégorie de personnel

— Les taux d'accidents du travail (fréquence et sévérité) qui seraient imputables à des facteurs d'ordre psycho-sociologique

— Le nombre d'heures perdues à cause d'arrêts de travail spontanés ou d'arrêts de travail illégaux

— Le nombre de griefs réglés à l'une ou l'autre des étapes de la procedure versus le nombre de griefs en suspens à la fin d'une période donnée

— Les sommes d'argent investies dans l'amélioration des conditions de travail

— Le pourcentage de l'écart de salaires entre ce qui est payé dans l'organisation comparé à ce qui est payé dans d'autres pour les mêmes occupations.

1.3 L'environnement du système de gestion des ressources humaines

Il faut toujours distinguer entre le micro-environnement, c'est-à-dire l'ensemble des facteurs internes à l'organisation qui peuvent influencer la gestion des ressources humaines, et le macro-environnement c'est-à-dire les contextes économique, culturel, légal et politique qui agissent indirectement sur le système des ressources humaines.

1.3.1 Les facteurs internes à l'organisation (le micro-environnement)

a) La philosophie de gestion: c'est le système de valeurs des dirigeants, la conception qu'ils se font de l'individu dans une organisation de travail. Des dirigeants qui épousent plutôt les *"assumptions"* de la théorie X de MacGregor ([9]) auront tendance à privilégier le rendement au détriment de la satisfaction au travail, donnant ainsi une impulsion uniquement *"productiviste"* à la gestion des ressources humaines.

b) La taille de l'entreprise: dans les organisations de petite taille, les responsabilités en matière de gestion des ressources humaines doivent être assumées uniquement par les supérieurs hiérarchiques, puisqu'elles ne peuvent se doter d'un service du personnel comme il en existe dans les grandes organisations.

c) Les fluctuations dans la production des biens et des services: celles-ci peuvent influencer le degré de stabilité des ressources humaines et la sécurité d'emploi.

d) La nature des relations interpersonnelles au sein de l'équipe de direction. Un conflit ou un manque de collaboration au sein de l'équipe dirigeante peut engendrer une détérioration du climat des relations interpersonnelles ou des relations du travail à l'échelle de l'organisation tout entière.

e) La présence d'un syndicat: dans l'entreprise nord-américaine en vertu de la législation du travail qui confère au syndicat le monopole de représentation au niveau de l'établissement, la négociation et l'administration d'une convention collective de travail occupent une place importante dans l'emploi du temps d'un directeur des ressources humaines ou de ses collaborateurs, alors que dans une organisation non syndiquée la marge de manoeuvre laissée à la direction est beaucoup plus grande en matière de gestion des ressources humaines.

f) La technologie utilisée: la technologie utilisée dans la production des biens et services détermine dans une large mesure la nature des tâches et les qualifications exigées. Une technologie de fabrication en série, par exemple, s'accompagne de tâches parcellaires et répétitives, entraînant une certaine dépréciation du travail de l'ouvrier. Cependant, des expériences récentes dans des usines de production de masse démontrent qu'à une technologie donnée peuvent correspondre différentes formes de conception et de répartition du travail.

g) La culture d'une organisation: dans les organisations de type conservateur et bureaucratique, les décisions en matière de gestion des ressources humaines seront plutôt centralisées et axées sur le respect des règles et des procédures. Dans les organisations de type libéral ou participatif, les centres de décisions seront davantage déplacés vers la base, favorisant ainsi la participation des gens impliqués([10]). Les organisations qui présentent des structures rigides éprouvent beaucoup plus de difficultés à mobiliser les ressources humaines dans un effort de production que les organisations qui présentent des structures souples et décentralisées.

1.3.2 Les facteurs externes à l'organisation (le macro-environnement)

Sans faire un relevé exhaustif des forces qui président aux transformations socio-culturelles et économiques d'une société, nous aimerions quand même signaler à grands traits les principales tendances qui doivent retenir l'attention des responsables actuels et éventuels de la gestion des ressources humaines.

1.3.2.1 Au plan culturel: la valeur travail

On s'est habitué à considérer le travail dans les sociétés libérales comme une dépense d'effort ou d'énergie dans la production et la distribution de biens et de services qui ont une valeur d'échange.

Cependant, l'historien ne s'est pas toujours accommodé de cette définition qu'on veut factuelle tout en contenant une forte connotation économique. Le travail a reçu en effet plusieurs significations au cours de l'histoire. Si l'on fait exception de l'idée de "châtiment" qu'on retrouve dans la Bible, on peut regrouper sous deux grandes rubriques les diverses significations données à la notion de travail:
— le travail imposé
— le travail comme source d'autonomie et de progrès personnel.

Ces deux notions se retrouvent tout au long de l'histoire avec des variantes selon les époques et les visions. A l'époque de la grande Egypte, de la Grèce antique et du Moyen-Age, c'est surtout le caractère imposé qui a prévalu. L'avènement de l'industrialisation dans les sociétés libérales fait du travail l'objet d'un choix: on peut, dans une certaine mesure, choisir son occupation ou en changer.

Cependant le choix s'opère à l'intérieur d'une multitude de contraintes:

PERSONNELLES: à cause du réservoir d'aptitudes et de connaissances dont dispose l'individu à un moment donné.
ORGANISATIONNELLES: à cause des exigences des organisations qui règlementent les comportements.
SOCIALES: à cause d'un choix fait uniquement en vue de s'insérer dans le cycle production-distribution-consommation faisant ainsi du travail une source de revenu.

En plus de revêtir un caractère d'imposition avec l'application intensive de la mécanisation et de l'automatisation dans les usines et les bureaux, le travail prend un caractère d'aliénation. Le travail est perçu comme aliénant quand il ne permet pas à l'exécutant de se situer dans le processus de production et de saisir la structure et la signification de l'ensemble de l'oeuvre et/ou lorsqu'il ne permet pas à l'individu d'exercer un certain contrôle sur les conditions d'exécution (communications, heures de travail, rythme, charges, conditions de bruit, de propreté, d'éclairage, etc.). L'industrialisation, en rendant plus manifeste le caractère imposé, utilitaire et aliénant du travail, a en même temps suscité la naissance de mouvements sociaux et de groupes organisés dont l'objet principal est la revendication d'un plus grand contrôle et d'une autonomie élargie au niveau des conditions d'exécution. L'industrialisation a provoqué également une réflexion qui vise à repenser le travail et son organisation et à procurer des occasions d'expression et de réalisation de soi. Voilà d'ailleurs l'une des aspirations nouvelles qui se dessinent chez un nombre de plus en plus élevé de travailleurs dans la population active.

1.3.2.2   Développement et diffusion des connaissances

L'utilisation efficace et valorisante des ressources humaines repose en majeure partie sur la connaissance de la structure et du fonctionnement des organisations. Elle s'appuie également sur la compréhension des facteurs qui peuvent expliquer le comportement des individus et des groupes. Les courants de pensée et les travaux de recherche qui s'y rattachent ont emprunté une multitude d'avenues en s'intéressant à l'individu en situation de travail, au groupe, à l'organisation et aux liens d'interdépendance entre ces trois entités. Ces courants de pensée peuvent être identifiés de la manière suivante:

La psychotechnique:

Cette discipline a connu un premier effort de systématisation avec Hugo Munsterberg et son ouvrage intitulé "Psychology and Industrial Efficiency". Elle s'intéresse à l'élaboration de tests de sélection susceptibles de mesurer adéquatement les différences individuelles pour aider au choix des individus en regard des exigences des tâches.

Le taylorisme:

Puisque l'industrialisation se caractérise à la fois par un effort d'utilisation intensive de la technologie et par une application des principes de l'organisation rationnelle au travail, le taylorisme a été et demeure un courant de pensée important en gestion des ressources humaines.

Les disciples de Taylor se sont intéressés à la dimension technique qui privilégie l'étude des temps et des mouvements comme méthode d'analyse du travail et comme principe organisateur des activités de travail.

L'école des Relations Humaines:

La connaissance de la structure et du fonctionnement des groupes de travail constitue l'apport majeur de l'école des Relations Humaines. Cet apport nous a permis de mieux saisir la réalité de la dimension informelle des organisations ainsi que la complexité de la motivation au travail et de l'exercice du commandement.

Les sciences du comportement:

Ce courant de pensée regroupe des disciplines telles que la psychologie organisationnelle, la sociologie des organisations et l'anthropologie sociale. Contrairement à l'école des Relations Humaines dont les enseignements ont pris une tournure évangélique, les sciences du comportement se veulent "scientifiques" dans leur appréhension des phénomènes. Elles tentent d'asseoir leurs conclusions sur des observations *contrôlées* selon la démarche propre à la recherche empirique. La contribution des sciences du comportement porte sur les thèmes suivants (11, 12, 13):

— La motivation de l'individu au travail
— Les déterminants des comportements individuels et les mécanismes de modification de ces comportements
— Les différentes philosophies de gestion et leur impact sur le comportement des individus et des groupes (théorie X et Y de MacGregor), (système 1 — système 4 de Likert), (grille de Blake et Mouton)
— La formation aux relations interpersonnelles par les groupes de diagnostic, l'analyse transactionnelle, la pratique de la Gelstat
— La dimension psychologique des systèmes de rénumération
— La restructuration des tâches (enrichissement, élargissement)
— L'étude des relations d'interdépendance entre la satisfaction au travail et la productivité
— La méthodologie d'implantation des changements culturels et structurels à l'échelle des organisations (développement organisationnel).

Les systèmes socio-techniques:

L'approche systémique tirée des sciences de la biologie et de la cybernétique fournit un cadre de référence nouveau dans l'appréhension et l'explication des phénomènes organisationels. Au lieu de considérer isolément la tâche en elle-même, l'individu qui l'accomplit et la technologie utilisée, l'approche du *socio-tech* s'intéresse davantage à l'ensemble des facteurs qui peuvent expliquer le comportement des individus et des groupes en situation de travail.

Cette approche a été développée par Emery et Trist du TAVISTOCK INSTITUTE OF HUMAN RELATIONS (Londres) et sert de base à l'introduction de nouvelles formes d'organisation du travail, notamment l'implantation de groupes semi-autonomes de production. L'introduction de nouvelles formes d'organisation du travail fait une large place à la notion de démocratie industrielle qui se caractérise par une participation directe des travailleurs à la planification, à l'organisation et au contrôle de leur propre travail au niveau des ateliers et des bureaux ([14],[15]).

1.3.2.3 Les institutions du travail.

La gestion des ressources humaines au sein des organisations est également influencée par le rôle que jouent les institutions du travail et par le climat des rapports qui existent à un moment donné entre les trois partenaires sociaux: l'Etat, le patronat et les syndicats.

Le glissement de la population active vers les secteurs des services publics et para-publics, accompagné d'un effort réussi de syndicalisation intensive de ces mêmes secteurs, a incité l'Etat à sortir de son rôle de législateur dans le domaine des relations du travail pour devenir un partenaire actif à la table des négociations. Au même moment, les relations du travail, du moins dans la province de Québec, ont pris une dimension politique: phénomène attribuable, en partie, à l'ambiguïté du rôle de l'Etat comme législateur et négociateur et à l'intensification de l'orientation idéologique de deux centrales syndicales qui regroupent la majorité des effectifs de ces secteurs. Au cours de cette même période, toujours au Québec, les employeurs des secteurs privés ont réussi à se regrouper sous l'égide du Conseil du Patronat Québécois et tentent actuellement de faire valoir leur point de vue sur des modifications à apporter à la législation du travail et sur la nature du climat des relations du travail à instaurer tout dans le secteur privé que dans le secteur public de l'économie ([16]).

1.3.2.4 Les changements dans la composition de la main-d'oeuvre

Le développement rapide du secteur des services et l'automatisation progressive de l'effort de production dans le secteur privé ont entraîné des modifications dans la composition de la main-d'oeuvre dont les conséquences se répercutent en gestion des ressources humaines. Les effectifs jeunes (20-24), même si leur proportion ne s'est pas accrue dans la main-d'oeuvre totale au cours des dernières années (tableau 1.2), présentent des caractéristiques particulières. Les jeunes, dit-on, ont tendance à afficher des attitudes de rejet ou de refus à l'endroit du travail parcellaire au niveau des ateliers et des bureaux...

Cette main-d'oeuvre a atteint un niveau de scolarisation beaucoup plus élevé que celui de la génération précédente. Elle a en même temps développé des aspirations différentes en refusant de considérer le travail uniquement comme une source de revenus. Elle accepte plus difficilement l'idée d'obéissance aveugle à des directives, une fois les règles du jeu établies par voie de négociations. Plus sensibilisés dès l'école élémentaire aux notions de dialogue et de participation, les jeunes vont revendiquer de plus en plus au sein des organisations des occasions de participer aux décisions et de se réaliser dans leur travail ([17], [18], [19]). Un deuxième phénomène réside dans le glissement des effectifs vers le secteur tertiaire (tableau 1.3) et l'accroissement de la proportion des effectifs féminins dans la population active (tableau 1.4)([20]).

Pour mieux saisir l'ampleur de ces tendances, nous reproduisons ici quelques données récentes décrivant un aspect de l'offre du travail dans la province de Québec et au Canada.

TABLEAU 1.2

Répartition en pourcentage de la main-d'oeuvre par groupe d'âge, au Québec, 1969-1973

Groupe d'âge	1969	1970	1971	1972	1973
			%		
14-19	10.2	10.0	9.9	10.1	10.6
20-24	17.2	17.1	17.3	17.2	17.4
25-44	43.6	43.8	43.8	44.3	44.0
45-64	26.8	26.9	27.2	26.7	26.2
65+	2.2	2.2	1.8	1.7	1.8
Total	100.0	100.0	100.0	100.0	100.0

Sources: Bureau de la statistique du Québec. Le marché du travail au Québec, 1973.

Tableau 1.3

Répartition en pourcentage des employés* par secteur d'activité, au Québec, en Ontario et au Canada, 1971 et 1973.

Secteur d'activité	Québec		Ontario		Canada	
	1971	1973	1971	1973	1971	1973
	%					
• Primaire	5.6	5.7	5.4	5.1	8.3	7.9
Agriculture		3.7		3.6		5.3
Autres industries primaires		2.0		1.5		2.6
• Secondaire	28.6	31.4	30.6	33.8	26.1	28.8
Fabrication		25.9		27.6		22.5
Construction		5.5		6.2		6.3
• Tertiaire	56.3	62.9	56.9	61.1	57.7	63.3
Transports et autres services publics		8.8		7.6		8.8
Commerce		16.3		16.3		17.1
Finances, assurances et immeubles		4.7		5.2		4.7
Services sociaux, personnels et autres		26.6		25.3		26.1
Administration publique		6.6		6.7		6.6
Total	90.5	100.0	92.9	100.0	92.1	100.0
Non classés	9.5		7.1		7.9	

Sources: Bureau de la statistique du Québec. Le marché du travail au Québec. Statistique Canada. Recensement de 1971.

* Y compris les travailleurs rémunérés, les travailleurs autonomes et les travailleurs familiaux non rémunérés.

Tableau 1.4   Taux d'activité de la population active, par âge et par sexe, au Québec, 1961-1973.

(%)

	Total H	Total F	14-19 H	14-19 F	20-24 H	20-24 F	25-44 H	25-44 F	45-64 H	45-64 F	65+ H	65+ F
1961	77.3	28.2	39.8	37.9	84.3	51.3	93.0	26.0	87.0	24.2	27.5	7.3
1966	77.7	31.5	35.5	33.5	87.2	59.1	97.3	30.5	90.7	27.9	28.2	6.1
1967	77.8	32.5	36.3	33.0	86.3	56.2	97.1	31.7	41.5	28.7	26.8	7.0
1968	76.7	32.4	35.3	30.6	83.5	62.2	97.0	31.7	90.0	29.3	25.3	6.4
1969	76.4	33.2	34.9	27.9	83.7	63.8	96.5	34.7	90.5	28.5	23.4	7.3
1970	76.0	33.1	34.5	28.8	82.2	62.0	96.4	35.4	90.2	28.9	23.0	5.7
1971	75.7	34.7	34.8	28.0	83.0	64.6	96.6	37.8	40.0	31.1	18.3	5.6
1972	75.4	34.6	36.2	28.8	82.0	63.2	96.6	39.8	88.5	30.4	17.3	4.8
1973	76.5	36.6	39.2	30.3	88.3	66.6	97.1	41.6	88.1	31.3	16.3	5.2

Sources: Statistique Canada. La Main-d'Oeuvre (71-001).
         Statistique Canada. Recensement de 1961.

1.3.2.5   Le progrès technologique

L'application des connaissances nouvelles et les exigences de la concurrence dans un régime d'économie libérale incitent au changement technologique. De telles modifications génèrent un sentiment d'insécurité chez les individus dont les qualifications ne répondent plus aux exigences des tâches nouvelles. L'automatisation des procédés de fabrication et de distribution entraîne une substitution graduelle de l'effort physique par l'effort mental, réduisant ainsi le caractère de pénibilité des tâches sans nécessairement les rendre ni moins routinières, ni moins parcellaires. Une telle situation invite à intensifier l'effort de mise à jour des connaissances et des habilités au sein même des organisations de travail.

1.3.2.6   La conjoncture économique

Les variations dans la demande pour les biens et les services entraînent des modifications au niveau du volume des effectifs requis pour soutenir l'effort de production.

Nous avons identifié les principaux facteurs internes et externes qui peuvent exercer une influence sur la gestion des ressources humaines au sein d'une organisation. Nous avons également procédé à une reformulation de ce domaine d'activités en explicitant, dès le départ, les résultats recherchés. Pour faciliter la compréhension de cette reformulation, nous avons élaboré un modèle graphique (fig. 1.5).

Figure 1.5

REPRESENTATION SYMBOLIQUE D'UN SYSTEME DE

GESTION DES RESSOURCES HUMAINES

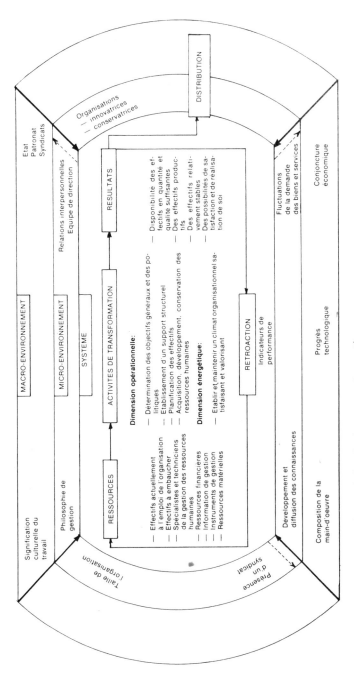

31

QUESTIONS

1) En quoi une conception systémique de la gestion des ressources humaines diffère-t-elle de la conception traditionnelle?

2) Quelles sont les implications d'une distinction entre système ouvert et système fermé?

3) Quelle(s) distinction(s) établissez-vous entre les objectifs spécifiques de la gestion des ressources humaines et ceux de l'organisation dans son ensemble?

4) Que signifie l'expression optimisation de l'atteinte de deux objectifs distincts?

5) Etablissez une classification des utilisateurs des résultats produits par un système de gestion des ressources humaines.

6) Décrivez l'impact que peut exercer sur la gestion des ressources humaines l'un ou l'autre des facteurs internes suivants:
   — la philosophie de la haute direction
   — la taille de l'organisation
   — la demande pour le produit
   — la présence ou l'absence d'un syndicat.

7) Au fur et à mesure que l'industrialisation s'intensifie, le travail a tendance à se dévaloriser... Cette observation laisserait entendre qu'il fût une époque où le travail était valorisant en soi. Comment réconciliez-vous cette constatation historique avec la notion de travail imposé?

8) Des modifications à la législation du travail peuvent avoir un impact sur la gestion des ressources humaines au sein des organisations... Identifiez une modification effectuée récemment au Québec et décrivez son impact.

9) Le modèle de gestion des ressources humaines que nous avons développé dans cet exposé s'applique-t-il au secteur public (municipalités, commissions scolaires, ministères, etc.)?

BIBLIOGRAPHIE: sources consultées au cours de la rédaction de l'exposé.

1) PIERRE Joseph C., "La gestion des ressources humaines: une approche intégrée et provisionnelle". **Management France, No 6, juin 1974.**

2) BELANGER Laurent, "Le rôle d'un service du personnel dans une administration scolaire plus humaines". **Relations industrielles,** Québec, Vol. 28, no 4, 1973.

3) ANTHONY P.W. et NICHOLSON E.A., **Management of Human Ressources: A Systems Approach to Personnel Management,** Grid Inc., Columbus, Ohio, 1977.

4) ODIORNE George, **Personnel Administration by Objectives.** Richard D. Irwin, 1971.

5) LANGEVIN J.-L., TREMBLAY R. et BELANGER L., **La direction participative par objectifs.** Dossier Management No 2, Presses de l'Université Laval, Québec, 1976.

6) SAPPEY P.L., "La fonction "Personnel": finalités et objectifs possibles", **Personnel,** France, No 148, janvier 1972.

7) RABE W.F., "Yardstick for Measuring Personnel Department Effectiveness", **Personnel,** janv. fév. 1967.

8) JACQUET J.-L. et PERRIN D.-H., **La fonction personnel en question,** Paris, Entreprise et Personnel, Document interne, 1972.

9) MACGREGOR D., **La dimension humaine de l'entreprise,** Paris, Gauthier — Villars, 1976.

10) CROZIER M., "Les problèmes humains que posent les structures de l'entreprise dans une société et changement", **Organisation et gestion des entreprises,** mars 1971.

11) STRAUS George, "Organizational Behavior and Personnel Relations", dans Ginsburg W.L. et alii, **A Review of Industrial Relations Research,** Madison, Wisconsin, 1970.

12) SHAW Malcoud E., "The Behavioral Science: a New Image". **Training and Development Journal,** février 1977.

13) DONNAY, Lucienne, "Bilan de la Psychologie et perspective d'applications", **Chefs, Revue Suisse du Management,** octobre 1973.

14) CONFEDERATION PATRONALE SUEDOISE (SAF), **Gestion participative des ateliers; bilan de 500 cas de réorganisation des tâches,** Ed. Hommes et Techniques, Surennes, 1977.

15) LEFEBVRE C. et C. ROLLOY, **L'amélioration des conditions de travail dans les emplois administratifs,** Chotard, Paris, 1976.

16) BERNIER Jean et al., **Les relations du travail du Québec: la dynamique du système,** Presses de l'Université Laval, 1976.

17) "Réflexions sur le problème des jeunes face à l'emploi industriel, **Personnel,** France, sept. 1976, No 190.

18) SARTIN, Pierrette. Jeunes au travail, jeunes sans travail. Editions d'Organisation, Paris, 1977.

19) DELPLANQUE B., "Les attentes des jeunes dans le travail", **Direction et gestion des entreprises,** Vol. 2, No 5, 1975.

20) DEPATIE Francine, La femme dans la vie économique et sociale du Québec, **Forces,** No 27, 1974.

PARTIE I

**DIMENSION ADMINISTRATIVE
DE LA
GESTION DES RESSOURCES HUMAINES**

négatif

domssion entre rel trad + exp.

Exposé no 2

LE SUPPORT STRUCTUREL DE LA GESTION DES
RESSOURCES HUMAINES

Dans les organisations de moyenne et grande taille, les responsabilités en matière de gestion des ressources humaines ne peuvent être assumées en totalité par les supérieurs hiérarchiques ou les chefs linéaires *("line")*. C'est pourquoi ces organisations ont dû procéder à l'établissement d'unités administratives spécialisées qui sont devenues les services du personnel ou des ressources humaines. Cette constatation nous amène à faire une distinction entre la *fonction ressources humaines* et le *service des ressources humaines*.

2.1 Distinction entre "service des ressources humaines" et "fonction ressources humaines":

La *fonction ressources humaines* a été décrite dans un exposé antérieur à l'aide de la notion de système. En tenant compte des éléments qui la composent et de l'interdépendance de ces éléments, on peut définir cette fonction comme étant l'ensemble des activités *d'ordre opérationnel (planification, acquisition et conservation des effectifs) et d'ordre énergétique (création d'un climat organisationnel satisfaisant et valorisant) qui utilisent des ressources (humaines, financières, physiques et informationnelles) en vue de fournir à l'ensemble de l'organisation des ressources humaines disponibles, productives, relativement stables et satisfaites.* Cette définition se rapproche sensiblement de celles qu'on retrouve dans des ouvrages déjà publiés sur le sujet.

Marcel Côté[1] définit la fonction ressources humaines comme étant *cette partie de l'administration générale qui a pour mission de penser, de planifier, de regrouper, de coordonner, d'intégrer, de diriger, de contrôler les activités de chaque supérieur hiérarchique lorsqu'il vise à se doter d'un personnel compétent, à le conserver, à l'utiliser, à le développer en vue d'atteindre les objectifs de son organisation et ceux de ses collaborateurs, d'une manière efficace.*

Joseph-C. Pierre[2] reprend la définition de Wendell French et la reformule de la manière suivante: *"La gestion des ressources humaines et la fonction du management dont l'objet est de concevoir, de planifier, et de contrôler l'ensemble interdépendant et interrelié des processus et* éléments facilitateurs ou catalyseurs qui d'une part visent à l'utilisation efficiente des ressources humaines de l'organisation, c'est-à-dire qui se réfèrent à l'acquisition, à l'utilisation, au développement et à la motivation des membres de l'entreprise, et d'autre part s'efforcent d'assurer la continuité de l'entreprise en tant que groupe social soumis à des pressions et tensions externes et internes''.

Si la fonction ressources humaines est avant tout une fonction de management, ceci implique que la responsabilité des décisions finales en matière d'utilisation des ressources humaines relève généralement des chefs linéaires (i.e. ceux qui entretiennent une relation d'autorité linéaire avec des collaborateurs) dans toutes les unités administratives qu'on retrouve au sein d'une organisation de travail.

Le service des ressources humaines est une unité administrative spécialisée dont le rôle consiste fondamentalement à fournir des conseils et l'assistance technique et administrative de façon à permettre aux chefs linéaires d'assumer adéquatement leurs responsabilités en matière de gestion des ressources humaines. Pour ce service, fournir des conseils et de l'assistance implique donc:

1) l'élaboration des politiques et des programmes d'action en matière de gestion des ressources humaines

2) l'approbation de ces politiques et de programmes par la direction

3) la surveillance de l'application des politiques et de l'exécution des programmes d'action

4) la mise en place d'une structure administrative regroupant les activités de conseil et d'assistance dans tous les domaines de la gestion des ressources humaines

5) la cueillette et la diffusion des informations nécessaires à la prise de décision

6) le développement des instruments appropriés et des normes d'utilisation de ces instruments.

2.2 La structure du service

Dans l'entreprise de taille moyenne ou grande, un service des ressources humaines regroupe habituellement les activités selon leur spécificité et leur degré de complémentarité pour donner l'organigramme (2.1).

Figure 2.1 Organigramme d'un service des ressources humaines
(le cas fictif d'une organisation de grande taille à établissement unique et syndiqué)

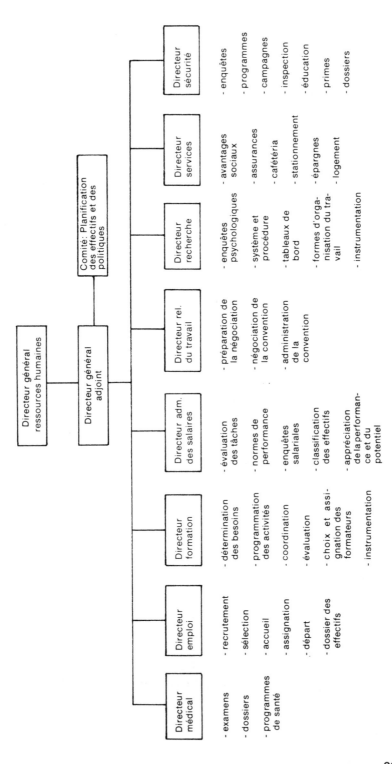

On se demandera avec raison pourquoi telle activité relève du service de gestion des ressources humaines et pourquoi telle autre activité n'y apparaît pas. Le regroupement des activités au sein d'un service de gestion des ressources humaines ne répond pas toujours à une logique ou à des critères très précis et explicites. Les critères utilisés sont habituellement les suivants:

1) *La spécificité de l'activité:* si par nature une activité est reliée à la réalisation de l'un ou l'autre des résultats recherchés en matière de gestion des ressources humaines, elle sera normalement assignée à l'une ou l'autre des divisions au sein du service.

2) *L'efficacité:* si une activité peut être accomplie par l'une ou l'autre des divisions du service des ressources humaines et à moindre coût que dans un autre service, et si cette activité répond également au critère de spécificité, elle sera normalement assignée à ce service.

3) *La complémentarité:* une activité qui est complémentaire ou connexe à une autre localisée dans le service et qui répond au critère de spécificité sera intégrée aux activités déjà accomplies par le service.

4) *La philosophie de la haute direction:* l'orientation plus ou moins paternaliste de la haute direction peut amener cette dernière à confier au service des ressources humaines des tâches qui devraient normalement relever des services administratifs.

5) *Le désir chez un directeur des ressources humaines de se construire un empire:* le directeur des ressources humaines qui veut accroître son prestige et son statut, ou encore plaire à ses collègues de la direction n'ose pas opposer un refus lorsque la direction veut lui confier des responsabilités que personne ne veut assumer dans les autres services.

6) *Le poids de la tradition:* certaines activités sont dévolues au service des ressources humaines à cause d'une tradition qui existe au niveau de l'équipe de direction quant à la répartition des responsabilités et qui n'est pas remise en cause.

2.3 Le rattachement du service des ressources humaines à la structure organisationnelle

Les études effectuées[3] sur ce sujet permettent de retracer quatre types de rattachement:

le service "intégré" (integrated)

le service "scindé" (split-function)

le service "étendu" (extended)

le département de services spécialisés (staff-coordinated department).

2.3.1 Le service intégré comprend deux grands regroupements d'activités sous la responsabilité du directeur général ou du vice-président (ressources humaines). Ces deux regroupements sont sous la direction respective d'un directeur des relations du travail (labor relations) et d'un directeur des relations avec les employés (employee relations). Un organigramme simplifié de ce type de rattachement donnerait ceci:

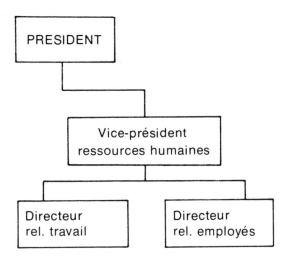

C'est le type de structuration des activités qui semble le plus répandu dans le contexte nord-américain. Il a l'avantage de placer toute activité de conseil et d'assistance en matière de gestion de ressources humaines sous la responsabilité générale d'une même personne. Cette personne, comme membre de l'équipe de direction, est bien placée pour faire valoir le point de vue des ressources humaines dans l'élaboration des objectifs, des politiques et des stratégies de l'organisation.

2.3.2 Le service "scindé" établit une séparation étanche entre deux groupements majeurs d'activités: relations du travail et relations avec les employés, constituant ainsi deux directions séparées qui relèvent du président ou du vice-président aux opérations. Une représentation simplifiée donne ceci:

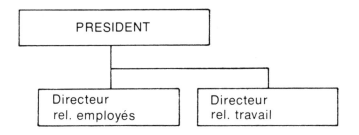

PRESIDENT

Directeur
rel. employés

Directeur
rel. travail

Dans ce cas, la gestion du conflit syndicat-direction constitue un regroupement d'activités différent de la gestion de l'harmonie c'est-à-dire des relations avec les employés. Cette structuration répond à une philosophie de gestion qui considère le syndicat comme un élément totalement extérieur à l'organisation. Elle ne permet pas une coordination de toutes les activités de gestion des ressources humaines par une personne spécialisée dans ce domaine.

2.3.3 Le département ''étendu'' regroupe, en plus des deux directions relations du travail et relations avec les employés, la direction des relations publiques, formant ainsi la structure simplifiée suivante:

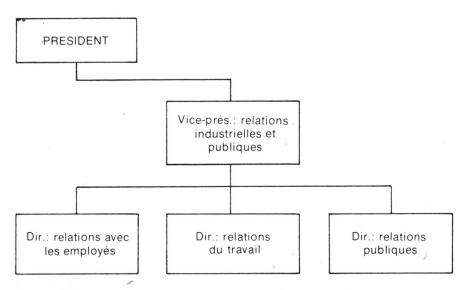

PRESIDENT

Vice-prés.: relations industrielles et publiques

Dir.: relations avec les employés

Dir.: relations du travail

Dir.: relations publiques

Cette structure repose sur le principe que les ressources humaines actuellement à l'emploi de l'organisation constituent un public privilégié puisque ce sont elles qui diffusent l'image de l'organisation à l'extérieur. Ce serait surtout le cas d'une entreprise qui opère seule dans une localité dont la majorité des résidants en constitueraient les effectifs. C'est une structure qui est viable en autant que le premier responsable du service possède une compétence administrative dans ces deux domaines généralement fort distincts.

2.3.4   Le département des services spécialisés regroupe en plus des deux directions "relations du travail et relations avec les employés" un nombre plus ou moins élevé de services tels que le contentieux, les approvisionnements, les relations publiques.

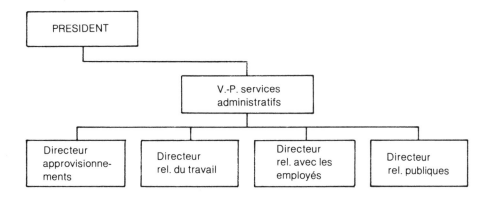

On constate de nouveau l'absence d'un responsable unique à la tête du service des ressources humaines pour faire valoir adéquatement le point de vue du personnel au niveau de l'équipe de direction. Le problème de coordination d'activités aussi différentes se présente puisqu'il est assez difficile de recruter une personne qui afficherait une compétence reconnue dans chacun de ces domaines.

2.4   Le partage des responsabilités entre les chefs linéaires et le service des ressources humaines

Même si l'on réussit, sur papier, à établir une distinction entre la *fonction ressources humaines* et le *service des ressources humaines*, il demeure quand même difficile dans la pratique d'effectuer un partage des responsabilités entre les chefs linéaires et les spécialistes de la gestion des ressources humaines. La plupart des activités inhérentes à la *fonction ressources humaines* ne peuvent être totalement accomplies par les spécialistes du service des ressources humaines. Leur accomplissement suppose des échanges continuels entre la hiérarchie et les spécialités et c'est au cours de ces échanges que les individus impliqués "s'engagent" et, par conséquent, assument leurs responsabilités respectives. Cette situation est compréhensible puisque le fonctionnement même du système de gestion des ressources humaines constitue un champ de juridictions partagées. Pour arriver à un partage qui peut servir de guide, on peut décomposer chacune des activités dans ses éléments opérationnels qui en forment la séquence et procéder à l'identification des responsabilités respectives en se servant des catégories suivantes:

Responsabilité première (R.P.) (Les chargés de l'opération)

Responsabilité secondaire (R.S.) (Assistants)

Aucune responsabilité (A.R.)

Un premier exemple d'application concernant l'activité de sélection serait le suivant:

Activité de sélection	Responsabilité chefs linéaires	Responsabilité service des ressources humaines
— Réception des candidatures	A.R.	R.P.
— Tamisage	A.R.	R.P.
— Questionnaire	A.R.	R.P.
— Administration des tests	A.R.	R.P.
— Vérification des références	A.R.	R.P.
— Examen médical	A.R.	R.P.
— Entrevue de placement	R.P.	R.S. (assiste)
— Décision d'embauche*	R.P.	A.R.
— Communication de la décision	A.R.	R.P.
— Formalités d'embauche	A.R.	R.P.

(*) Cet exemple décrit une situation qui prévaut généralement. Cependant, il peut arriver que la décision finale se prenne après la période d'essai, tel que prévu dans la convention collective. Dans ce cas, le supérieur hiérarchique sera responsable de l'évaluation faite après cette période.

Un deuxième exemple d'application du guide que nous proposons concerne la formation:

Activité de formation	Responsabilité chefs linéaires	Responsabilité service des ressources humaines
— Détermination des besoins		
— Instrumentation	A.R.	R.P.
— Information (fournir)	R.P.	A.R.
(interpréter)	R.S.	R.P.
— Programmation des activités de formation	R.S.	R.P.
— Contenu pédagogique	R.S.	R.P.
— Instrument pédagogique	A.R.	R.P.
— Exécution du programme: chef linéaire utilisé comme formateur	R.P.	R.S.
— formateurs extérieurs	A.R.	R.P.
— Evaluation		
— fournir l'information	R.P.	A.R.
— instruments d'évaluation	A.R.	R.P.
— interprétation des données	R.S.	R.P.
— corrections à apporter	R.S.	R.P.

2.5 Partage de l'autorité formelle entre les spécialistes des ressources humaines et les supérieurs hiérarchiques

Le partage des responsabilités au sein d'une structure administrative s'accompagne d'une répartition ou d'une délégation de l'autorité nécessaire pour les assumer. Pendant longtemps, le principe qui présidait à la répartition de l'autorité était le suivant: "Le *"line"* décide et le *"staff"* fournit assistance et conseils". Ce principe, dérivé d'une conception moniste de l'autorité (un subordonné ne doit avoir qu'un seul supérieur immédiat) continue à s'appliquer avec des adoucissements quand l'on veut établir un partage de l'autorité qui colle à la complexité des organisations actuelles.

Il existe effectivement trois types d'autorité:

— L'autorité linéaire ou hiérarchique: c'est la relation d'autorité qui s'établit entre un subordonné et un supérieur, ce dernier ayant le droit de donner des directives et de s'attendre à ce qu'elles soient suivies.

— L'autorité de conseil: c'est l'autorité basée sur des connaissances spécialisées et une compétence reconnue qui confient, par le fait même, un droit d'être consulté.

— L'autorité fonctionnelle: c'est l'autorité d'un chef spécialiste qui oeuvre dans une unité administrative spécialisée en vertu de laquelle il a le droit de donner des directives dans son propre service (line) et d'être consulté (staff); enfin, il a le droit de donner des directives dans d'autres services et d'en surveiller l'application en autant que ces directives s'inscrivent à l'intérieur de sa spécialité et qu'elles découlent de politiques approuvées par la haute direction (aspect fonctionnel).

En vertu de cette distinction qui préside au partage de l'autorité qui devrait normalement être déléguée à un directeur d'un service des ressources humaines, ce dernier a le droit de donner des directives à ses propres collaborateurs, le droit d'être consulté et le droit de surveiller l'application de politiques qui viennent encadrer les décisions à prendre en matière de gestion des ressources humaines.

En pratique, une multitude de facteurs agissent sur le partage de l'autorité et affectent l'étendue du pouvoir dont dispose le spécialiste des ressources humaines.

2.5.1   La taille de l'organisation: une organisation de petite taille n'éprouve pas le besoin de se doter d'un service des ressources humaines très élaboré. En l'absence d'un spécialiste de la gestion des ressources humaines, ce sont les supérieurs hiérarchiques qui assument l'ensemble des responsabilités dans ce domaine.

Dans les organisations complexes avec des établissements multiples répartis sur un territoire qui dépasse souvent les frontières d'un pays, la distribution de l'autorité en gestion des ressources humaines devient plus complexe vu la présence d'unités administratives spécialisées tant au niveau du siège social qu'à celui de chacun des établissements. La délégation de l'autorité épouse alors la forme suivante:

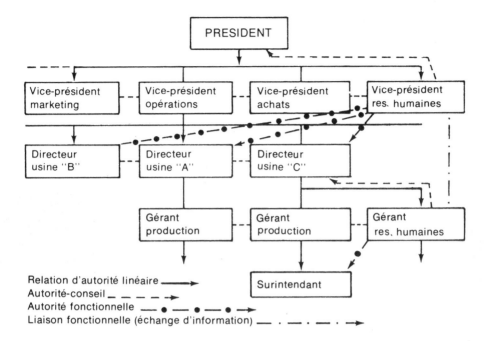

PRESIDENT

Vice-président marketing

Vice-président opérations

Vice-président achats

Vice-président res. humaines

Directeur usine "B"

Directeur usine "A"

Directeur usine "C"

Gérant production

Gérant production

Gérant res. humaines

Surintendant

Relation d'autorité linéaire ⟶
Autorité-conseil _ _ _ _ _⟶
Autorité fonctionnelle _ _ • _ • _ • ⟶
Liaison fonctionnelle (échange d'information) _ . _ . _ . ⟶

2.5.2 Le refus ou le désir des chefs linéaires d'assumer des responsabilités en matière de gestion de ressources humaines: les chefs linéaires trop préoccupés par la production ou peu confiants en eux-mêmes pour décider en matière de relations interpersonnelles ou relations du travail ont tendance à abdiquer leur autorité dans ces domaines, accroissant ainsi celle du spécialiste des ressources humaines.

2.5.3 Le besoin d'uniformité dans l'application de certaines directives ou procédures: dans le secteur des relations syndicat-direction par exemple, l'interprétation et l'application d'une convention collective exigent souvent une position ferme de la part du spécialiste des relations du travail pour assurer une certaine uniformité ou éviter les situations où l'on pratiquerait deux poids, deux mesures.

2.5.4 Les qualifications du responsable du service et de ses collaborateurs: tout en admettant que les ressources humaines constituent une fonction vitale reliée à la survie et à la croissance de l'entreprise, les dirigeants continuent à considérer le service des ressources humaines comme étant inférieur en statut et en prestige aux services des ventes, de la finance et de la production. Cette attitude peut inciter des dirigeants brillants et expérimentés à décliner des propositions de promotion à la direction du service des ressources humaines. Si ce poste est alors occupé par un administrateur qui n'a pas la compétence reconnue, c'est tout le service qui voit sa crédibilité et son autorité diminuées auprès des utilisateurs. Par contre, si le premier responsable du service des ressources humaines possède les qualifications requises pour promouvoir l'aspect humain dans toutes les décisions majeures qui affectent la survie de l'organisation, c'est tout le service qui sera mieux écouté et apprécié.

2.5.5   Le degré de clarification du rôle du service des ressources humaines: en général, une fonction se voit attribuer du prestige et de l'autorité dans la mesure où ses objectifs sont clairement définis et dans la mesure où les programmes d'activités et les responsabilités assumées concourent étroitement à la réalisation des objectifs. En gestion des ressources humaines, la définition d'objectifs demeure une tâche difficile: les attentes de la haute direction à l'endroit de la contribution à fournir par le service des ressources humaines ne sont pas toujours explicitées; le responsable du service et ses collaborateurs sont tellement absorbés par des tâches quotidiennes, qu'ils n'osent pas prendre le temps de définir des objectifs précis. La contribution du service et les critères d'évaluation demeurent impondérables et imprécis, d'autant plus que le service se voit attribuer le rôle de "pompier". Des travaux de recherche et des observations faites par d'autres viennent appuyer cette constatation. Ritzer et Trice découvrent que "le rôle du département du personnel n'est pas clairement défini. Il existe un manque de précision au niveau des attentes de la direction à l'endroit de la *fonction personnel* et une réticence chez les directeurs du personnel à indiquer ce qu'ils croient être leur rôle"([4]).

"La pauvreté véritable du domaine des ressources humaines origine dans la faillite des responsables à déterminer les objectifs de la fonction"([5]).

Une définition plus précise des objectifs faciliterait le partage des responsabilités et de l'autorité en matière de gestion des ressources humaines et permettrait aux organisations de se donner un support structurel plus adéquat et plus fonctionnel.

2.6   Questions

1) Propos d'un chef de service... "Comment atteindre les normes de qualité et de quantité établies par la direction, si le préposé à la sélection décide pour moi d'embaucher des employés qui ne sont pas aptes à faire équipe avec ceux que j'ai déjà formés?"

Commentez ces propos.

2) Pourquoi tous les supérieurs hiérarchiques sont-ils impliqués dans la *fonction ressources humaines* alors qu'ils ne sont pas tous concernés par les fonctions de marketing, de production, de ventes et de relations publiques?

3) Si la définition de la gestion des ressources humaines élaborée par l'auteur se rapproche sensiblement de celles élaborées par J.-C. Pierre et Marcel Côté, elle s'en éloigne également sur certains aspects. Dégagez au moins deux de ces aspects.

4) Quels sont les critères qui président au regroupement des activités à l'intérieur de tel ou tel service? Est-ce que ces critères s'appliquent tous lorsqu'il s'agit de décider si une activité particulière doit se retrouver ou non à l'intérieur d'un service des ressources humaines?

5) Quels sont les avantages et les inconvénients de placer le service des ressources humaines à l'intérieur d'une direction intitulée *services administratifs* (le cas des hôpitaux dans la province de Québec, pour citer un exemple)?

2.7 **Travaux pratiques**

2.7.1 Exercice

— Découpez dans les journaux des demandes d'emploi dans le domaine de gestion des ressources humaines.
— Dégagez un profil en termes de:
a) responsabilités inhérentes au poste
b) liens d'autorité formelle entre ce poste et
d'autres au sein de l'organisation.

2.7.2 Exercice

— Rencontrez le directeur des ressources humaines de deux organisations de la région, l'une du secteur public et l'autre du secteur privé.
— Dressez avec son aide deux tableaux du partage des responsabilités entre le service des ressources humaines et les supérieurs hiérarchiques.
— Dégagez les similitudes et les différences entre les deux organisations sur le plan de la répartition des responsabilités.

2.7.3 Etude de cas:

LES HABITATIONS PREFABRIQUEES INC.

L'accroissement des coûts de main-d'oeuvre et des matériaux dans le secteur de la construction a entraîné, au cours des dix dernières années, un essor considérable de la demande pour les maisons préfabriquées. Habito-Fab est une entreprise qui oeuvre dans ce secteur. Fondée en 1968, elle fabriquait alors des maisons mobiles dans une usine située à Longueuil. L'usine employait à ce moment-là 225 personnes. Après la reconversion de son équipement en 1970, Habito-Prefab s'est lancée dans la production de la maison préfabriquée. C'est une entreprise prospère, qui regroupe à la suite d'acquisitions récentes quatre usines réparties comme suit:

— Longueuil   800 personnes
— Mont-Laurier   300 personnes
— Lévis   450 personnes
— Matane   300 personnes

Les employés de bureaux qui constituent environ 15% des effectifs sont regroupés dans des locaux affiliés à la Fédération Canadienne des Services Publics. Les travailleurs en usine sont regroupés dans des locaux affiliés à la Fédération du Bâtiment et du Bois (CSN).

Un service du personnel restreint, au niveau de chaque usine, s'occupe de l'embauche, de la formation professionnelle, de la rémunération, de la sécurité et de la tenue des dossiers. Ce service est sous la responsabilité d'un gérant qui dépend directement du directeur de l'usine. L'administration des conventions collectives relève du directeur de l'usine, assisté d'un conseiller en rémunération, Pierre Côté, qui relève du directeur général de la production au bureau-chef. Côté s'occupe également de la négociation de toutes les conventions collectives. C'est un type âgé de 35 ans possédant une longue expérience en administration des salaires et en négociation de conventions collectives. C'est un gars très occupé qui jouit de la confiance de son supérieur et des gérants des usines. Il négocie présentement deux conventions collectives dont la date d'expiration est proche. Quand il est à son bureau, il trouve à peine le temps de lire son courrier puisqu'il est toujours au téléphone en train de répondre au gérant de production ou au gérant du personnel de l'une ou l'autre usine.

A la suite de discussions avec les gérants de production au niveau des usines et avec le directeur général de la production, le président Roch Gagnon souligne que le taux de roulement de la main-d'oeuvre chez Habito-Prefab est très élevé, surtout au printemps chez les manoeuvres. Il constate également un manque de coordination entre les quatre services de personnel au niveau des usines. L'entreprise a grossi rapidement et chacun des services de personnel s'est doté d'instruments de travail sans se soucier de la manière dont les autres procédaient. Par conséquent, les critères de décision actuellement varient considérablement d'une entreprise à l'autre en matière de gestion des ressources humaines.

Au cours d'une réunion du bureau de direction, Roch Gagnon propose la mise sur pied d'un service de gestion des ressources humaines au niveau du siège social et met de l'avant le nom d'une personne qu'il admire beaucoup, Paul Petigrew. Ce dernier est un ami du président. Il possède une vaste culture et il se révèle un fin observateur du comportement des individus. Après l'obtention d'une licence en psychologie, Paul Petigrew s'est inscrit à un programme de M.B.A. et a obtenu le diplôme. Il est jeune (28 ans) et il possède déjà 3 ans d'expérience en administration.

La proposition du président Roch Gagnon est acceptée et Paul Petigrew est engagé. Ce dernier se met à la tâche et rédige les objectifs de son service qui peuvent se résumer comme suit: "Le service des ressources humaines a pour fonction:

a) de faire des études sur les politiques non écrites et les pratiques existantes en matière de gestion des ressources humaines (sélection, formation, administration des salaires, sécurité au travail, discipline).

b) de concevoir, à la lumière de l'information recueillie à l'étape précédente, les instruments appropriés dans ces domaines de la gestion des ressources humaines.''

Pour ce faire, Paul Petigrew a sous-divisé son service en grands secteurs: en plus de gérer le service, il s'occupera lui-même de la sécurité et des questions disciplinaires. Le secteur de l'administration des salaires, qui implique l'évaluation des tâches, devait être assumé par Pierre Côté, étant donné la vaste expérience qu'il possède déjà dans ce domaine.

Par la suite, Paul Petigrew rencontre le président pour obtenir son approbation. Roch Gagnon, au cours de la discussion, fait remarquer à Petigrew qu'il s'est assigné une tâche considérable, et l'idée de diviser le travail en trois grands secteurs est excellente. "Il n'y a pas de doute, affirme le président, que Pierre Côté sera grandement utile à l'intérieur de ce service, puisqu'il connaît bien le domaine de l'évaluation des emplois. Je vais l'avertir que, dorénavant, la tâche qu'il accomplit sera intégrée au service des ressources humaines.''

Par la suite, Paul Petigrew s'attaque à l'étude des pratiques en matières disciplinaires. Il confie le domaine de la sélection et de la formation à un jeune gradué en psychologie industrielle qu'il vient de faire embaucher. Il tente de rencontrer Pierre Côté pour lui confier le projet d'une première rédaction d'un manuel d'évaluation des tâches, projet qu'il aimerait présenter dans un mois au bureau de direction. La rencontre a lieu avec Pierre Côté, et ce dernier promet de faire son possible pour présenter une première rédaction à l'intérieur des délais prévus.

A plusieurs reprises au cours du mois qui suivit cette rencontre, Paul Petigrew appela Pierre Côté pour vérifier si le travail de rédaction avançait. Chaque fois, Côté lui répondait qu'il lui était impossible de travailler sur ce manuel: la négociation du renouvellement de contrats occupait tout son temps.

La veille de la réunion du bureau de direction, Paul Petigrew appelle Pierre Côté à Matane et la conversation s'engage:

P.P.
— Salut Pierre, comment ça va dans la région du Bas-du-Fleuve?
P.C.
— Pas tellement bien... On négocie jour et nuit et on avance à peine. Je considère que nos dernières offres sont excellentes, compte tenu de la situation dans la région. Les gars se préparent à sortir... (en grève)
P.P.
— Et puis, mon manuel...
P.C.
— Paul, essaie de comprendre. Si on réussit à éviter cette grève, c'est $500,000 que la compagnie gagne... C'est beaucoup plus que ce qu'un manuel d'évaluation peut rapporter, non?...

Paul Petigrew perd patience et raccroche.

Questions:

1) Qu'est-ce qui ne va pas?

2) Comment peut-on expliquer qu'un service aussi jeune soit dans une telle impasse?

3) Comment peut-on en sortir: en courte période? à long terme?

SOURCES:

1) COTE Marcel, *"La gestion des ressources humaines"*, Guérin, Montréal, 1975, p.6.

2) PIERRE J.-C., "La gestion des ressources humaines: une approche intégrée et prévisionnelle", *Management France,* No 6, juin 1974, p. 7.

3) *McFARLAND D. F., Cooperation and Conflict in .Personnel Administration,* New York, American Foundation for Management Research, 1962.

4) RITZER C. et H.M. TRICE, *An Occupation in Conflict — a study of the Personnel Manager,* Cornell University Press, Ithaca, N.Y., 1969, p. 65.

5) HERMAN S.M., *The People Specialists,* Knoff, New York, 1968, p. 20.

Lectures additionnelles: Livres et articles en français

"La fonction personnel", *Personnel,* Paris, No 186, mars-avril 1976.

"Evolution de la fonction personnel", *Personnel,* Paris, No 196, mai 1977.

BARTHOD Michel, "Structure de la fonction personnel et innovation sociale dans l'entreprise". *Personnel,* Paris, nov.-déc. 1976, No 192.

BRULEY J., "La gestion du personnel facilitée par la coopération entre la hiérarchie et les spécialistes des relations humaines" dans Benayoun R. et C. Boulier, *Approches rationnelles dans la gestion du personnel,* Dunod, 1972, pp. 234-244.

CHEREL F., "En matière de gestion du personnel, qui sont les responsables?". Extrait de la préface de François Cherel au nouvel ouvrage de D. MacGregor, *La profession de manager,* Gauthier-Villars, 1974, pp. 21-24.

COTE Marcel, *La gestion des ressources humaines,* Guérin, Montréal, 1976, pp. 5-13.

DIVERREZ Jean. *Politiques et techniques de direction du personnel,* Entreprise moderne d'édition, Paris, 1972, pp. 49-66.

FOMBONNE Jean, "La montée de la fonction personnel", *Personnel,* Paris, No 196, mai 1977.

JACQUET J.-C. et D.-H. PERRIN, *La fonction personnel en question,* (document interne), Entreprise et Personnel, Paris, 1972.

MARULLO S.M., *Manuel pour la direction du personnel,* Editions Hommes et Techniques, France, 1972, pp. 39-56.

NICOLAS Maurice, "Réflexions sur les fonctions de direction du personnel dans l'industrie" dans *Humanisme et entreprise,* No 50, fév. 1970, pp. 61-77.

ROSSALL J. Johnson, "Le directeur du personnel des années 1970", *Synopsis* nov.-déc. 1971, pp. 1-11.

SARDOU D., "La fonction personnel en mutation", *Personnel,* Paris, janvier 1974, No 166, pp. 25-28.

Lectures additionnelles: Livres et articles en anglais

COLEMAN Charles T., "Personnel; the Changing Function" dans *Public Personnel Management,* Chicago, Vol. 2, No 3, May-June 1973, pp. 186-194.

CHRUDEN H.J. et A.W. SHERMAN, *Personnel Management,* South Western Publishing Co., Cincinnati, 1976, pp. 51-96.

FOULKES Fred K., "The Expanding Role of the Personnel Function", *Harvard Business Review.* March-April 1975, pp. 71-84.

FOULKES F.K. et H.M. MORGAN, "Organising and Staffing the Personnel Function". *Harvard Business Review,* Vol. 55, No 3, May-June 1977, pp. 142-155.

GUTHRIE Robert R., "Personnel's Emerging Role", *Personnel Journal*, Santa Monica, Vol. 53, No 9, sept. 1974, pp. 657-662.

HENSTRIDGE John, "Personnel Management: A Framework for Analysis", *Personnel Review*, Manchester (England), Vol. 4, No 1, 1975, pp. 47-55.

KRAMER C., "The Personnel Function Today and Tomorrow", *Management International Review*, Vol. 7, No 6, 1967, pp. 34-43.

LEGGE Karen et Margaret EXLEY, "Authority, Ambiguity and Adaptation: The Personnel Specialist's Dilemma", *Industrial Relations*, Nottingham (England), Vol. 6, No 3, 1975, pp. 51-66.

MEYER H.E., "Personnel Directors are the New Corporate Heroes", *Fortune*, Vol. 93, No 2, 1976, pp. 84-88.

MATHIS R.L. et J.H. JACKSON, *Personnel: Contemporary Perspectives and Applications*, West Publishing Co., New York, 1976, pp. 1-36.

MORSE M.M., "We Have Come a Long Way", *Public Personnel Management*, Vol. 5, No 4, 1976, pp. 218-225.

PEACH Len, Personnel Management — Art or Science? *Personnel Management*, 1972, pp. 26-29.

RUKINOWITZ S., "Personnel Management Organisation in some European Societies, *Management International Review*, Vol. 8, 1968, pp. 74-97. Voir également *European Business*, No 38, 1973.

SOKOLIK Stanley, "Reorganize the Personnel Department", *California Management Review*, Vol. IX, No 3, 1969, pp. 43-52.

STAHL O.G., "What the Personnel Function is All About", *Civil Service Journal*, Vol. 12, No 1, 1971. pp. 11-14.

SWEET D.H., "The Modern Employment Function", *Personnel Psychology*, Vol. 27, No 4, 1974. pp. 667- 680.

ZEIRA Y., "Overlooked Personnel Problems of Multinational Corporations", *Columbia Journal of World Business*, No 10, 1975, pp. 96-103.

Exposé No 3

LES POLITIQUES DE GESTION DES RESSOURCES HUMAINES: FORMULATION ET APPLICATION

Lorsqu'on demande aux dirigeants des entreprises s'il existe des politiques en matière de gestion des ressources humaines, ils vous répondent d'abord par l'affirmative et éprouvent par la suite un certain malaise à en décrire la nature et le contenu. Ces politiques sont présumément connues de ceux qui assument des responsabilités managériales, même si elles ne sont pas toujours écrites. Elles sont habituellement élaborées au fur et à mesure que les problèmes sérieux se présentent. Dans les entreprises syndiquées, les politiques de personnel demeurent toujours sous-jacentes aux diverses clauses de la convention collective qui viennent régir les rapports collectifs du travail et qui couvrent des aspects importants de la gestion des ressources humaines comme l'embauche, la formation, la promotion et le traitement juste et équitable des ressources humaines sur une base individuelle et collective.

La présence de telles politiques non-écrites et sous-jacentes à une réglementation existante n'est pas suffisante pour assurer une certaine uniformité des critères qui servent à la prise de décision en matière d'utilisation efficace et valorisante des ressources humaines. Sans tomber dans un formalisme étroit ou dans un carcan administratif, il y aurait avantage à formuler par écrit et à diffuser la politique de gestion des ressources humaines.

3.1 Définition de l'expression: politique de gestion des ressources humaines.

Cette expression traduit habituellement *l'ensemble des attitudes, des intentions et des objectifs de la haute direction à l'endroit des conduites acceptables ou approuvées en matière d'acquisition, de conservation et de développement des ressources humaines.* Les politiques, en plus d'être l'expression d'objectifs poursuivis et de moyens à prendre, servent de guides à tous ceux qui assument des responsabilités managériales.

Pour illustrer cette définition, nous reproduisons ici quelques exemples de politiques.

55

3.1.1 Politiques de sélection:*

C'est la politique de la Compagnie X de refuser des candidats à l'embauche lorsqu'ils ont un lien de proche parenté avec l'un des employés actuels.

Raisons:
a) Pour éviter l'influence que peut exercer un lien de parenté sur une décision d'embauche ou de promotion.

b) La sélection d'un candidat à un poste doit répondre autant que possible aux critères suivants:
— habilité
— expérience
— formation
— intelligence
— caractère
— santé physique

3.1.2 Politiques de promotion**

1) Le mérite personnel constitue le critère de base pour décider d'une promotion. Cependant, lorsque toutes choses sont égales par ailleurs, l'employé qui a le plus d'ancienneté se voit accorder la préférence.

2) Il faut autant que possible accorder les promotions aux employés actuels avant de faire appel à des candidats de l'extérieur (promotion from within).

3.1.3 Politiques de formation***

"L'objectif est de donner à chacun la possibilité, trois ou quatre fois dans sa vie professionnelle, de faire, en accord avec l'entreprise, un effort de formation orientée en fonction des objectifs à termes de l'entreprise et personnalisée en fonction des compétences et des souhaits du personnel. Cette politique s'appuie sur la détermination du *seuil de carrière*."

---

* National Industrial Conference Board, Studies in Personnel Policy, No 180, 1961.

** Extrait d'un répertoire publié par le National Industrial Conference Board, *Personnel procedure Manuals*, Studies in Personnel Policies, No 180, 1961.

*** Propos d'un directeur de la formation dans *Le Management*, Janv. 1972, p. 76.

3.2 Formulation des politiques

C'est au directeur des ressources humaines à prendre l'initiative dans l'élaboration ou la reformulation des politiques, l'approbation finale étant réservée à l'équipe de direction. Pour ce faire, le directeur du personnel, avec son collaborateur, doit d'abord recueillir et traiter les informations suivantes:

— La nature des problèmes auxquels font face les responsables hiérarchiques au moment de décider en matière d'embauche, d'allocation des effectifs, de formation, de promotion, d'administration de la convention collective et d'application des règlements internes.

— La nature des plaintes formulées par les employés et le personnel d'encadrement en matière de traitement équitable et juste des individus.

— Les résultats des enquêtes psychosociologiques faisant état de la satisfaction ou de l'insatisfaction à l'endroit de l'ensemble des conditions de travail qui prévalent au sein de l'organisation.

— L'éventail des demandes ou des revendications syndicales en distinguant celles qui peuvent faire l'objet de politiques de celles qui seront discutées à la table des négociations.

— La nature des griefs qui ont parcouru les différentes étapes de la procédure de recours et ceux qui font l'objet d'une audition devant un tribunal d'arbitrage ou un arbitre, si l'entreprise est syndiquée.

Avec ces informations en main, le directeur des ressources humaines établit un profil de la situation réelle et essaye de préciser les caractéristiques de la situation à créer. Cette réflexion lui permet de préparer une première rédaction des politiques en prenant soin de préciser clairement pour chacune...

— l'objectif visé
— la séquence des actions à prendre pour mettre en application la politique
— les procédures et les règlements à observer au cours de son application
— .la clientèle ou la catégorie d'individus qui sont concernés par cette politique
— les conditions générales d'application (coûts impliqués, entrée en vigueur, durée, etc...).

Ce premier projet de rédaction est étudié et révisé par l'équipe de direction. Une version finale est soumise pour fin d'approbation par l'équipe de direction.

En approuvant les politiques, la direction générale apporte son engagement et son appui moral, de sorte que les décisions prises en se servant de ces politiques comme guides seront perçues comme originant des responsables hiérarchiques et non des divers services-conseils.

3.3 Application des politiques

Pour être appliquée, une politique doit être communiquée, de préférence par écrit. On s'assurerait ainsi d'une plus grande uniformité au plan de l'interprétation du contenu et d'une possibilité de recourir au texte écrit lorsque certains éléments échappent à la mémoire. Cette précaution est d'autant plus nécessaire dans les organisations de grande taille où il existe une plus grande mobilité au niveau des ressources managériales. La politique doit être diffusée et expliquée à tous ceux qui sont responsables de sa mise en application, ce qui suppose l'organisation de sessions d'information au début de la période de rodage et au moment de sa reformulation.

L'application d'une politique implique également un aspect "contrôle" i.e. une surveillance exercée par les directeurs des ressources humaines et ses collaborateurs pour vérifier le degré de réalisme ou d'efficacité de la politique pour être en mesure de répondre aux interrogations suivantes:

a) Dans quelle mesure la politique facilite-t-elle ou non l'atteinte de l'objectif visé?

b) Est-ce que la politique, dans son application, demeure à l'intérieur des dispositions législatives en matière de non-discrimination, quant à l'embauche, la formation, les heures de travail, l'hygiène et la sécurité?

c) Dans quelle mesure la politique tant dans son contenu que dans son application demeure-t-elle compatible avec la philosophie de gestion et les caractéristiques de l'organisation?

Pour aider le directeur des ressources humaines à apporter une réponse à cette dernière interrogation, nous proposons deux grilles d'observation fort simplifiées qui mettent en relation les caractéristiques d'une organisation et le contenu des politiques en matière de gestion du personnel. Cet instrument est basé sur l'hypothèse qu'"à un type d'organisation correspondent des politiques de gestion des ressources humaines différentes de celles qu'on retrouve dans un autre type''. Pour ce faire, nous avons retenu deux types d'organisation: type conservateur et type innovateur.*

---

* Cette typologie s'apparente à celle de Rensis Likert ''Système-I et système-IV, dans son ouvrage: *Le gouvernement participatif de l'entreprise*, Gauthier Villars, 1974, ch III. Elle s'apparente également à celle de Burns T. et Stalker G. ''Système mécaniste et système organiciste'', dans leur volume intitulé *The Management of Innovation* Chicago, Quadrangle Books, 1961.

TABLEAU 3.1 Grille d'observation des politiques de gestion des ressources humaines dans une organisation de type conservateur.

INDICATEURS DU CONSERVATISME ORGANISATIONNEL	ASPECTS DE LA GESTION DES RES. HUM.	CONTENU DES POLITIQUES
— Les dirigeants s'accommodent de la théorie "X" — La prise de décision est centralisée, sans la participation des intéressés — Les communications se font à sens unique, vers le bas — L'accent est placé sur l'autorité inhérente au poste — Une division poussée du travail et une description détaillée des tâches — Le formalisme des rapports sociaux — La multiplication des règles et des procédures — La résolution des conflits se fait par arbitrage — Une détermination unilatérale des objectifs — Une centralisation du contrôle administratif — Les changements se produisent à la suite de crises majeures.	ACQUISITION	— Sélectionner les individus en privilégiant comme critères des qualifications d'ordre technique, évaluées à l'aide d'un éventail de tests psychométriques ou d'épreuves appropriées
	CONSERVATION	— Motiver le personnel par des incitations d'ordre monétaire seulement (salaires, rémunération au rendement, partage des profits, bonus, avantages sociaux) — Appliquer de manière stricte la réglementation touchant les retards et les absences — Maintenir des horaires fixes de travail — Promouvoir selon l'ancienneté — Assurer la permanence d'emploi — Maintenir un système conventionnel d'appréciation
	DEVELOPPEMENT	— Former les individus en vue d'accroître leur rendement — Etablir des plans de cheminement dans les différentes carrières sans consulter les intéressés — Accentuer l'acquisition d'habilités d'ordre technique

TABLEAU 3.2 Grille d'observation des politiques de gestion des ressources humaines dans une organisation de type innovateur.

INDICATEURS D'UNE ORGANISATION DE TYPE INNOVATEUR	ASPECTS DE LA GESTION DES RES. HUM.	CONTENU DES POLITIQUES
— Les dirigeants épousent les valeurs de la théorie "Y" — La prise de décisions est diffusée au sein de l'organisation — Echange d'information et communication dans les deux sens	ACQUISITION	— Obtenir un personnel qualifié au plan professionnel avec, en complément, des capacités d'interaction sociale — Sélectionner un personnel d'encadrement capable de remettre en cause la philosophie et les pratiques de gestion
— Mode de commandement adapté aux individus et aux situations — Flexibilité dans la description et l'exécution des tâches — Ouverture et authenticité dans les rapports interpersonnels — Résolution des conflits par la discussion et la négociation	CONSERVATION	— Motiver le personnel en mettant l'accent sur des incitations d'ordre psychologique plutôt que monétaires: occasions d'assumer des responsabilités réelles, de se réaliser dans son travail — Structurer les tâches de façon à favoriser l'autonomie des individus ou des groupes au plan de leur exécution — Impliquer les individus dans l'évaluation de leur rendement et de leur potentiel
— Consultation et négociation dans la détermination des objectifs — Responsabilités de contrôle partagées — Les changements anticipés font l'objet d'une consultation ou d'une "co-décision".	DEVELOPPEMENT	— Fournir aux individus l'occasion d'acquérir une certaine polyvalence s'ils le désirent ou si l'organisation du travail l'exige — Permettre aux individus de formuler leur propre plan de développement — Chercher à concilier les plans de développement individuels avec les exigences de l'organisation en longue période

Questions

1) Serait-il préférable de confier aux cadres supérieurs la formulation des politiques en gestion des ressources humaines?

2) Identifiez les variables d'environnement du système de gestion qui peuvent avoir une influence sur l'élaboration des politiques.

3) "La présence d'une convention collective rend inutile la formulation et la diffusion de politiques en matière de gestion des ressources humaines". Commentez cette affirmation.

4) Identifiez les avantages et les inconvénients d'une politique écrite.

5) Comment une philosophie du management de type "théorie X" ou de type "théorie Y" peut-elle se traduire dans des politiques de personnel?

6) Quel rôle peut jouer le service du personnel dans l'administration d'une politique?

3.5 Travaux pratiques

3.5.1 Exercice
Une nouvelle politique d'horaires de travail

Une compagnie d'assurance-vie de la région de Québec songe à introduire de nouveaux horaires de travail. Les employés, dont la majorité est de sexe féminin, se plaignent qu'ils peuvent difficilement arriver à l'heure le matin, soit à cause de la circulation trop dense avant 08h30, soit à cause des enfants qu'il faut placer en garderie ou préparer pour l'école... Les employés sont syndiqués. La politique de contrôle des retards est très sévère: un retard de plus d'un quart d'heure entraîne immédiatement un retrait sur le salaire. Vous êtes le directeur des ressources humaines et vous connaissez bien la situation.

Décrivez les étapes de la formulation et de la mise en application de la nouvelle politique.

3.5.2 Exercice
Visite d'un hôpital

Rencontrez le directeur des ressources humaines d'un hôpital de votre localité et demandez-lui comment il réussit (s'il y réussit) à concilier la politique de contrôle des absences avec les exigences de la convention collective de travail.

3.5.3 Etude de cas:

LA COMPAGNIE NATIONALE DE PAPIER.

Cette entreprise opère une usine de fabrication de papier d'imprimerie dans la région de l'Estrie. En l'absence d'un syndicat, la Cie s'est toujours efforcée d'accorder des conditions de travail qui se comparent assez bien à celles qu'on retrouve chez les concurrents pour les mêmes catégories d'emploi. En matière de promotion, pour ne citer qu'un exemple, la direction s'est engagée par écrit à accorder une considération juste et équitable à l'ancienneté du candidat.

Récemment, l'opérateur en chef de la machine à papier No 1 a pris sa retraite. Le poste a été affiché et deux candidats ont posé leur candidature:

Joseph Lacroix
— 15 ans d'ancienneté d'usine
— a commencé comme ''préposé aux déchets''
— agit actuellement comme assistant-opérateur (2nd hand).

Pierre Dubé
— 5 ans d'ancienneté d'usine
— a déjà travaillé comme opérateur en chef comme substitut en période des vacances annuelles
— occupe actuellement le poste de 2ième opérateur (2nd hand) sur la machine No 2
— diplômé d'une école offrant un programme complet de formation sur la fabrication du papier.

Le gérant d'usine, après avoir consulté les contremaîtres et les surintendants, décide de retenir la candidature de Pierre Dubé considéré comme étant le plus ''doué'' et les plus ''prometteur''.

Peu de temps après, Joseph Lacroix se plaint à son contremaître. Il prétend que la Cie fait preuve d'injustice à son égard parce qu'il considère qu'il a les qualifications et l'expérience requises pour satisfaire aux exigences normales de la tâche, ce que le gérant d'usine ne nie pas non plus.

QUESTIONS

1) Quelle(s) interprétation(s) donnez-vous à l'expression ''considération juste pour l'ancienneté'' dans ce cas?

2) La décision du gérant reflète-t-elle une application correcte de la politique de promotion?

3) Quelles sont les conséquences d'une telle décision sur les attitudes des ouvriers à l'endroit de la direction?

4) Si vous jugez la décision erronnée, quelle(s) modification(s) apporteriez-vous à la politique actuelle?

3.5.4   Etude de cas:

UN CERCLE VICIEUX *

Georges Delisle, directeur du personnel chez GM se sentait fort découragé à la suite de sa rencontre avec les autres membres de la direction. En fait, il ne s'attendait pas à rencontrer autant d'opposition. Il décide donc de tout reprendre au début et de reformuler ses arguments.

En 1975, General Motors division de Ste-Thérèse avait quelques postes vacants sur la ligne de montage. Afin de combler ces postes, GM reçut cinq cents demandes d'emploi. Après avoir effectué des recherches sur les renseignements donnés par les cinq cents candidats, soit leur âge, leur niveau d'étude, leur statut social, leurs anciens emplois, leur niveau d'endettement, la présence possible d'un casier judiciaire, etc., cent candidats furent convoqués pour une entrevue. Cette dernière, basée sur l'étude de la personnalité, de la volonté, de l'apparence et des possibilités du candidat, a conduit à l'engagement de quarante hommes déclarés aptes à combler les quarante postes.

L'un de ces candidats présentait un dossier assez étrange... En effet, M. Y. N. travaillait à l'usine depuis déjà un an au moment de son arrestation pour crime passionnel en 1973. Après avoir purgé une peine de deux ans au pénitencier, il espérait se faire réengager à l'usine de Ste-Thérèse. Il décida alors d'aller voir M. Georges Delisle, directeur du personnel, celui-là même qui l'avait engagé trois ans auparavant. M. Delisle lui fit comprendre qu'il ne pouvait prendre une décision aussi importante sans consulter son supérieur. Il décida de former un dossier complet sur Y. N. et de le soumettre à la prochaine réunion afin de prendre une décision le plus rapidement possible.

La première partie de ce dossier comprenait tous les renseignements obtenus lors de l'engagement initial plus les observations faites par le contremaître du département où Y. N. travaillait. Au sommaire de cette dernière partie, on pouvait lire: homme fiable, travailleur assez sociable, manque un peu de ponctualité mais ne rechigne pas sur les heures supplémentaires, tendance à être un peu agressif mais se contrôle assez bien.

La deuxième partie contenait des renseignements obtenus lors

---

* Cas préparé par des étudiants qui ont suivi le cours intitulé "Management" sous la direction de M. Alain Larocque, professeur au département des Relations industrielles, Université Laval.

d'une enquête faite au pénitencier où Y. N. avait été incarcéré. Durant les deux ans passés à cet endroit, tous le connaissaient comme un être solitaire, pessimiste et renfrogné. Réfractaire à toute forme d'autorité, il obéissait aux ordres avec une lenteur relative. Certains pensaient que ce comportement était dû à son innocence qu'il proclamait à tous ceux qui voulaient bien l'écouter. D'autres étaient convaincus qu'il affichait ainsi un manque de bonne volonté, qu'il ne cherchait qu'à nuire à ses semblables. Suite à la préparation de ce dossier, une analyse fut amorcée lors de la réunion entre le directeur de l'usine, le directeur du personnel et le contremaître du département où Y.N. avait travaillé.

La réunion fut très mouvementée puisque tous les avis divergeaient. En effet, Georges Delisle, directeur du personnel, était d'accord pour embaucher Y.N. Il tenta de défendre son point de vue avec de nombreux arguments, mais à chaque point soulevé correspondait un argument contraire.

M. Delisle commença par un compte-rendu de son rapport puis demanda l'avis de ses confrères. La première objection vint du contremaître:

Contremaître:
Je veux bien croire qu'il était un bon travailleur, mais la prison ça change un gars et puis je n'ai pas l'intention d'avoir la police à tout bout de champ dans mon département. Il a fait une gaffe, qu'il paye; on n'est pas le père des enfants pauvres! Et qu'arriverait-il si des conflits surgissaient? Il ferait sûrement appel à sa "gang"?

Directeur de l'usine,
M. Robitaille:
Et puis savez-vous seulement le risque que cela représente au niveau du personnel, si les travailleurs apprenaient qu'ils côtoient quotidiennement un meurtrier faisant le même travail pour le même salaire...

M. Delisle:
Mais les employés n'ont pas besoin de savoir cela.

Contremaître:
Delisle, dans une entreprise comme la nôtre, tout se sait!

M. Delisle:
Pourquoi ne pas le transférer dans un autre département?

M. Robitaille:
On vise la rentabilité de notre usine, ce n'est pas une oeuvre humanitaire.

M. Delisle:
Pourtant, d'après les statistiques beaucoup d'autres ont réussi avant nous; c'est une responsabilité sociale.

M. Robitaille:
(vivement)
Mon cher, *money is money,* j'ai des actionnaires à qui je dois rendre compte des activités de l'entreprise.
Après un long soupir, Delisle revint à la charge!

M. Delisle:
Vous ne trouvez pas messieurs que deux ans de méditation c'est suffisant pour remettre un gars dans le droit chemin. Puisqu'il en est sorti!

M. Robitaille:
Vous ne savez pas ce à quoi il a vraiment pensé. Son rapport de prison me laisse croire qu'il a plutôt médité contre la société dont GM vise le bien-être, ne l'oubliez pas.

M. Delisle:
Mais pourtant, au cours de l'année qu'il a passée avec nous, il a prouvé ce dont il était capable. C'est quand même un homme qui a été choisi parmi 500 autres.

Contremaître:
On ne lui doit rien à cet homme!

M. Delisle:
Oui, mais les gens aiment les élans humanitaires, vous ne pensez pas que cela pourrait être un bon élément pour le service de marketing.

M. Robitaille:
Nos actionnaires, Delisle, ce sont des moteurs qu'ils veulent et non pas des élans d'humanisme.

M. Delisle:
Mais, s'il est venu nous voir messieurs, c'est bien parce qu'il le voulait et un gars qui veut, c'est toujours un bon atout pour la chaîne de montage.

M. Robitaille:
Je suis plutôt d'avis que c'est parce qu'il a peur d'affronter de nouvelles personnes qu'il vient chez nous. C'est en quelque sorte une solution de facilité.

M. Delisle:
Il ne faut pas juger cette personne, d'autres gens l'ont fait avant nous

et l'ont condamné, mais grâce à ces circonstances atténuantes, il a été libéré après deux ans.

M. Robitaille:
Delisle! Un crime, c'est un crime!

Sur ce, Georges Delisle, à court d'arguments, sortit du bureau.

Le 8 février 1976, M. Delisle reçu une lettre de remerciements de Y. N. qui travaillait depuis deux semaines sur la chaîne de montage...

1) Que pensez-vous, dans ce cas, de la politique d'embauche dont l'un des critères est *l'absence d'un casier judiciaire?*

2) En utilisant des variables externes et internes au système de gestion des ressources humaines de GM, expliquez les réactions (ou préjugés) du contremaître et de M. Robitaille.

3) Quelle est la conception que Delisle se fait d'un travailleur en général et du candidat Y. N. en particulier?

4) Quels arguments Delisle a-t-il invoqués pour obtenir le ré-engagement du candidat Y. N.?

SOURCES

DE COSTER M. et V. DUBOIS, "Les politiques de personnel", *Personnel,* Paris, No 161, juin 1973, pp. 36-47.

LIKERT R., *Le gouvernement participatif de l'entreprise,* Gauthier-Villars, Paris, 1974.

McGREGOR D., *La dimension humaine de l'entreprise,* Gauthier-Villars, Paris, 1976.

MARULLO M.S., "La politique de direction du personnel" dans *Manuel pour la direction du personnel,* Ed. Hommes et Techniques, Puteaux, 1972, pp. 61-74.

PIGORS P. MYERS C.A. et F.T. MALM, "Who should Make Personnel Policies" in *"Management of Human Ressources,* Mc Graw-Hill Book, Co. N.Y. 1969, pp. 79-95.

LECTURES ADDITIONNELLES EN FRANCAIS

CARDINAL J., "Le service du personnel, hier, aujourd'hui et demain", Revue économique et sociale, fév. 1968, no 1, pp. 5-15.

DIVERNEZ JEAN, *Politique et techniques de direction du personnel,* 5ème ed. Paris, Entreprise Moderne d'Edition, 1972, ch. I. pp. 23-37.

GRELLERT W., "Progrès technologiques et politiques de personnel", *Personnel,* Paris, nov.-déc. 1973, pp. 20-26.

PASDERMADGIAN, HENRY, *Les politiques du personnel,* Bruxelles, Comité national belge de l'organisation scientifique, 1954, 28 p.

"Politique de personnel et direction par objectifs", *Personnel* (Paris), mai 1972 (No 151) pp. 44-50. Extrait d'une étude de l'Institut Entreprise et Personnel.

LECTURES ADDITIONNELLES EN ANGLAIS

GRAINGER R.F., Developping Personnel Policy, *The Canadian Personnel and Industrial Relations Journal,* Vol. 19, No 5, oct. 72, pp. 32-37.

LEDERER N.A., Personnel Policies for the '70s, *Personnel,* Vol. 45, No 5, sept.-oct. 68, pp. 8-17.

MAIRE MASON, Approach to an Integrated Personnel Policy, *Industrial Relations* 9(2), 1968, pp. 107-117.

PATTEN T.-H., Personnel Management in the 1970's: The End of Laissez-faire, *Human Resource Management,* 12 (Fall 73), pp 7-19.

WILKINSON T.-C., The Profits of Personnel Policies", *Personnel: Journal of the Institute of Personnel Management,* Vol. 1, No. 13, déc. 68, pp. 20-23.

———————

Exposé no 4

Planification des effectifs: notions de base

En situant la gestion des ressources humaines dans le cadre d'une approche systémique, nous avons établi qu'un des résultats recherchés vise à acquérir et à conserver une main-d'oeuvre en quantité et en qualité suffisantes pour accomplir les tâches nécessaires à l'atteinte des objectifs de l'organisation. La planification des effectifs (analyse et prévision de l'offre et de la demande de travail au niveau d'une catégorie occupationnelle, d'un service ou de l'organisation tout entière) est un ensemble logique d'activités qui facilitent l'obtention de la main-d'oeuvre nécessaire pour soutenir l'effort de production.*

4.1 Les préalables à la planification des effectifs

Avant de s'engager dans le processus de planification, il faut au préalable avoir accès aux informations de base suivantes:

4.1.1 La connaissance des objectifs et des stratégies de l'organisation pour la période couverte par le plan, de même que les objectifs de chacune des unités administratives. Ces objectifs et stratégies sont habituellement traduits en termes...

a) d'expansion ou de contraction de la production des biens et des services existants

b) de diversification de la production

c) de réorganisation possible des grandes fonctions au sein de l'organisation

d) d'introduction de modifications dans les procédés et méthodes de production

e) d'accroissement de rentabilité.

4.1.2 La connaissance des profils des postes de travail. Ces profils contiennent une description de la séquence des activités inhérentes à chaque poste actuel ou à créer de même que les qualifications exigées

---

* Eric W. Vetter, dans son volume *Manpower Planning for High-talent Personnel*, définit la planification des effectifs comme suit: "C'est le processus par lequel une organisation s'assure qu'elle a le bon nombre et la bonne sorte de personnes, à la bonne place, en temps voulu, afin de faire des choses qui conduisent à l'obtention d'un bénéfice pour l'organisation et les individus qui la composent."

chez les titulaires. Cette information est habituellement générée au cours de la première étape de l'établissement d'un plan d'évaluation des tâches qui a pour but d'établir un rangement de ces tâches selon leur valeur relative.*

4.1.3   La connaissance des caractéristiques de la main-d'oeuvre actuellement à l'emploi de l'organisation. Les dossiers du personnel doivent dans ce cas contenir les informations suivantes:

— Renseignements généraux sur les effectifs: nom, âge, sexe, poste occupé actuellement, citoyenneté, langues parlées et écrites...

— Formation académique complétée et formation acquise en cours d'emploi

— Expérience: les emplois occupés antérieurement et le genre d'entreprise où l'expérience a été acquise

— L'évaluation de la performance et du potentiel

— Les projets de carrière des individus et leur progression au plan salarial.

4.2   Les étapes du processus de planification des effectifs

Envisagé dans sa globalité, ce processus comprend trois grandes étapes:

● L'analyse des caractéristiques des effectifs existants et la prévision des mouvements de ces effectifs (offre de travail interne, actuel et futur).

● Le relevé des exigences de l'organisation en termes d'effectifs nécessaires pour accomplir les tâches actuelles et celles qui seront créées (demande de travail interne à l'organisation).

● Le calcul de l'écart ou du surplus entre la demande et l'offre internes à l'organisation pour connaître les besoins futurs en effectifs.

En décomposant les deux premières étapes dans leurs éléments les plus simples, on peut se faire une idée plus précise de ce processus:

---

* Dans un chapitre subséquent traitant de l'administration des salaires, nous traiterons des éléments essentiels d'un plan de qualification du travail.

4.2.1 Du côté de l'offre interne de travail

a) Etablir un profil des caractéristiques des effectifs actuels par catégorie occupationnelle (ouvriers, employés de bureau, techniciens et agents d'administration, personnel d'encadrement de premier palier, de palier intermédiaire et supérieur) pour chacune des unités administratives. Ces caractéristiques sont décrites en termes:

— d'âge, de sexe, de scolarité

— d'expérience

— de formation académique

— de compétence actuelle et de potentiel

— d'aspirations.

b) Tenter de prévoir le nombre d'individus qui demeureront dans la catégorie étudiée au cours des prochains mois, de l'année en cours ou des années subséquentes sur la période couverte par le plan. Il s'agit alors de calculer le taux de roulement par catégories occupationnelles en termes de départs au cours d'une période de référence et de l'appliquer à la période couverte par le plan. Ce taux de roulement se calcule de la manière suivante:

$$T.D.: \frac{D}{E_m} \times 100 = x\%*$$

où T.D. = taux de départ.
D: Nombre d'individus qui ont laissé la catégorie occupationnelle pour l'un ou l'autre des motifs suivants:

— Retraite, décès, maladie chronique

— Changement de localité

— Démission, congédiement, mise à pied

— Promotion ou mutation dans une autre catégorie.

Em: Effectifs moyens (le nombre d'individus dans la catégorie au début et à la fin de la période, divisé par deux)

$$Em = \frac{M_1 + M_2}{2}$$

(*) Nous verrons plus loin que cette formule peut également être utilisée pour calculer le taux de roulement des effectifs à l'échelle de l'organisation. On ne considère pas à ce moment-là les entrées et les sorties dans une catégorie donnée.

c) Prévoir le nombre d'individus susceptibles d'entrer dans la catégorie concernée au cours de la période par voie de promotion ou de mutation avec ou sans entraînement préalable.

d) Calculer les données obtenues au cours des étapes précédentes pour connaître le nombre des individus susceptibles d'être disponibles dans la catégorie concernée à la fin de la période.

4.2.2 Du côté de la demande interne de travail

a) Etablir un inventaire des postes actuellement occupés dans une catégorie occupationnelle en tenant compte des qualifications exigées.

b) Calculer le nombre d'ouvertures possibles dans cette catégorie: ouvertures créées par un accroissement des biens et services actuellement fournis ou par une diversification des produits et des services, créées par une réorganisation des structures administratives ou par l'introduction d'une technologie nouvelle (automatisation des données comptables ou des travaux administratifs).

c) Calculer le nombre des postes qui peuvent être abolis à la suite de l'introduction d'une technologie nouvelle, d'une réorganisation administrative, d'une restructuration des tâches au niveau des bureaux et des ateliers ou d'une modification de la charge de travail et des heures de travail.

d) Calculer les données recueillies au cours des étapes précédentes pour connaître le nombre de postes de travail à la fin de la période et les qualifications exigées.

Etablir la proportion de ce nombre de postes qui sera effectivement comblée, compte tenu des ressources financières (budgets).

4.2.3 Du côté de la réconciliation de l'offre et de la demande de travail

a) En comparant les prévisions de l'offre avec celles de la demande, établir l'écart qui devra être effectivement comblé s'il s'agit d'une déficience anticipée ou encore l'écart à corriger s'il s'agit d'un surplus. Ce calcul est effectué pour chaque catégorie et pour l'ensemble des catégories occupationnelles en faisant les ajustements nécessaires pour tenir compte des mouvements internes d'effectifs.

b) Effectuer une programmation des actions à prendre en termes de recrutement, de sélection et de formation des effectifs à embaucher, ou en termes d'assignation nouvelle des effectifs existants, ou en termes de réduction des effectifs.

c) Prévoir des révisions ponctuelles et une évaluation globale du programme.

4.3 Représentation symbolique du processus de planification des effectifs pour une catégorie occupationnelle pour une période donnée

Pour mieux comprendre les liens qui existent entre les étapes du processus et l'impact des variables exogènes, c'est-à-dire des variables hors étapes qui peuvent influencer le comportement de la demande et de l'offre de travail, nous reproduisons ici un modèle de planification des effectifs (fig. 4.1).

Figure 4.1: Modèle du processus de planification des effectifs d'une catégorie occupationnelle

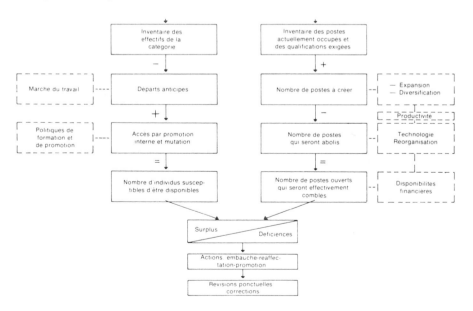

4.4 Fonctionnement du modèle de planification

La période de temps encadrant les différentes étapes du processus doit être la même que celle utilisée au cours de la planification de la production des biens et des services à l'échelle de l'organisation; la courte période étant celle de l'année financière; la moyenne s'étendant sur deux ou trois années; la longue période allant de sept à huit ans, selon la taille de l'organisation et du temps qu'il faut pour concevoir, expérimenter, produire et mettre sur le marché un produit nouveau ou des services diversifiés.

4.4.1 *En courte période* (celle de l'année financière ou du prochain trimestre) le jeu des variables exogènes demeure assez limité. La planification des effectifs consistera alors dans l'établissement de tableaux de remplacement des effectifs. A titre d'exemple, on retrouve à la fig. 4.2 un de ces tableaux de remplacement construit sur les hypothèses suivantes:

a) la demande pour les biens et services demeure stable

b) la productivité des ressources humaines (valeur ajoutée/nombre d'employés) demeure inchangée

c) la technologie demeure inchangée

d) les disponibilités financières sont établies dès le début de la période.

4.4.2 *En moyenne et longue période,* les prévisions d'effectifs doivent tenir compte de l'effet cumulatif des variables exogènes qui peuvent influencer les calculs au cours de l'une ou l'autre des étapes. Une description de situations hypothétiques peut aider à saisir l'effet combiné de quelques-unes de ces variables.

Tableau 4.2 Exemple d'un tableau simplifié de remplacement d'effectifs pour la catégorie et les sous-catégories d'ouvriers d'entretien et de production à l'usine X

Usine X		Catégorie: ouvriers			Localité: A	

Nombre dans la sous-catégorie	Departs T.D. = 10%		Accède à la sous-catégorie	Postes prévus	Recrutement
	Quittent l'organisation	Promus ou mutés dans une autre catégorie			
Spécialisés (100)	5	5	5	100	5
Opérateurs (300)	25	5	5	300	20
Manoeuvres (100)	5	5		100	15
Total-catégories (500)	35	15	10	500	40

Situation 1

La demande pour les biens et les services va s'accroître au cours des deux prochaines années, la productivité du travail va également s'accroître: dans ce cas, les besoins en ressources humaines vont augmenter, demeurer stables ou diminuer d'après l'ampleur de l'accroissement de la demande comparée à celle de l'accroissement de la productivité. Un exemple serait le cas de l'entreprise X dont le chiffre d'affaires passera de $125 millions à $150 millions au cours de l'an prochain, alors que la productivité des ressources humaines passera de $12,500 à $16,700 par employé. Avec un chiffre d'affaires de $125 millions, les effectifs totaux se situent au niveau de 10,000 employés; avec un chiffre d'affaires de $150 millions et une productivité accrue, les besoins en main-d'oeuvre s'établiront au niveau d'environ 9,000 employés.*

Situation 2

Si la demande pour les biens et services demeure la même au cours des prochaines années; si aucun changement technologique et aucune réorganisation ne sont envisagés; si les charges de travail et les

---

* Exemple fourni par Eric Vetter dans "How to Forecast your Manpower Needs", *Nation's Business,* février 1964, p. 105.

heures de travail demeurent inchangées et si les disponibilités financières sont ajustées en fonction du coût de la vie, on assistera à un "gel" du
niveau des effectifs. L'effort de prévision se réduit à la prévision du
nombre de remplacements pour compenser les pertes dues au taux de
roulement (attrition normale) à l'intérieur des diverses catégories occupationnelles et à l'échelle de l'organisation.

Conclusion

Pour beaucoup de dirigeants, un tel effort de planification n'apparaît pas rentable lorsqu'il est déployé au niveau des catégories ouvrières
et cléricales. La cueillette et le traitement de l'information représenteront
alors des déboursés qui seront difficilement compensés par une réduction possible des coûts de remplacement de la main-d'oeuvre. La justesse de cette argumentation dépend en partie de la nature du marché du
travail externe à l'entreprise. Au cours d'une période de chômage intense, le recrutement de la main-d'oeuvre au jour le jour est relativement
facile et peu dispendieux quoique le chômage ne se répartisse pas
également à travers les catégories occupationnelles. A cours d'une période d'expansion, l'argument tient beaucoup moins. Puisque la main-
d'oeuvre se fait plus rare, le recrutement s'avère plus difficile et l'effort de
formation professionnelle pour conserver les effectifs doit être accentué.
Pour parer à une telle situation, la planification des effectifs s'avérera une
activité rentable. C'est surtout au niveau du personnel d'encadrement
que l'effort de planification doit porter. Il s'agit alors d'assurer la succes-
sion dans des postes de responsabilités managériales ou d'assistance et
de conseils très spécialisés. Le processus de planification appliqué à cette catégorie demeure le même; toutefois, les instruments utilisés seront
beaucoup plus raffinés: organigrammes prévisionnels, tableaux de remplacement, organigrammes promotionnels (promotability charts), cheminement des carrières, etc. Des connaissances et des habiletés dans ce
domaine peuvent être acquises par la lecture d'ouvrages spécialisés.

Questions

1) En quoi la planification des effectifs est-elle reliée à l'un ou l'autre des
   objectifs de la gestion des ressources humaines?

2) Donnez une description détaillée des éléments qu'on retrouve sous
   l'expression *dénombrement et classement des effectifs*.

3) Puisque les départs créent des ouvertures de postes à l'échelle de
   l'organisation, on devrait normalement en tenir compte dans les calculs de la demande prévisionnelle interne de travail... Comment peut-
   on modifier le modèle de planification en conséquence?

4) Un accroissement de la demande pour les biens et les services, sans changement dans la productivité des effectifs à l'échelle de l'entreprise, entraînera-t-il nécessairement un accroissement des effectifs en courte période? En longue période?

5) Une diminution de la demande pour les biens et les services à l'échelle d'une entreprise sans changement dans la productivité du travail se traduira-t-elle nécessairement par des licenciements en courte période? En longue période?

6) ''Dépenser des efforts et du temps dans l'établissement de plans d'effectifs est considéré comme une activité inutile dans un contexte de changements imprévisibles et constants.'' Commentez cette affirmation.

7) Dans quelle mesure la planification en main-d'oeuvre à l'échelle d'un pays ou d'une région peut-elle faciliter l'effort de planification fait par les entreprises?

8) Quelle information doit contenir une description de poste pour être utilisable dans le processus de planification?

9) Identifiez les critères qui serviraient à établir la période de temps dans le processus de planification des effectifs.

4.6 Travaux pratiques

4.6.1 Exercice

— Identifiez les variables d'environnement économique, social et politique qui peuvent avoir un impact sur l'une ou l'autre des étapes du processus ou sur l'ensemble du processus de planification des effectifs.

— Refaire le modèle de planification présentée dans l'exposé en intégrant ces nouvelles variables.

4.6.2 Exercice *

Enoncé du problème:

Il s'agit de calculer, à la lumière des données fournies, le nombre

---

* Extrait d'un exemple fourni par Mason Haire et adapté par l'auteur. Source: Haire Mason, ''Approach to an Integreted Personnel Policy'', *Industrial Relations*, Vol. 7, No 2, fév. 1968, p. 108.

de personnes qu'il faudra recruter à chaque niveau au cours de la période envisagée et d'établir un tableau de remplacement d'effectifs.

Données du problème:

1- Nombre d'employés au début de la période par niveaux

Niveau I	1
Niveau II	10
Niveau III	100
Niveau IV	1,000
Niveau V	10,000
TOTAL	11,111

2- Nombre de postes qui seront comblés à la fin de la période

Niveau I	1
Niveau II	10
Niveau III	100
Niveau IV	1,000
Niveau V	10,000

3- Taux de roulement par niveaux

Niveau I	0
Niveau II	3
Niveau III	20
Niveau IV	200
Niveau V	500

4- Promotions

De niveau III à niveau II:	3
De niveau IV à niveau III:	10
De niveau V à niveau IV:	10

4.6.3 Etude de cas:

*LES PEINTURES EXCELSIOR INC.**

Vous êtes étudiant et votre programme d'enseignement prévoit un stage de trois mois dans un département du personnel. Votre candidature a été bien accueillie par le directeur du personnel de l'entreprise Les Peintures Excelsior Inc. Ce dernier vous demande de préparer un plan des effectifs pour les trois prochaines années.

L'un des plus gros fabricants de peinture dans la région de Montréal, la compagnie des Peintures Excelsior voit son chiffre d'affaires grossir à un rythme de 15% par année (moyenne des trois dernières années). Le chiffre d'affaires pour l'année qui s'est terminée à la fin de mai est de $15 millions. Ses effectifs dont le nombre est connu se répartissent comme suit:

600 ouvriers (production et entretien)

60 contremaîtres (ouvriers et entretien)

60 employés de bureau

25 vendeurs.

     Le préposé à l'embauche qui tient également un fichier du personnel possède les données suivantes:

— accroissement annuel de la productivité des ouvriers: 5%

— taux de roulement chez le personnel ouvrier: 10%

— taux de roulement des autres catégories: 5%

— proportion des ouvriers susceptibles d'être promus au rang de contremaître: 1%

— le ratio employés de bureau/ouvriers: stable

    Au cours de votre première journée, le directeur du personnel vous informe qu'il a déjà rencontré le directeur général des opérations, le directeur des ventes et de la production pour connaître leurs projets. Le directeur général veut mettre sur pied un programme d'inspection de la qualité d'ici deux ans, à raison d'un inspecteur pour 60 ouvriers. Par contre, il veut accroître dès l'automne prochain l'envergure de supervision des contremaîtres à raison de un contremaître pour 12 ouvriers. Le directeur des ventes considère que ses effectifs sont débordés et qu'ils devraient s'accroître au même rythme que le chiffre d'affaires. Le directeur de la production considère que seulenent 1% des ouvriers spécialisés peut accéder au poste de contremaître au cours des prochaines années. Votre tâche consiste donc à...

a) établir un plan d'effectifs pour les trois prochaines années

b) déterminer le nombre d'individus qu'il faudra embaucher au cours de la prochaine année par catégorie.

---

* L'idée originale de ce cas-problème a été tirée du Dun J.D. et E.C. Stephens, *Management of Personnel*, McGraw Hill Book Co., 1972, p. 90.

Lectures additionnelles en français

———, *Préparation du programme de dotation en personnel,* ministère de la Fonction publique, Québec, document interne, 1971.

BARTHOLOMEW, D.J., "La statistique appliquée à la prévision des besoins de personnel", *Synopsis,* sept.-oct. 1972, pp. 63-79.

COTE, Marcel, "La planification des ressources humaines et leur cycle de développement", dans *Gestion des ressources humaines,* Guérin, 1975, ch. III.

FITOUSSI, R., "La gestion prévisionnelle des effectifs", *Direction et gestion,* No 4, juillet-août 1974, pp. 32-41.

GUERIN, Gilles, "Planification de la main-d'oeuvre dans l'entreprise", Ecole des relations industrielles, tiré à part, No 8, Université de Montréal, 1975.

JARDILLER, P., *La gestion prévisionnelle du personnel,* Presses Universitaires de France, coll. S.U.P., Paris, 1972.

PIERRE, J.-C., "La gestion des ressources humaines: une approche intégrée et prévisionnelle", *Annales des sciences économiques appliquées,* Louvain, No 1, 1973-74, pp. 17-47.

POPELARD, A.-H., "Mise en place d'un système de gestion prévisionnelle des effectifs", in Benayoun, R. et C. Boulier, *Approches rationnelles dans la gestion du personnel,* Paris, Dunod, pp. 147-171.

SOL, Michel, "Proposition pour une stratégie de la prévision en matière de personnel", *Humanisme et entreprise,* 1130, 13 (69-53), pp. 61-87.

VERBIST, Daniel, "La gestion prévisionnelle des ressources humaines", *Annales des sciences économiques appliquées,* Louvain, 1973-74, pp. 82-104.

Lectures additionnelles en anglais

BAIN, Trevor, "Forecasting Manpower Requirements in Conditions of Technological Change", *Management of Personnel Quartely,* Vol. 7, No 1, sept. 68, pp. 26-28.

BASSETT, G.A., "Manpower Forecasting and Planning: Problems and Solutions", *Personnel,* Vol. 47, No 5, sept.-oct. 70, pp. 8-16.

CASSELL, Frank H., "Manpower Planning: State of the Art at the Microlevel", *MSU Business Topics,* Autumn 1973, pp. 13-21.

CASSIDY, Robert E., "Manpower Planning: A Coordinated Approach", *Personnel,* Vol. 40. No 5, sept.-oct. 1963, pp. 35-41.

COLEMAN, B.P., "An Integrated System for Manpower Planning", *Business Horizons,* Vol. 13, No 5, 1970, pp. 89-95.

DECKHARD, N.W. et K.W. LESSEY, "A Model for Understanding Manpower Management, Forecasting and Planning", *Personnel Journal,* March 1975, pp. 171-175.

FLOWERS, Vincent S., "Human Resource Planning: Foundation for a Model", in *Personnel,* Jan.-Feb. 1974, pp. 20-32, 41-42.

GASCOIGNE, I.M., "Manpower Forecasting at the Enterprise Level: A Case Study, *British Journal of Industrial Relations,* Vol. 6, No 1, March 1968, pp. 94-116.

GILLESPIE, J.F., LEIMINGER, W.F., KAHALAS, H., "A Human Resource Planning and Valuation Model", *Academy of Management Journal,* Dec. 1976, Vol. 19, No 4, pp. 650-656.

GLUECK, W.F., "Career Management of Managerial, Professional and Technical Personnel", in Burach, F. et J. WALKER, *Manpower Planning and Programming,* Allyn & Bacon, 1972, pp. 239-255.

MILKOVICH, G.T. et Paul Ç. NYSTROM, "Manpower Planning and Interdisciplinary Methodologies", University of Minnesota Industrial Relations Center, Minneapolis, tiré à part, No 63, 1969.

NAVAS, A.L. et alii, *Managerial Manpower Forecasting and Planning,* American Society for Personnel Administration Research Project Report, 1965.

PETERSON, Richard B., "The Growing Role of Manpower Forecasting in Organizations", *MSV Business Topics,* Summer 1969, pp. 7-15.

ROBERTS, Paul A., "Problems and Prospects of Manpower Planning", *Public Personnel Review,* Vol. 31, No 2, avril 1970, pp. 126-128.

THAKUR, Manab, *Manpower Planning in Action,* London, Institute of Personnel Management, 1975, 81 p., annexes.

VETTER, Eric, *Manpower Planning of High-talent Personnel,* University of Michigan, Bureau of Industrial Relations, 1967, 225 p.

———, "How to Forecast your Manpower Needs", *Nation's Business,* Feb. 1964, pp. 102-110.

WAIKER, J.W., "Forecasting Manpower Needs", *Harvard Business Review,* Vol. 47, No 2, 1969, pp. 152-164.

YODER, Dale, "Manpower Management Planning", in *Personnel Management and Industrial Relations,* Prentice-Hall Inc., 6th Edition, 1970, ch. 8.

Exposé no 5

RECRUTEMENT, SELECTION, ACCUEIL

5.1 Les finalités de la sélection

Le recrutement, la sélection et l'accueil sont trois activités interreliées qui s'inscrivent dans la dimension administrative de la fonction "ressources humaines" et dont une première finalité consiste à fournir à l'organisation un personnel qualifié. Si la sélection a été traditionnellement orientée vers la recherche d'individus qualifiés, ou vers l'élimination des candidats qui ne rencontrent pas les exigences des tâches, elle acquiert aujourd'hui une fonction sociale ou une seconde finalité: celle d'offrir à une personne qualifiée l'occasion de mettre à profit ses connaissances et ses habilités dans une tâche qui lui convient et qui sera pour elle une source de satisfaction et de croissance personnelles.

La sélection consiste donc à mettre un ou des candidats en regard d'un poste de travail devenu vacant de façon à juger d'un meilleur appariement possible entre le candidat et cette tâche. Il est possible d'illustrer cette activité en se servant du graphique (5.1).

Figure 5.1: Représentation symbolique des finalités de la sélection.

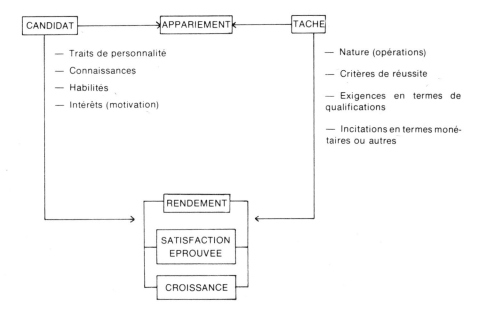

Tout effort de sélection repose donc sur un ensemble d'hypothèses qui sont susceptibles de s'avérer fondées ou non après avoir retenu l'une des candidatures pour un poste.

Première hypothèse:

Que le rendement (R) d'un individu dans un poste dépend de ses connaissances (C), de ses habilités acquises (H), de ses motivations (M) et de certains traits de sa personnalité (P). On peut exprimer cette hypothèse sous la forme suivante: $R = f(C,H,M,P)$.

Deuxième hypothèse:

Que l'individu le plus qualifié pour accomplir une tâche est celui dont les caractéristiques personnelles en termes de connaissances, d'expérience, etc... répondent le mieux aux exigences fixées qui sont autant de conditions de réussite professionnelle dans le poste. Il faut donc établir ici une distinction entre "critères de réussite *professionnelle* et *prédicteurs* de réussite.* Pour les emplois des catégories ouvrières et cléricales, les critères de réussite professionnelle les plus utilisés sont les suivants:(¹)

— La quantité de travail accompli
— La qualité de travail
— La durée d'apprentissage
— Stabilité dans l'emploi
— Assiduité
— Faible taux d'accidents
— Nombre de promotions obtenues
— Echantillon de travail
— Appréciations par les supérieurs.

Pour ces mêmes emplois, les prédicteurs de réussite sont habituellement:

— Les connaissances acquises (degré de scolarité atteint ou de diplômes obtenus)

— L'expérience (années de service accumulées, nature du travail accompli dans des emplois précédents, etc...)

— Les habilités (dextérité manuelle, visuelle, etc...)

— Les intérêts (besoins actuels, les aspirations).

---

* Traduction littérale du terme américain "predictors".

84

Pour des emplois comportant une responsabilité managériale (emploi de cadre), les critères de réussite professionnelle sont habituellement peu précis puisque les fonctions administratives sont décrites avant tout en termes d'activités à accomplir et non en termes d'objectifs à atteindre.

On peut, à titre d'exemple, établir la liste des critères suivants:

— les appréciations faites par les supérieurs hiérarchiques au plan de la performance
— la qualité des décisions prises
— le respect des délais
— la qualité des rapports sociaux
— la qualité et la quantité de travail accompli
— la performance globale de l'unité administrative dont l'individu est responsable
— le degré d'atteinte des objectifs du poste ou de l'unité administrative si l'on a fait un effort, au préalable, pour définir des objectifs.

Les caractéristiques personnelles (ou prédicteurs) que l'on cherche à détecter et à évaluer chez un candidat qui postule un poste comportent des responsabilités managériales sont habituellement les suivantes:

— Les connaissances acquises (degré de scolarité atteint ou diplômes obtenus, formation complémentaire)
— L'expérience (années de service ou nature du travail accompli dans des emplois précédents)
— Les habilités d'ordre conceptuel (sens de la planification, de l'organisation, du contrôle)
— Les habilités au plan des relations interpersonnelles (flexibilité au plan de l'exercice de l'autorité, communication orale et écrite, etc.)
— Les habilités d'ordre technique (technologie et procédé de fabrication)
— Les attributs personnels (jugement, sens de la décision, créativité, motivations professionnelles, etc...).

3 - *Troisième hypothèse:*

Que la satisfaction (S) que peut retirer un individu de l'accomplissement d'une tâche découle, en grande partie, des éléments suivants:

a) la nature et la qualité des incitations (I) inhérentes ou extérieures à la tâche elle-même
b) la valeur(v) ou de l'importance que l'individu accorde à l'une ou l'autre des incitations offertes

c) les besoins actuels ou le niveau d'aspiration (An)

d) du degré d'équité (E) perçu par l'individu de la relation entre la contribution (c) qu'on exige de lui et la rémunération (r) globale qui lui est offerte.

En traduisant cette hypothèse par une formule simplifiée, on peut établir l'équation suivante.

$S = (An, Iv, Ecr)$

où $S =$ Satisfaction

$An =$ Niveau d'aspiration

$Iv =$ Valeur des incitations

$Ecr =$ Adéquation entre contribution et rémunération globale.

Envisagée sous cet aspect, la sélection d'un candidat pour un poste donné recouvre donc une double finalité: celle de découvrir le candidat dont les caractéristiques personnelles répondent le mieux aux qualifications professionnelles exigées et dont les besoins ou les aspirations sont susceptibles d'être satisfaites par l'ensemble des incitations offertes.

5.2 Les préalables au recrutement et à la sélection

L'étude des finalités laisse déjà entrevoir les préalables à toute activité de recrutement et de sélection. Ceux qui sont appelés à intervenir dans le processus de décision menant au choix d'un candidat doivent:

• *connaître la nature du poste à combler.* Cette connaissance s'acquiert par une analyse du travail à accomplir qui comprend l'information suivante:[2]

1) une définition générale du poste permettant de le situer dans une catégorie donnée

2) la liste des opérations à accomplir, ou la séquence des opérations déterminées par la technologie ou le procédé de fabrication

3) les conditions physiques ou matérielles qui entourent l'accomplissement du travail

4) les qualifications professionnelles exigées: c'est-à-dire les caractéristiques qu'un candidat doit posséder pour atteindre un niveau de rendement acceptable ou satisfaisant dans le poste.

• *avoir à une perception commune des critères* servant à juger de la réussite professionnelle

• *avoir une perception commune de la nature des qualifications* exigées et s'entendre sur l'éventail des moyens (épreuves, tests, questionnaires, entrevues) à utiliser pour déceler dans quelle mesure les candidats répondent aux exigences fixées

86

restructure

- *vérifier si le poste à combler peut être restructuré* de façon soit à rendre plus cohérent l'ensemble des opérations à effectuer, soit à retrancher des opérations ou des tâches qui pourraient être intégrées à d'autres postes, soit à ajouter des éléments impliquant des responsabilités plus grandes
- *vérifier si le poste à combler a toujours sa raison d'être,* sinon voir à ce que les tâches soient intégrées à d'autres postes
- *prendre pour acquis que le service de ressources humaines a déjà fait un effort de gestion prévisionnelle* des effectifs (le nombre de postes qui demeurent vacants et qu'il faut combler immédiatement ou au cours d'une période donnée).

5.3 Le recrutement

C'est une activité qui consiste à identifier les sources de main-d'oeuvre disponibles et à inciter des individus à poser leur candidature à un ou des postes devenus vacants. On distingue deux grandes catégories de sources de recrutement.

5.3.1   Les sources internes: c'est-à-dire les employés actuels, par voie de mutation ou de promotion. L'organisation qui pratique le recrutement à l'intérieur fournit aux candidats la possibilité d'accéder à des postes qui comportent des responsabilités plus grandes ou différentes, leur permettant ainsi de mieux utiliser leurs capacités et d'éprouver peut-être une plus grande satisfaction au travail. Les employés actuels peuvent également suggérer les noms d'amis ou de parents. Les candidats ainsi choisis s'adaptent plus facilement à leur travail. L'accueil et la période de familiarisation avec l'organisation deviennent plus faciles puisque les candidats choisis connaissent déjà la nature du travail à accomplir et les conditions d'exécution. Cependant, une telle pratique de recrutement interne peut engendrer un certain favoritisme ou népotisme, surtout au niveau du personnel d'encadrement, et favoriser ainsi l'éclosion de sous-groupes ou de "cliques".

5.3.2   Les sources externes:

a) Les employés qui ont déjà travaillé pour l'entreprise, s'ils ont quitté en bons termes avec la direction et s'ils rencontraient les normes de performances. Ces employés connaissent déjà le fonctionnement de l'entreprise, la nature du travail à exécuter et les conditions générales d'exécution.
b) Les centres de main-d'oeuvre des gouvernements fédéral et provincial.
c) Les institutions d'enseignement tels que les universités, les collèges d'enseignement général et professionnel (CEGEP secteur professionnel) les écoles secondaires (voies pratiques).

d) Les associations professionnelles.
e) Les associations d'anciens étudiants (universités, collèges).
f) La publicité dans les journaux, dans les revues spécialisées, à la télévision, à la radio.
g) Les firmes spécialisées en placement professionnel.
h) Le syndicat, lorsqu'il existe une clause d'atelier fermé.

Une étude effectuée par Claude Rondeau et Gilles Guérin[3] nous renseigne sur l'utilisation des diverses méthodes de recherches d'emploi par des ouvriers licenciés. Si l'on classe les méthodes par leur pourcentage d'utilisation, on obtient le rangement suivant:

Centre de main-d'oeuvre	83.9%
Petites annonces	78.8%
Parents ou amis	71.2%
Ex-employeur	31.4%
Agence privée	26.1%
Syndicat	18.4%
Initiatives personnelles	18.0%
Service spécial	17.8%

On obtiendrait probablement des rangements différents s'il s'agissait des catégories ''personnel de bureau'' et ''personnel de direction''. Le choix d'une source de recrutement de préférence à une autre dépend en grande partie de la nature de l'emploi à combler et des coûts de publicité impliqués. L'annonce de l'ouverture d'un poste doit contenir assez d'information pour attirer ceux qui ont le minimum de qualifications exigées et dissuader ceux qui ne satisfont en aucune manière à l'un ou l'autre des critères de sélection. Les décisions dans ce domaine répondent à des pratiques bien établies en matière de sélection et, à notre connaissance, il n'existe aucune étude empirique sur le sujet.

5.4 Le processus et les méthodes de sélection

La sélection, en tant que processus, comprend une séquence d'activités utilisant diverses méthodes visant à recueillir de l'information sur les candidats, à déceler ceux qui répondent le plus aux qualifications exigées et à effectuer un choix parmi les meilleurs candidats. Elle se présente comme une sorte de ''course à obstacles'' qui sont autant d'épreuves qu'un candidat doit subir pour sortir vainqueur. La séquence des obstacles à surmonter varie d'une organisation à l'autre. On peut cependant illustrer graphiquement la séquence la plus générale.

Figure 5.2   Les différentes étapes d'un processus de sélection

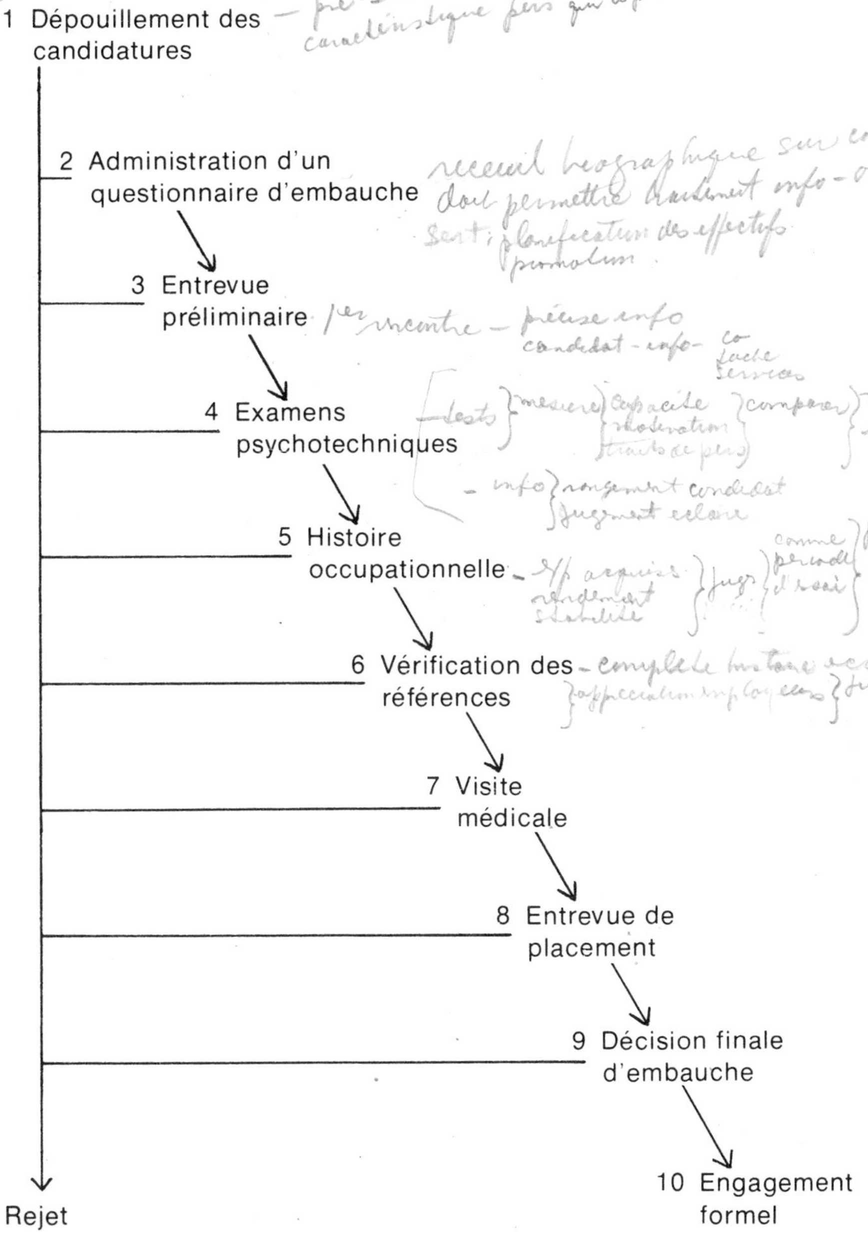

1 Dépouillement des
   candidatures

2 Administration d'un
   questionnaire d'embauche

3 Entrevue
   préliminaire

4 Examens
   psychotechniques

5 Histoire
   occupationnelle

6 Vérification des
   références

7 Visite
   médicale

8 Entrevue de
   placement

9 Décision finale
   d'embauche

10 Engagement
    formel

Rejet

5.4.1   Le dépouillement des candidatures est une forme de présélection qui consiste à écarter les candidats qui s'avèrent, au premier

abord, manifestement inaptes. Dans leur réponse à un affichage de poste ou à une annonce parue dans les media d'information, les candidats font état de certaines caractéristiques personnelles qui les placent immédiatement en dehors de la course. Par exemple, les candidats qui ont plus de 50 ans seront écartés immédiatement si la politique d'embauche fixe l'âge maximum à 35 ans.* Dans le cas de la fonction publique, les résultats obtenus à un concours écrit équivaut à cette forme de présélection. A ce stade initial de la procédure d'embauche, les préposés à la sélection doivent exercer beaucoup de jugement pour ne pas encombrer inutilement le circuit d'embauche avec des sujets inaptes et pour ne retenir que les candidats qui possèdent apparemment les qualifications requises.

5.4.2   Le questionnaire d'embauche

Les candidats retenus à la fin de l'étape de présélection sont appelés à remplir le questionnaire d'embauche. Ce questionnaire se présente comme une sorte de recueil de données biographiques sur les candidats:

— L'âge, l'état civil, le nombre de dépendants, le statut de propriétaire ou de locataire, le poids, la taille.
— La formation académique i.e. le niveau de scolarité atteint ou la nature de l'éducation reçue dans diverses institutions d'enseignement.
— La formation professionnelle en cours d'emploi.
— Tous les emplois occupés antérieurement et les raisons qui ont amené l'individu à quitter ces emplois; le salaire obtenu, les promotions reçues.
— Les buts et les intérêts du candidat.
— Les associations professionnelles dont il est membre.
— La manière d'occuper ses loisirs.**

Le questionnaire d'embauche, en plus de servir pour la sélection, constitue par la suite une source d'information utile en matière de planification des effectifs, de mutation et de promotion. Pour ces fins, le questionnaire doit être construit de façon à permettre le traitement de l'information par ordinateur.

5.4.3   L'entrevue préliminaire

C'est la première rencontre aménagée entre un préposé à la sélec-

---

* Une telle politique n'est probablement pas conforme aux dispositions de la Charte des Droits et des Libertés de la personne (Loi adoptée le 27 juin 1975).

** Encore ici, la nature des renseignements demandés doit être reliée aux exigences des postes et doivent être conformes aux dispositions de la Charte des Droits et des Libertés de la personne.

tion et le candidat. Elle vise à faire préciser l'information fournie au questionnaire d'embauche et donne également aux candidats une première occasion d'échanger sur la nature de l'entreprise, du service et de la tâche postulée.

5.4.4 Les examens psychotechniques

A ce stade du processus, on demande aux candidats de se soumettre à un ou plusieurs tests. Un test est une épreuve qui permet de mesurer les capacités, les motivations ou les traits de personnalité d'un individu, de comparer ces mesures à une norme établie pour une population de référence i.e. un groupe d'individus donnés qui a déjà subi ces mêmes épreuves. De tout temps, les tests comme méthodes de sélection ont fait l'objet d'une avalanche de critiques aux plans de leur validité et de leur fiabilité, tellement que l'on s'interroge sérieusement sur l'utilité qu'on doit en faire et sur l'importance qu'on doit leur accorder.

Les tests, du moins ceux qui ont une certaine valeur prédictive, génèrent une information de nature objective qui permet d'établir un rangement parmi des candidats. Les résultats aux tests servent à éclairer le jugement, mais ils ne peuvent en aucune façon servir de substitut au jugement qui doit être exercé à l'endroit des candidats. On ne peut donc, en principe, écarter un candidat en se basant uniquement sur des résultats obtenus à un test.

L'importance qu'on doit leur accorder varie selon le genre de tests. Dans la plupart des bons ouvrages en psychologie industrielle, on retrouve la classification suivante: ([4])

a)   Les tests d'aptitudes

— intellectuelles: compréhension verbale, fluidité verbale, mémoire, raisonnement par induction, rapidité de perception, visualisation spatiale
— mécaniques: compréhension des principes de mécanique (aptitude générale en mécanique)
— psychomotrices: vitesse d'exécution, coordination des mouvements, rapidité dans la manipulation des objets
— aptitudes visuelles: acuité visuelle, perception entre les distances, perception de la profondeur, discrimination des couleurs.

b)   Les tests de connaissances professionnelles

Ce sont des épreuves orales ou écrites qui cherchent à évaluer le niveau de connaissances pertinentes à l'exercice d'une fonction. Par exemple, la connaissance de la langue française, parlée et écrite, pour un poste de commis de bureau ou de sténodactylo.

c) Les tests de performance = ens ou portie des operations du poste

Ces épreuves consistent pour un candidat à effectuer l'ensemble des opérations inhérentes à une fonction ou une partie seulement des opérations. Dans ce dernier cas, il s'agit de découper un échantillon de travail et de le soumettre au candidat pour évaluer sa compétence professionnelle. Par exemple, on demandera à une candidate au poste de sténodactylo de dactylographier des lettres ou des mémos.

d) Les tests de personnalité - ques connaire - diff comportement mais très prédicteur

Ces tests se présentent sous forme de questionnaires ou de listes d'énoncés traduisant toute une gamme de comportements. Le sujet doit répondre par oui ou non; ou encore, il doit indiquer son accord ou son désaccord avec l'énoncé. Ils se présentent également sous forme d'éléments d'information plus ou moins structurés auxquels le candidat doit donner une signification.

e) Les tests d'intérêts loisirs pas sur questionnaire (en forme) si l'I sera à l'aise dans le poste

Le rendement d'un individu au travail et la satisfaction qu'il peut retirer de ce travail dépend non seulement de ses connaissances, de ses aptitudes et de ses habilités, mais aussi des objectifs personnels qu'il s'est fixés, des préférences qu'il peut avoir pour tel type d'activités plutôt qu'un autre. La gamme des préférences individuelles varie d'un intérêt pour des activités d'ordre intellectuel (scientifique, littéraire, philosophique) à un intérêt pour des activités d'ordre manuel (mécanique, menuiserie, travaux d'entretien). Obtenir de l'information sur les préférences individuelles permet aux évaluateurs ou aux orienteurs professionnels d'évaluer si un individu sera à l'aise dans tel ou tel type d'activité. Les tests les plus utilisés pour juger des préférences individuelles sont les suivants:

— Le questionnaire d'intérêts ''vocationnels'' de Strong
— L'indice de préférence de Kuder
— Le questionnaire de J. Leplat
— Le questionnaire de P. Rennes.

tests: connaissance prédictive aptitudes habilités

personnalité pas prédictif

Certaines catégories de tests ont une valeur prédictive beaucoup plus élevée que d'autres. Les résultats de recherche ([5]) sur leur degré de validité nous amènent à constater que les tests d'aptitudes, de connaissances et d'habilités ont une valeur prédictive plus élevée que les tests de personnalité. Cette conclusion s'explique assez facilement puisque les tests de personnalité comportent beaucoup plus d'éléments subjectifs, donc des éléments susceptibles d'interprétation tant de la part des évaluateurs que des candidats qui se soumettent à ces tests. La valeur prédictive d'un test se mesure par le degré de corrélation qu'on peut établir entre la distribution des notes obtenues aux critères de réussite professionnelle et la distribution des notes obtenues à un test qui se veut un bon instrument de prédiction de la réussite professionnelle. On ne peut donc condamner ou approuver ''en bloc'' l'usage des tests comme méthode de sélection sans faire de distinction entre les catégories de tests, puisque certaines catégories ont une valeur prédictive plus élevée que d'autres.

5.4.5 L'histoire occupationnelle du candidat

La nature des emplois occupés antérieurement permet de juger de l'expérience acquise, du rendement et de la stabilité occupationnelle d'un candidat. Ce raisonnement est fondé sur l'hypothèse que la réussite professionnelle dans un premier emploi est un bon prédicteur de la réussite future, en autant que le poste qu'on veut confier à un candidat comporte des responsabilités à peu près identiques à celles qui caractérisaient le poste occupé antérieurement. Les emplois antérieurs constituent donc l'équivalent d'une période d'essai professionnel que peut offrir l'employeur à un candidat avant de prendre une décision finale à son sujet. Cependant, l'information fournie par le candidat sur son propre rendement et sur les raisons qui l'ont incité à quitter son emploi est plus ou moins fiable. Cette information doit être révisée et précisée au cours de l'entrevue de placement.

5.4.6 La vérification des références

Pour compléter l'information sur l'histoire occupationnelle, on demande souvent aux candidats de fournir des appréciations faites par leur ancien employeur ou encore par des personnes qui le connaissent bien. Encore là, cette information sur le comportement antérieur du candidat est plus ou moins valable, puisqu'il peut fort bien arriver que l'employeur précédent connaisse peu le candidat de sorte qu'il lui sera difficile d'évaluer sa performance et les raisons de son départ. De plus, l'employeur précédent éprouve toujours une certaine réticence à faire état des points faibles d'un candidat pour ne pas enlever à ce dernier la chance de se trouver un autre emploi. Au cours de l'entrevue de placement, le contenu des lettres de recommandation doit être vérifié de nouveau pour juger du degré de congruence entre les appréciations faites par des employeurs précédents et l'appréciation que le candidat a faite de son comportement antérieur.

5.4.7 La visite médicale

Certains employeurs exigent une visite médicale pour s'assurer que les candidats possèdent un état de santé satisfaisant dans le but d'éviter des absences prolongées, des accidents, ou dans le but de s'assurer que les candidats sont aptes physiquement à remplir les exigences de la tâche.

5.4.8 L'entrevue de placement

C'est la méthode de sélection la plus utilisée et peut-être la plus contestée après celle des tests de personnalité. L'entrevue de placement est une rencontre aménagée entre le candidat, un préposé à la sélection et le supérieur hiérarchique éventuel de ce candidat. Cette entrevue comporte une double finalité: a) Obtenir une information plus précise sur l'ensemble des caractéristiques personnelles d'un candidat; b) permettre au candidat de prendre connaissance de la nature exacte de la tâche et des conditions de son exécution.

C'est l'étape de la sélection où le candidat se voit pour la première fois confronté avec la tâche qu'on veut lui confier. La préparation de cette entrevue varie en fonction de l'approche qu'on entend adopter lors de son déroulement. On peut opter pour l'une ou l'autre des approches suivantes:

a) Fortement structurée

Elle est marquée par la rigidité et le formalisme des rapports qui s'installent entre le candidat et les évaluateurs. Elle consiste en une liste de questions précises qui n'exigent aucune élaboration au plan des réponses de la part du candidat. Cette approche a l'avantage de fournir des données qui facilitent la comparaison d'un candidat à un autre. Cependant, comme elle s'apparente à une interrogation de nature policière, elle place le candidat sur la défensive et l'empêche de faire valoir les qualifications qu'il croit posséder.

b) Semi-structurée

Cette forme d'entrevue est la plus utilisée. Elle consiste à laisser parler le candidat sur des thèmes qui s'intègrent à un plan précis élaboré au préalable. Les interviewers auront pris soin de s'entendre sur les thèmes (caractéristiques personnelles liées à la fonction) qu'ils veulent couvrir, de même que sur les questions à l'intérieur de chaque thème. Les réponses à ces questions exigent un effort de réflexion de la part du candidat et une certaine élaboration. Les interviewers retiennent habituellement les thèmes suivants:

94

— L'expérience passée: il s'agit d'évaluer la nature exacte de l'expérience acquise dans des emplois précédents et de juger de la pertinence de cette expérience.

— La formation académique et professionnelle reçue: le candidat, dans ses réponses, doit démontrer que la formation reçue le prépare adéquatement à assumer les responsabilités du poste qu'on veut lui confier.

— Des traits de caractère tels que...

- la stabilité occupationnelle: une aptitude à demeurer dans un emploi pendant une période raisonnable

- l'esprit de travail: aptitude à travailler avec régularité, efficacité et conscience

- la stabilité émotionnelle: aptitude à réagir correctement dans des situations nouvelles

- l'initiative: aptitude à utiliser ses propres ressources devant des situations nouvelles

- la maturité: aptitude à se sentir responsable des gestes qu'il pose.

— Les intérêts et les motivations profondes.

Le candidat se voit offrir l'occasion d'expliciter les raisons profondes d'ordre économique (salaire, stabilité d'emploi) ou d'ordre personnel (désir de prestige, désir d'être bien apprécié, désir d'autonomie) qui l'incitent à poser sa candidature.

c) L'entrevue non-structurée

Elle se déroule sans aucun plan précis et consiste à laisser parler le candidat sur des points qu'il considère importants et qui peuvent influencer la décision finale en sa faveur.

Une fois l'entrevue terminée, les évaluateurs prennent quelques minutes pour rédiger un profil des points forts et des points faibles du candidat, tels que révélés par les réponses ou les commentaires qu'il a fournis. Lorsque la liste des candidats est épuisée, les évaluateurs établissent d'abord séparément leur rangement respectif des candidats en fonction de leur ''aptitude générale'' et discutent ensuite de leur rangement pour arriver à distribuer les candidats selon un ordre de valeur qui va du plus apte au moins apte à satisfaire aux exigences de la fonction.

5.4.9 Décision finale d'embauche

C'est au supérieur hiérarchique que revient la responsabilité de décider de la candidature à retenir. A la lumière de l'information recueillie au cours de chacune des étapes de la sélection, le supérieur formule un jugement global sur le candidat qu'il croit le plus apte à remplir la fonction.

5.4.10 Engagement formel

Le candidat dont le nom a été retenu se voit confirmer par lettre la décision prise à son endroit et les raisons principales qui ont servi à son fondement.

5.5 Une méthode récente de sélection: le centre d'appréciation par simulation (A.P.S.) *(assessment center)*

L'appréciation par simulation est une méthode relativement nouvelle de sélection, importée des Etats-Unis et introduite au Québec depuis peu. Tout en conservant quelques-uns des instruments conventionnels de sélection, cette méthode diffère de la démarche générale que nous venons d'élaborer tant au plan du contenu que du déroulement. Elle s'adresse surtout à la catégorie des cadres et fait reposer l'activité de sélection davantage sur l'observation des comportements des candidats que sur l'enregistrement des informations que ces candidats peuvent fournir verbalement ou par écrit au cours d'une entrevue ou au cours de l'administration des tests. A cette fin, les exercices de groupe et les épreuves propres à cette méthode d'observation et d'évaluation tentent de reproduire en laboratoire le plus fidèlement possible les comportements ou les agissements attendus face aux situations réelles rencontrées dans l'exercice d'une fonction. L'appréciation par simulation ''vise à déterminer dans quelle mesure les individus possèdent certaines habilités en se basant sur l'observation de leurs comportements effectués dans une situation de laboratoire qui reproduit le plus fidèlement possible la situation réelle et qui utilise, pour ce faire, une variété de techniques d'observation et plusieurs évaluations dont les jugements sont mis en commun[6].''

La mise sur pied et le déroulement de l'appréciation par simulation répondent aux étapes suivantes: [7]

1) L'identification des caractéristiques personnelles exigées dans un

poste et l'identification des comportements qui permettent de déceler si les candidats possèdent ou non les qualifications.

2) L'élaboration des tâches ou des exercices que devront effectuer les candidats et qui leur permettront de manifester les comportements attendus.

3) La préparation des évaluateurs.
Les supérieurs hiérarchiques, les préposés au personnel, et une personne de l'extérieur sont appelés à agir comme observateurs et évaluateurs. Ces personnes doivent connaître les objectifs de l'A.P.S., les tâches que devront effectuer les candidats et la manière d'observer les comportements.

4) L'exécution des tâches par les candidats.
Ce sont des exercices individuels ou de groupe qui varient d'un laboratoire à l'autre, tout dépend du niveau hiérarchique des postes à combler et du temps mis à la disposition des candidats. Au cours de l'exécution de chaque tâche, les observateurs ne font que noter les comportements observés, sans procéder à aucune évaluation.

5) L'évaluation des candidats par les observateurs sur chacune des caractéristiques personnelles retenues au préalable et pour chaque exercice, tâche, ou épreuve.
Cette évaluation est suivie d'une compilation des notes obtenues et d'un rangement des candidats qui doit être le produit d'un consensus chez les évaluateurs.

6) La communication aux candidats de leurs points forts ou de leurs points faibles s'ils le désirent.
Si la majorité des candidats viennent de l'intérieur de l'organisation, l'information ainsi générée et communiquée peut servir de base à une détermination précise des besoins de formation à la gestion.

5.6 L'accueil

Dernière activité du processus global de l'embauche, l'accueil consiste à familiariser le nouveau venu avec l'entreprise qui a retenu ses services, la tâche qui lui sera confiée, le service à l'intérieur duquel il va travailler et ses compagnons de travail. Si le nouveau venu éprouve une certaine satisfaction à la suite de l'obtention du poste désiré, il est également saisi d'une certaine crainte ou appréhension, ne sachant trop quelle impression il va créer chez ses nouveaux compagnons de travail. C'est pourquoi plusieurs entreprises attachent beaucoup d'importance à l'accueil ou à l'orientation initiale de l'individu récemment embauché.

L'accueil vise à faciliter l'intégration du nouveau venu à l'entreprise et au groupe de travail déjà en place. La première impression que se fait le nouveau venu demeure toujours vivante, par conséquent elle peut influencer son comportement au travail. L'accueil doit donc commencer par une préparation psychologique du personnel en place avec lequel le nouveau venu est susceptible de développer et de maintenir des relations amicales. Le personnel (chef de service, compagnons de travail, préposé à l'accueil) doit connaître ses responsabilités à l'endroit de l'orientation à donner au nouvel employé en vue de faciliter son adaptation rapide à la tâche. L'accueil commence par des explications sur l'historique de l'entreprise, les principales fonctions et la structure de la délégation de pouvoir. Suit une présentation des produits fabriqués (ou des services fournis), de la technologie utilisée et du flux des activités de transformation. Le nouveau venu sera invité par la suite à faire une courte visite des principaux services et de l'usine. Il sera présenté à son chef immédiat qui se chargera a) de la présentation aux compagnons de travail, b) des explications à donner concernant la nature du travail à accomplir, les conditions d'exécution et les règlements touchant la sécurité, l'hygiène, la rémunération, les avantages sociaux, les congés.

On remet également au nouveau venu une brochure d'accueil qui doit contenir tous les renseignements utiles sur la nature de l'entreprise, le règlement interne, le régime de travail, les possibilités de formation et de promotion, les services de santé et de sécurité.

5.7 Questions

1) Quelles sont les méthodes de sélection qui permettent de placer le candidat en regard de la tâche qu'on veut lui confier?
2) Quelles sont les finalités de la sélection?
3) Quelle distinction établissez-vous entre ''critères de sélection'' et ''prédicteurs''?
4) Quels liens établissez-vous entre la planification des effectifs et la sélection?
5) Quelle(s) catégorie(s) et quel(s) type(s) de tests utiliserez-vous au cours de la sélection?
   a) du personnel ouvrier (opérateur d'équipements)?
   b) du personnel de bureau (sténodactylo)?
   c) des contremaîtres?
   d) des gérants de service?
6) Si après trois minutes de conversation avec le candidat, les interviewers ont réussi à se former une opinion à son sujet, y a-t-il lieu de prolonger l'entrevue?
7) Rangez par ordre d'importance les diverses méthodes de sélection que vous connaissez en prenant comme critère la valeur de l'information qu'on peut obtenir par l'emploi de l'une ou l'autre de ces méthodes. Expliquez les raisons de votre rangement.

8) Croyez-vous que la possession d'un diplôme d'études collégiales (CEGEP) comme condition d'accès à l'université constitue une garantie du succès à la fin des études universitaires?

9) Croyez-vous que la possession d'un diplôme universitaire de premier cycle en relations industrielles ou en administration constitue un bon prédicteur du succès professionnel dans un emploi du secteur de la gestion des ressources humaines?

10) Doit-on exiger des individus qui originent d'un milieu défavorisé de passer les mêmes tests d'aptitudes que ceux qui sont soumis aux individus issus d'un milieu favorisé (à l'aise)?

11) Quels sont les facteurs dont il faut tenir compte au moment de la rédaction d'une offre d'emploi?

5.8 Travaux pratiques

5.8.1 Exercice: Traits de personnalité et rendement*. L'administration d'un test de valeurs interpersonnelles à 43 personnes et le calcul des notes obtenues sur des critères de réussite professionnelle ont permis de dresser le tableau suivant:

TRAITS	Groupe de personnes dont le rendement est faible N = 23		Groupe de personnes dont le rendement est élevé N = 20	
	MOYENNE	PERCENTILE	MOYENNE	PERCENTILE
Soutien	17.9	45	17.0	34
Conformisme	14.1	45	13.9	45
Reconnaissance	8.9	24	8.5	24
Indépendance	18.5	65	18.8	65
Bienveillance	20.0	54	20.3	54
Leadership	10.2	42	11.5	55

Questions

1) Que doit-on penser de la valeur prédictive de ce test?
2) Peut-on conclure que les six valeurs ont la même importance?

---

* Ces données sont tirées de l'article de: "Choosing Tests for Clerical Selection" in K.M. Miller, *Psychological Testing in Personnel Assument*, Gower Press, London, 1977, p. 14.

5.8.2 Exercice: Encerclez le chiffre qui indique, selon vous, le degré de subjectivité ou d'objectivité que comporte l'une ou l'autre des sources d'informations suivantes:

Degré Instruments	Subjectivité 1	2	3	4	Objectivité 5
Questionnaire d'embauche	1	2	3	4	5
Test de dextérité manuelle	1	2	3	4	5
Références	1	2	3	4	5
Test de traits personnels	1	2	3	4	5
Test de motivation	1	2	3	4	5
Diplômes obtenus	1	2	3	4	5
Entrevue de placement	1	2	3	4	5
Graphologie	1	2	3	4	5
Astrologie	1	2	3	4	5

5.8.3 Jeux de rôles: choix d'un directeur des relations du travail

N.B.   Ce jeu de rôles peut également servir d'étude de cas. Il s'agit alors de demander aux participants d'établir un inventaire des forces et des faiblesses de chaque candidat et d'effectuer un choix en prenant soin de bien expliciter les critères qui ont présidé à ce choix.

Le jeu de rôles consiste à recevoir en entrevue deux candidats dont les noms ont été retenus à la suite d'une annonce parue dans la rubrique "Carrières et Professions". A la fin des entrevues, le directeur général du personnel, membre du jury de sélection, doit recommander à l'équipe de direction le nom du candidat qu'il considère le plus apte à remplir les exigences de la fonction.

LA FONCTION

Titre: Directeur des relations du travail

Définition:

Planifie, organise, dirige et contrôle les activités de la section relations du travail et doit intervenir comme négociateur en chef pour la compagnie et comme conseiller au niveau de l'application des conventions collectives dans les quatre établissements de la compagnie de même qu'au siège social.

Responsabilités:

— Développe et fait approuver les stratégies de négociation
— Supervise les travaux de recherche sur les conditions de travail qui prévalent dans le secteur, à l'échelle de la province et du pays
— Voit à la préparation des négociations collectives
— Assure le déroulement de la négociation collective et discute des propositions de règlement dans le cadre d'un mandat défini par la direction générale
— Voit à l'administration des conventions collectives au niveau des établissements et du siège social
— Supervise le travail d'un recherchiste sur les conditions de travail, d'un spécialiste en rémunération et d'un conseiller en matière de règlement de griefs.

Liaisons:

— Dépend du directeur général du personnel
— Maintien des contacts réguliers avec les gérants de personnel et les directeurs des usines.

Qualifications:

— Diplôme universitaire de premier cycle en relations industrielles, en administration (management), en économique ou en droit

— Une expérience de dix ans en gestion des ressources humaines dont au moins trois dans le secteur particulier de la négociation et de l'administration des conventions collectives
— Posséder un bon jugement
— Capacité de communiquer oralement et par écrit dans au moins deux langues: le français et l'anglais
— Etre capable d'argumenter pendant des heures tout en conservant son calme et sa lucidité
— Sens de la planification, de l'organisation et du contrôle
— Capacité de faire équipe avec des gens en place
— Etre âgé de 40 ans ou moins.

Rémunération: Entre $35,000 et $41,000.

Endroit: Siège social, Montréal

L'entreprise:

L'entreprise détient une position de leadership dans la fabrication de papiers fins. Au siège social de Montréal, les services de planification, de contrôle de gestion, d'informatique, de recherche, de personnel et d'ingénierie de production constituent la technostructure, alors qu'une certaine décentralisation existe au niveau des opérations, ce qui explique le large degré d'autonomie dont disposent les directeurs d'usine. L'entreprise regroupe environ 1,500 personnes. Elle possède quatre usines réparties sur le territoire de Québec: La Tuque, Trois-Rivières, Baie-Comeau, Matane. Dans les quatre usines, le personnel ouvrier est syndiqué et regroupé dans des locaux affiliés à la Fédération du bâtiment et du bois (C.S.N.). Les employés de bureaux au niveau des établissements et du siège social sont regroupés dans des locaux du Syndicat Canadien de la Fonction Publique (S.C.F.P.).

Distribution des rôles:

Membres du jury
— Pierre Longchamp: Directeur général du personnel. Vous connaissez bien le curriculum vitae de chaque candidat. Au cours de l'entrevue, vos questions vont surtout chercher à faire ressortir les qualifications des candidats en termes d'expérience, de connaissances et de capacités administratives.
— Jacques Gilbert: Comme conseiller en placement professionnel, l'entreprise a retenu vos services pour agir comme membre du jury. Vos questions vont surtout porter sur les motivations profondes qui incitent les candidats à postuler, sur leurs attitudes face à certains événements ou à la société en général.

— Jean-Pierre Beaupré: Vous êtes vice-président (Opérations) au siège social de la compagnie. Vous aimeriez savoir comment les candidats se situent par rapport aux supérieurs hiérarchiques qui prennent quotidiennement des décisions en matière d'application de la convention collective; vous aimeriez connaître ce que les candidats pensent de l'entreprise, ce qu'ils font en dehors de leur travail; vous aimeriez aussi savoir de quelle manière ils vont se comporter à l'endroit de leurs subordonnés éventuels.

Les membres du jury doivent d'abord s'entendre sur le choix de critères de sélection et sur leur signification. Ensuite...
a) ils préparent un plan des principaux thèmes qui seront abordés au cours de l'entrevue
b) ils notent les forces et les faiblesses des candidats et ils les évaluent selon les critères retenus au départ.

A la fin, ils rangent les candidats selon leurs capacités et formulent une recommandation.

Les candidats: Gilles Laterreur et Pierre O'Connor.

Ils essaient de répondre aux questions en utilisant le plus possible l'information contenue dans leur autobiographie.

Les participants: réunis en groupe de cinq ou six, ils se choisissent un secrétaire qui donnera un compte rendu en plénière de ce que le groupe pense du déroulement de l'entrevue.

Autobiographie de Gilles Laterreur:

Dès le point de départ, je sais que mon nom n'inspire pas toujours confiance: les gens pensent au premier abord que je suis un type qui prend un malin plaisir à dramatiser les situations, à compliquer les discussions pour me montrer plus "accommodant" par la suite et sortir vainqueur par un artifice quelconque. Je ne suis pas ce genre de type. A l'âge de 22 ans, j'obtenais un premier diplôme en relations industrielles. Comme j'étais le plus jeune de ma promotion, j'ai pensé qu'il me serait utile de continuer mes études et c'est pourquoi j'ai entrepris un cours de droit. Maintenant, j'ai 34 ans et j'ai 9 ans d'expérience dans le domaine de la gestion des ressources humaines. Au tout début, j'ai agi à titre d'agent de personnel. Je m'occupais de la sélection et de la formation dans un des plus gros établissements hospitaliers de la Ville de Québec. Au moment où l'Association des Hôpitaux de la Province de Québec (A.H.P.Q.) annonçait une ouverture de poste comme conseiller en relations de travail pour tout le secteur hospitalier, j'ai fait application et mon nom a été retenu parmi dix autres candidatures. Il n'y a pas d'erreur, j'étais fier puisque j'obtenais un emploi qui me permettait d'utiliser mes connaissances tant en relations industrielles qu'en droit. Je devais préparer les dossiers de règlement de griefs surtout ceux qui atteignaient l'étape de l'arbitrage. Mon salaire passait alors de $12,000 à $20,000 et cela m'a permis de laisser le loyer où nous étions trop à l'étroit avec les deux enfants pour entrer dans une maison spacieuse et bien meublée en banlieue de Montréal. Il faut dire, en passant, que j'aime bien me retrouver devant un bon feu de foyer durant la saison d'hiver, regarder un bon programme à la télévision et lire des romans de fiction. Au cours de la belle saison, j'éprouve beaucoup de plaisir à entretenir ma propriété. Les vacances annuelles passées sur les plages américaines avec ma petite famille me permettent vraiment d'oublier les discussions interminables et les tractations qui font partie inhérente du métier que je pratique.

Au cours des deux dernières années, j'ai dû m'absenter souvent de la maison. La dernière ronde de négociations dans le secteur hospitalier m'a beaucoup accaparé. J'ai participé aux négociations à la table des employés de soutien. Dans l'ensemble ce fut une belle expérience, mais à certains moments, je perdais patience. On s'enfargeait dans les fleurs du tapis ou bien l'on discutait sur des principes. Notre stratégie, du côté patronal, manquait de cohérence. Avec tous ces paliers de discussions, on éprouvait beaucoup de difficultés à cerner les centres de décision. Tout le monde se renvoyait la balle et personne n'osait prendre de décisions... Du côté syndical, la stratégie de négociation était mieux articulée et les centres de décision finale faciles à repérer. Par contre, je n'aime pas le syndicalisme qui mêle l'idéologie avec les chiffres. La discussion à la table des négociations devrait toujours porter sur des conditions de travail qu'on peut traduire en chiffres. A bien y penser, je considère avoir acquis une bonne expérience dans le secteur public et il est temps que je regarde ailleurs, d'autant plus que la progression sur le plan salarial est plutôt lente, juste assez pour compenser pour l'augmentation du coût de la vie.

En postulant cet emploi au siège social d'une de nos grosses firmes québécoises, j'aurais l'occasion de voir mon salaire passer de $28,000 à $37,000 environ, ce qui représenterait une différence appréciable. Si j'obtenais cet emploi dans une entreprise privée, je me fixerais au point de départ une ligne très ferme: offrir un peu plus que le statu quo et m'y tenir, quitte à lâcher un peu de lest vers la fin, si la situation devient trop menaçante. Je serais bien placé pour avancer les arguments que je considérerais valables, puisque la compagnie a déjà à son service un bon chercheur et deux conseillers réputés qui me fourniraient une documentation fiable.

Au premier abord, il faut dire que je crée une bonne impression: je mesure 6'2'', je pèse 200 livres et je suis toujours bien habillé. J'ai un bon timbre de voix et je considère que j'ai les nerfs assez solides, quoiqu'il m'arrive parfois de "sortir de mes gonds". Malheureusement, à ce moment-là je me sens capable de placer quelqu'un au pied du mur, quitte à raisonner par l'absurde s'il le faut.

Au cours de cette entrevue, je crois qu'on me posera quelques questions embarrassantes. J'ai appris que dans une usine le gérant vient de congédier quelqu'un qui a refusé d'obéir à un ordre. Si mon information est juste, l'opérateur en question a fait remarquer à son contremaître que toutes les mesures de sécurité n'avaient pas été prises au préalable, et que par conséquent il ne pouvait pas exécuter la tâche. Je crois que le contremaître a bien agi. A mon sens, l'opérateur devait exécuter la directive, quitte à loger un grief par la suite; ce n'est pas aux employés à juger des conditions d'exécution du travail.

Personnellement, je crois à un système de négociation collective libre avec le moins d'interventions possibles de la part des gouvernements. On devrait laisser les gens prendre des responsabilités et subir les conséquences par la suite. Malheureusement, les syndicats deviennent de plus en plus puissants, ce qui introduit un véritable déséquilibre dans tout le système. Quand je pense aux policiers de la Communauté urbaine de Montréal qui ont pris l'initiative de mettre eux-mêmes en application leur nouvel horaire de travail, j'y perds le peu de latin qui me reste. Heureusement qu'une injonction permanente est venue mettre fin à cette débandade...

Autobiographie de Pierre O'Connor:

Je n'aime pas parler de moi et j'ai peu d'aptitudes pour le faire. C'est beaucoup plus par le travail que par une éducation académique que j'ai réussi à atteindre un poste de responsabilités importantes.

Mon père a quitté l'Irlande, son pays natal, pour venir s'installer à Québec. Il a démarré un commerce dans la ferronnerie et s'est lancé ensuite dans l'achat, la vente et la réparation d'automobiles. C'est une affaire assez importante maintenant puisqu'elle emploie 25 personnes. Ma mère est une canadienne-française de Québec. Je me sens bien intégré au monde francophone comme au monde anglophone puisque je connais bien les deux langues et les deux mentalités. Je comprends bien les canadiens-français et leur désir de promouvoir leur langue. Je continue à croire, cependant, que dans les grandes organisations, ce sera toujours la compétence qui présidera au choix des individus pour des postes importants, à la condition évidemment de posséder la maîtrise des deux langues. C'est pourquoi, même si mon nom est d'origine irlandaise, mes chances demeurent toujours bonnes pour accéder au poste que je postule.

Après le secondaire (High School), je suis entré comme opérateur de machine dans une entreprise de produits alimentaires. Quelques années après, je suis devenu contremaître et puis surintendant. Une partie importante de mes responsabilités consistait à appliquer de la manière la plus équitable possible le contrat de travail qui liait la direction et les ouvriers. J'ai compris alors que la direction, même si elle est de bonne foi, n'a pas toujours le monopole de la vérité. Je suis d'accord sur la législation existante qui confère des droits aux travailleurs et à leur institution syndicale. Les travailleurs ont une perception de leurs conditions de travail et de leurs intérêts qui est, sans l'ombre d'un doute, nettement différente de celle de la direction. J'admets également que la direction a des droits et qu'elle doit chercher à les protéger. J'ai appris à discuter avec les représentants syndicaux et j'ai appris lentement à les comprendre et à les apprécier. J'ai appris qu'on ne doit pas chercher à détruire complètement un adversaire si l'on veut survivre en affaires. Je sais ce que veulent dire les termes "concurrence", "capacité de payer", "coûts de revient", "coût de la vie".

A 27 ans, j'ai commencé à suivre des sessions en sciences sociales offertes par l'Université. J'ai réussi à suivre, par la suite, tous les crédits offerts dans un programme d'enseignement en relations industrielles; bientôt je terminerai un diplôme d'une valeur de 45 crédits en administration des entreprises. Cet enseignement est offert aux gradués de permier cycle ou encore à ceux qui possèdent l'équivalent d'un premier cycle. Au début, je devais parcourir 50 milles pour me rendre à l'Université Laval et revenir. Après avoir réussi à obtenir un poste de directeur du personnel dans une entreprise qui possède ses bureaux à Québec, j'ai pu poursuivre mes études, tout en négociant des contrats de travail, souvent la nuit, avec des locaux de la C.S.N. et de la F.T.Q.

J'ai maintenant 40 ans et demi; je gagne $34,000 par année. Je mesure 5'8'' et pèse 160 livres. J'ai toujours joui d'une bonne santé. Je suis marié et père de trois enfants. Ma famille habite une maison confortable dans la banlieue de Québec. Mon épouse serait d'accord pour changer de milieu et aller vivre dans une autre banlieue même si elle possède beaucoup d'amis et de parents à Québec. J'aimerais obtenir le poste que je convoite, pas tellement à cause de la différence de salaire qui serait plutôt minime une fois l'impôt déduit, mais plutôt à cause des responsabilités plus grandes qu'il comporte. Je pourrais également compter sur l'aide d'un recherchiste et de deux conseillers qui sont de jeunes diplômés, mais qui ont besoin d'un guide expérimenté pour se faire la main. Dès le point de départ, je veux qu'ils siègent, à tour de rôle, à la table des négociations pour qu'ils saisissent bien les demandes syndicales et qu'ils découvrent par eux-mêmes la nature de l'information pertinente que l'employeur doit posséder à une table de négociations. J'essaierai de les utiliser le mieux possible pour qu'ils puissent avoir une bonne connaissance des conventions en vigueur dans les usines de la compagnie et pour qu'ils puissent fournir des conseils judicieux et documentés aux directeurs d'usine et aux gérants de personnel.

Ma ligne de conduite à la table des négociations sera plutôt souple, puisqu'il n'y a aucun accord possible si aucune concession ne se fait de part et d'autre. Il s'agit de laisser le syndicat présenter ses demandes et les expliquer longuement pour qu'on puisse en saisir la nature exacte et le fondement. Par la suite, il s'agit de présenter des propositions qui revêtent un minimum ''d'acceptabilité'' et qui tiennent compte vraiment de la conjoncture économique, de la productivité dans les établissements et de l'évolution des coûts de la vie. Je ne crois pas les partisans de la ligne dure qui prennent des positions presque définitives avant même que les négociations débutent: il faut savoir ménager ses arrières et préparer une retraite honorable.

Que des syndicats prennent une orientation idéologique, ça me dérange très peu... Je les prends tels qu'ils sont et je discute avec leurs représentants. Je ne suis pas à la table des négociations pour reconstruire la société. Si l'employeur fait preuve de bonne foi au départ, il est possible que l'autre partie en fasse autant; la confiance appelle habituellement la confiance; la négociation vise à établir un ''modus vivandi'' (je n'ai pas fait mes humanités, mais j'ai entendu cette expression déjà) et non à détruire la partie opposée.

J'aimerais obtenir le poste à Montréal. Ce me permettrait d'avoir un réseau de contacts beaucoup plus étendu. Je serais plus près de mon camp de pêche et je pourrais assister plus souvent aux réunions du Conseil d'administration de la Société des Conseillers en Relations industrielles dont je suis membre. Je pourrais également être plus actif dans notre chapitre montréalais de l'Association internationale des Directeurs de Personnel.

Je sais qu'on va me poser quelques questions embarrassantes. C'est normal, puisque la direction est en droit de bien connaître ses collaborateurs éventuels. J'ai appris qu'on vient de congédier un ouvrier à l'usine de La Tuque. Il a refusé d'obéir à un ordre de son contremaître, prétextant que les mesures de sécurité n'avaient pas été assurées avant de mettre le nouvel équipement en opération. En principe, l'opérateur doit obéir aux directives, mais, dans ce cas, si mon information est bonne (il faudrait que je sache exactement ce qui s'est passé), le contremaître aurait pris une mauvaise décision. En toute équité, on peut difficilement demander à un opérateur d'obéir à une directive s'il croit vraiment qu'un préjudice lui sera causé, préjudice qui ne saurait être réparé par le recours normal à la procédure de règlement des griefs. Si l'on me demande quels seront mes objectifs si j'obtiens le poste... je répondrai que toutes les actions ou décisions que je vais prendre seront orientées vers la création et le maintien de saines relations de travail. Pour en juger, il s'agit de recueillir des données sur le nombre de griefs et la nature de ces griefs au cours d'une période donnée. Il s'agit de s'informer souvent auprès des supérieurs hiérarchiques pour savoir si les conseils fournis sont cohérents d'une usine à l'autre, s'ils sont judicieux et s'ils contiennent des propositions de règlement adaptées aux situations tout en tenant compte des règles élémentaires de la justice.

5.8.4   Etude de cas

LES ENTREPRISES LAURIER LIMITEE

Les Entreprises Laurier possèdent trois usines qui se spécialisent dans la fabrication des habits et des chemises pour hommes. Une de ces usines est située dans la banlieue de Québec et emploie une main-d'oeuvre féminine à 90%. Cette usine où l'on confectionne uniquement des chemises pour homme utilise une technologie qui permet l'application intensive du taylorisme: tâches très parcellaires, calculs des temps pour chaque tâche, système de rémunération à la pièce qui prévoit un taux horaire de base légèrement au-dessus du salaire minimum et un bonus. L'usine comprend quatre sections: coupage du matériel, couture, pressage, emballage. C'est dans la section "couture" qu'on retrouve le plus gros des effectifs et la plupart des tâches comprennent trois opérations principales: a) placer la pièce à coudre sur un gabarit, b) positionner le gabarit sur la machine à coudre, c) enlever le gabarit et poser un billet (ticket) indiquant le numéro de l'opération et celui de l'opérateur. Selon des temps observés et calculés, il faut 20 secondes pour accomplir les trois opérations. Au cours d'une journée de 7h30 qui exclut les deux pauses de 15 minutes chacune et l'heure du déjeuner (lunch), les ouvrières peuvent produire 180 pièces par heure, chiffre qui a servi à l'établissement du taux de base.

Depuis plusieurs années, c'est le contremaître de la section qui sélectionne son propre personnel. La procédure est simple: il s'agit de demander aux candidates d'effectuer toutes les opérations et de retenir les noms de celles qui atteignent les temps calculés ou qui s'en approchent. Les candidates dont les noms sont retenus sont invitées à se présenter au service du personnel pour remplir le formulaire d'embauche et tous les papiers nécessaires pour le calcul de la paie. Cette procédure repose sur une idée assez originale: puisqu'il existe une période d'essai, prévue à la convention collective, on doit donner aux jeunes filles qui recherchent sérieusement un emploi la chance de faire valoir leurs capacités. Il est inutile de les soumettre à une batterie de tests qui sont toujours d'une validité douteuse et il n'est pas juste de pratiquer une certaine discrimination sur la base du sexe, de l'âge, de l'expérience, ou encore des résultats obtenus à des tests.

Cependant, à la fin de la période d'essai d'un mois, seulement quatre candidates sur dix réussissent à effectuer les opérations à l'intérieur des temps calculés. Les autres ne réussissent pas à s'adapter à ce genre de travail et doivent quitter, ce qui accroît sensiblement le taux de roulement pour cette usine retardant parfois la production et augmentant les coûts d'opération. Le gérant du personnel qui s'occupe surtout de l'administration de la convention collective et des avantages sociaux est bien au courant de cette situation. En s'informant auprès de ses collègues dans les autres usines, il a appris que huit candidates sur dix embauchées pour des opérations presque identiques, réussissaient à atteindre les normes de production à la fin de la période d'essai. Au cours de courtes entrevues de départ, avec les candidates refusées, il a accumulé un certain nombre d'observations...

— Les jeunes filles ont en moyenne moins de 20 ans

— Elles sont célibataires

— Elles supportent difficilement le rythme de travail et le bruit

— Elles ne peuvent travailler continuellement sous tension

— Les couturières expérimentées préparent leurs pièces durant les pauses au lieu de causer un peu avec leurs consoeurs

— Elles éprouvent beaucoup de difficulté à coordonner leurs gestes

— Elles considèrent que le calcul des taux est trop serré

— Elles affirment qu'elles n'ont pas l'intention de se ''tuer à l'ouvrage'' pour arriver à faire le ''bogey'' (bonus)

— Elles considèrent que le taux de base n'est pas assez élevé: le revenu gagné ainsi n'est pas de beaucoup supérieur à celui des prestations de l'assurance-chômage.

Vous êtes directeur du personnel de l'usine. Vous avez vraiment l'intention de prendre la situation en main et d'apporter des corrections. La priorité sera d'abord accordée à une révision des méthodes d'embauche. Vous préparez pour la prochaine réunion de l'équipe de direction un plan précis reposant sur des arguments solides.

Liste des ouvrages cités

(1) TIFFIN, J. et E. McCORMICK, *Psychologie industrielle*, Presses Universitaires de France, Paris, 1967, pp. 35-36.

(2) Voir à ce sujet MARCEL COTE, op. cit., pp. 72-88.

(3) RONDEAU, C. et C. GUERIN, "Choix des méthodes dans la recherche d'emploi", Ecole des Relations Industrielles, Université de Montréal, Tiré à part no 13, 1976, p. 3.

(5) Voir à ce sujet: MILTON, L., BLUM et J.C. TAYLOR, *Industrial Psychology, its Theoritical and Social Fundations*, Harper and Row, N.Y., 1968, pp. 88-143.

(6) LAURIER, J., CHARTIER, L. et G. HUBERT, *L'appréciation du personnel par simulation*, Centre de Fromation et de Consultation et les Presses de l'Université Laval, Dossier Management no 1, Québec 1976, pp. 7-8.

(7) Idem, pp. 18-19-20.

Livres et articles en français

——, L'évolution du recrutement des cadres. La politique - les méthodes - leurs limites. *Personnel*, Paris, no 180, juillet-août 75, pp. 44-52.

BARRETT, R.S., "Problèmes de sélection", *Synopsis*, mai 1965, pp. 3-16.

BATES, C. et W. TERENCE, "Approche méthodique de la sélection du personnel", *Organisation scientifique*, vol. 12, 1971, pp. 3-14.

BENATOUIL, R. et J. BLIQUE, "Une approche psychologique en recrutement", *Personnel*, (Paris), no 161, juin 1973, pp. 23-26.

BONNAIRE, S., "Les méthodes de la psychologie industrielle", dans A.N.D.C.P., *Techniques modernes de choix des hommes*, Les Editions d'Organisation, 1965, pp. 26-87.

DONNAY, LUCIENNE, "Les techniques de sélection du personnel", *Chefs, revue suisse de Management*, décembre 1969, pp. 9-13, février 1970, pp. 7-12.

DUBRENIL, D., "Les nouvelles attitudes des jeunes à l'embauche", *Dirigeant*, (Paris), no 30, mars 1972, pp. 17-20.

DUNNETTE, M.D., *Recrutement et affectation du personnel*, Paris, Ed. Hommes et Techniques, 1969.

FLANAGAN, C.J., "L'incident critique en sélection professionnelle" dans A.N.D.C.P., *Techniques modernes de choix des hommes*, Paris, Ed. d'Organisation, 1965, pp. 183-203.

JACKSON, MATTEW, *Recrutement, interview et sélection*, Ed. Hommes et Techniques, 1974, 159 p.

JUES, J.-P., "Des méthodes de sélection des cadres", *Personnel*, (Paris), février 1975, vol. 76, pp. 17-21.

LAVOEGIE, M.J., *La sélection du personnel commercial*, Presses Universitaires de France, Coll.: Travail Humain, 1961, 91 pp.

LE MAITOUR, L.-MARIE, "Réflexions à propos de l'entretien de sélection", *Information psychologique*, no 41, mars 1971, pp. 39-55.

MAIER, N.R.F., *La psychologie dans l'industrie*, Verviers, Marabout, 1970, tomes I et II.

PACAUD, S., *La sélection professionnelle*, Coll.: *Le Psychologue*, Paris, P.U.F., 1959.

SARTIN, P., "Un moment capital dans l'accueil: l'entretien", *Travail et Méthodes*, mars 1973, no 287, pp. 39-47.

SARTIN, P., "L'accueil dans l'entreprise: sa nécessité, ses modalités", *Travail et Méthodes*, janv. 1973, no 285, pp. 33-41.

SHEIN, E.H., Recrutement, Tests, Sélection, dans *Psychologie et organisations,* Editions Hommes et Techniques, Paris, 1972.

TUTELEERS, ALBERT, "Trois modes de sélection du personnel dans l'entreprise", *L'Entreprise et l'homme,* no 4, 1972, pp. 174-182.

Livres et articles en anglais

ASH, P. et L.P. KROCKER, Personnel Selection, Classification and Placement, *Annual Review of Psychology,* Vol. 26, 1975, pp. 487-507.

BACH, MELANY E. et B.W. GLENN, "Underlying Dimensions of Personnel Background Data and their Relationship to Occupation Classification", *Journal of Applied Psychology,* 1967, Vol. 57, no 6, pp. 481-490.

BARRET, R.S., Guide to Using Psychological Test, *Harvard Business Review,* Sept.-Oct. 1963, pp. 138-147.

BRAY, D.W. and J.L. MOSES, "Personnel Selection" in *Annual Review of Psychology* 23 (1), 1972, pp. 545-576.

ENGLAND, G.W., *Development and Use of Weighted Application Blanks,* Revised Edition, Industrial Relations Center, Minneapolis, Minnesota, 1971, 63 pp.

GUION, R.M. et R.F. GOTHIER, "Validity of Personality Measures in Personnel Selection", *Personnel Psychology,* Vol. 18, No 3, 1965, pp. 135-164.

GUION, R.M., "Personnel Selection", *Annual Review of Psychology,* No 18, Pal. Alto, California, 1967.

HOLLMAN, ROBERT W., "Let's not Forget about New Employee Orientation", *Personnel Journal,* May 1976, pp. 244-250.

JABLIN, F., The Selection Interview: Contingency Theory and Beyond, *Human Resource Management,* Vol. 14, No 1, 1975, pp. 2-10.

KILLCROSS, M.C., "Selection: A Theoritical Frame Work", *Personnel:* Institute of Personnel Management, Vol. 2, No 3, March 1969, pp. 22-27.

LAWLER, F.E., "For a More Effective Organization: Match the Job to the Man", *Organizational Dynamics,* 1974, pp. 19-29.

MOGGATT, G.W.B., "The Selection Interview: a Review", *Personnel Practice Bulletin,* Vol. 25, No 1, March 1969, pp. 15-23.

PERZER, WILLIAM, "Employee Orientation: Does it Relieve Pain or Create it?", *Management Review,* July 1973, pp. 17-24.

SCHWAB, D.P. et R.L. OLIVER, "Predicting Tenure with Biographical Data", *Personnel Psychology,* Vol. 27, No 1, 1974, pp. 125-129.

STEWART, A. et V. STEWART, "Selection and Appraisal: the Pick of Recent Research", *Personnel Management,* Jan. 1976, No 1, pp. 20-25.

WRIGHT, O.R., "Summary of Research on the Selection Interview Since 1964", *Personnel Psychology,* Vol. 22, No 3, 1969, pp. 391-413.

WEBSTER, E.C., The Selection Interview: Hopeless or Hopeful?, *Studies in Personnel Psychology,* Vol. 1, No 2, Oct. 1969, pp. 6-18.

ZOFFER, H.J., The Impact of Changine Values and Life Style on the Selection of Managers, *Personnel,* AMA, Vol. 56, No 1, Jan.-Feb. 1975, pp. 25-34.

_____

Exposé no 6

LE DEVELOPPEMENT DES RESSOURCES HUMAINES

6.1 Nécessité de la formation et définition de quelques concepts

6.1.1 Nécessité de la formation

Comment peut-on expliquer les efforts et les investissements en temps et en argent que font les entreprises, les organisations de services et les institutions d'enseignement pour permettre aux individus soit d'acquérir des connaissances et des habiletés nouvelles ou parfaire celles dont ils disposent déjà? Cette dépense d'effort et d'énergie repose avant tout sur la croyance qu'en longue période la formation devient une activité rentable: dans un contexte continuellement changeant, l'amélioration de l'efficacité organisationnelle et la croissance personnelle des individus ne sauraient être atteintes sans cet effort.

Des modifications au plan de la technologie et des structures s'accompagnent ou sont précédées d'une évolution rapide des connaissances dans le domaine des sciences de l'homme (droit, science économique, sociologie, psychologie sociale), et dans le domaine des sciences pures et appliquées (électronique, informatique). Dans un tel contexte, les connaissances acquises au moment d'une formation initiale dans les institutions d'enseignement deviennent partiellement caduques, d'où la nécessité de les actualiser.

Au sein des organisations, le personnel en place vieillit et la réduction progressive de la limite d'âge pour accéder à la retraite crée plus rapidement des ouvertures d'emploi pour ceux qui suivent et qui doivent se préparer à accéder à des postes comportant des responsabilités plus importantes, surtout au niveau du personnel cadre.

Le niveau d'aspirations, également, change au cours d'une carrière ou d'une vie de travail. L'individu acquiert une expérience du travail et développe une perception plus précise de ses capacités et de ses limites. Il se fixe des objectifs différents en termes d'une meilleure utilisation de ses capacités et en termes de niveau de vie. L'atteinte d'un niveau d'aspirations ainsi rehaussé implique en partie la nécessité de parfaire des connaissances ou des habiletés acquises ou d'en développer de nouvelles. La formation se présente alors comme un moyen d'accession à des postes comportant des responsabilités plus grandes et fournissant la possibilité de satisfaire les aspirations changeantes.

6.1.2 Définition de la formation

Parmi les nombreuses définitions que nous retrouvons dans les ouvrages et les articles sur ce sujet, nous retenons celle de Raymond Vatier (¹).

La formation, c'est "l'ensemble des actions capables de mettre les individus et les groupes en état d'assumer avec compétence leurs fonctions actuelles ou celles qui leur seront confiées pour la bonne marche de l'entreprise".

Un premier élément de cette définition fait de la formation un ensemble d'actions, c'est-à-dire des actions cohérentes dont les effets sont cumulatifs et qui s'inscrivent dans un plan précis. La formation ne consiste pas dans une "action isolée" menée à un moment donné pour suivre une mode, pour copier ce qui se fait dans une autre entreprise ou pour répondre à un désir d'un groupe d'employés qui aimeraient bénéficier momentanément d'une pause.

L'amélioration de la compétence, composée selon Vatier d'un savoir, d'un savoir-faire et d'un vouloir faire, constitue un second élément qui implique fondamentalement un apprentissage quelconque, c'est-à-dire une altération ou une modification du comportement suite à une pratique nouvelle par l'individu ou à une expérience vécue. L'ensemble des actions doit donc déboucher sur un apprentissage. La formation est également une occasion pour l'individu de parfaire ses connaissances et ses habiletés en vue d'améliorer sa performance dans le poste qu'il occupe actuellement ou en vue d'accéder à un poste comportant des responsabilités plus grandes, lui permettant ainsi de satisfaire des aspirations renouvelées, tout en utilisant mieux ses capacités. Pour l'entreprise, la formation est une occasion d'assurer la relève, surtout au niveau du personnel d'encadrement, d'améliorer son efficacité globale et son fonctionnement interne en s'assurant que les postes sont ou seront comblés par des individus dont les qualifications se rapprochent le plus possible de celles qui sont exigées.

6.1.3 Définition des concepts

Puisqu'on dispose d'une multitude de concepts pour traduire la variété des actions de formation qui ont cours, il serait utile pour la clarté de cet exposé d'apporter quelques précisions.

1) *Education et formation*

En plus de l'acquisition de connaissances, d'habiletés et de comportements reliés à l'occupation d'un emploi sur le marché du travail, l'éducation recouvre une réalité beaucoup plus vaste qui implique l'assimilation d'une culture réflexive permettant à l'individu d'appréhender les événements qui ont cours dans son environnement, de leur donner une signification et de se situer personnellement par rapport à ces événements.

2) *Formation, éducation permanente et éducation des adultes*

L'éducation permanente ou continue se présente de plus en plus comme le principe d'organisation de toutes les actions de formation auxquelles peut participer un individu au cours de sa vie. Elle apparaît comme une philosophie éducative qui sert de principe d'organisation et d'intégration de toute activité de formation qui s'échelonne au cours de la vie active et inactive de l'individu en alternant les périodes de travail avec les périodes de formation. *L'éducation des adultes* s'adresse avant tout à une clientèle déjà engagée dans une filière professionnelle ou une clientèle qui a dépassé l'âge normal de la scolarisation pour réintégrer à temps partiel ou à plein temps une institution d'enseignement et pour entreprendre des études conduisant à l'obtention d'une formation initiale ou pour parfaire des études déjà amorcées dans un domaine précis de la connaissance.

3) *Formation professionnelle et formation des cadres*

La formation professionnelle est l'ensemble des mesures susceptibles de permettre à un individu d'acquérir les connaissances et les habiletés pour exercer un métier, ou pour s'adapter à un nouvel emploi, ou encore pour obtenir des qualifications de niveau supérieur. Ce type de formation s'adresse plus particulièrement aux ouvriers et aux employés de bureau.

La formation des cadres est l'ensemble des mesures susceptibles de permettre aux cadres d'acquérir les connaissances et les habiletés nécessaires à l'accomplissement des fonctions de gérance à l'un ou l'autre des niveaux de la hiérarchie administrative. Elle s'adresse surtout au personnel d'encadrement (au premier palier, aux paliers intermédiaire et supérieur). Ces habiletés se regroupent sous trois grandes catégories:

• Des capacités de conceptualisation, c'est-à-dire une habileté à saisir une situation dans son ensemble, à identifier les variables qui la caractérisent et les liens d'interdépendance qui lient ces variables; une habileté à imaginer des possibilités de solution à un problème administratif et à retenir celle qui s'avère la meilleure. Ces habiletés sont inhérentes à toute action de planification, d'organisation et de contrôle.

• Des capacités au plan des relations interpersonnelles: une habileté à fonctionner efficacement au sein d'une équipe de travail, une habileté à exercer une influence ou un style de commandement approprié aux exigences concrètes des diverses situations administratives.

• Des capacités d'ordre technique: une habileté à utiliser les techniques de gestion: techniques de planification et de contrôle, méthodes rationnelles de prise de décision, informatique, etc...

4) *Formation académique et formation en situation de travail*

La formation académique comprend un éventail de programmes d'enseignement, chaque programme cherchant à diffuser les connaissances nécessaires à l'exercice d'une fonction ou de plusieurs fonctions regroupées dans une catégorie. Par exemple, un programme d'enseignement en relations industrielles prépare à l'exercice de l'une ou l'autre des fonctions reliées à la gestion des ressources humaines, à l'étude et à la solution des conflits de travail. Cette formation est plutôt axée sur la diffusion de connaissances dont la compréhension et la rétention sont évaluées à l'aide d'examens et sanctionnées par un diplôme.

La formation en exercice ou en situation de travail se différencie nettement de la formation académique. Elle consiste à créer les conditions d'apprentissage permettant aux individus d'acquérir les connaissances et les habiletés pour répondre aux exigences concrètes et pratiques d'une fonction. Pour le personnel de cadre, elle sera axée sur la connaissance des valeurs et des normes de l'organisation, de la philosophie de gestion qui prévaut, de la structure et du fonctionnement de l'organisation et sur l'acquisition d'habiletés à agir efficacement comme membre d'une équipe de travail.

5) *Développement organisationnel (D.O.) et formation des cadres*

L'expression "développement des organisations" est plutôt récente et on l'utilise souvent pour traduire un effort systématique de valorisation des cadres. *Le développement organisationnel* est un effort systématique de changement à l'échelle de l'organisation tout entière — effort encouragé par la haute direction — utilisant de façon intensive les sciences du comportement et animé par un agent du changement. Cet effort de changement consiste en une remise en cause des valeurs et des normes de l'organisation (la culture), de la philosophie et des processus de gestion, des réseaux de pouvoir et de prise de décisions, de la qualité des rapports sociaux; bref, une remise en cause de la structure, du fonctionnement et de la technologie en vue d'accroître la "santé" et "l'efficacité" d'une organisation.

Le D.O. s'adresse à l'organisation dans son ensemble (individus, groupes et structures) et vise à accroître la capacité de l'organisation à s'adapter à un environnement continuellement changeant.

La formation des cadres s'adresse à des individus et des groupes en vue de rehausser leur niveau de connaissances et d'habiletés pour un meilleur fonctionnement au sein des organisations ([2]). Un programme de D.O. s'échelonne sur une période de temps beaucoup plus longue et implique une dépense d'effort plus considérable qu'un programme de formation des cadres ([3]).

Le D.O. facilite le transfert en situation de travail des habiletés et des modes d'interaction sociale acquis au cours d'un programme de formation des cadres. Si l'organisation acquiert une plus grande capacité d'adaptation à un contexte changeant au moment où les individus et les groupes qui la composent acquièrent de nouveaux modes de comportement dans un programme de formation, il est possible alors d'assurer le transfert de ces nouveaux comportements dans la situation de travail et d'éviter un déphasage entre les divers niveaux hiérarchiques qui, autrement, chemineraient à des rythmes d'apprentissage différents.

6.2 **Une vision systémique de la formation**

Pour accéder à une vision globale et intégrée des actions de formation et pour élaborer un plan en conséquence, il faut repérer les composantes de la formation et les liens d'interdépendance qu'elles entretiennent. Pour ce faire, l'idée de système que nous avons élaborée au cours d'un premier exposé s'avère un moyen tout à fait approprié.

6.2.1 Les résultats anticipés

Ils peuvent prendre l'une ou l'autre des formes suivantes:

a) modifications des connaissances, des perceptions, des attitudes

b) altérations des comportements

c) performance améliorée

d) prise de conscience d'un progrès individuel

e) sentiment d'avoir amélioré sa compétence.

La détermination des résultats anticipés est une composante importante pour juger de la nature des activités à entreprendre, du contenu des programmes de formation, des méthodes et de la nature des ressources qu'il faut affecter à l'effort de formation. Une définition des résultats anticipés sert également de point de repère pour juger par la suite de la qualité et des effets de la formation. Ces résultats qui sont autant d'objectifs spécifiques et opérationnels visés par un ensemble d'activités de formation ne sont pas tous quantifiables. Quelques-uns, comme la prise de conscience d'une amélioration ou le sentiment d'une plus grande compétence, échappent au premier abord à toute tentative de mesure, alors que des modifications au plan de la compétence et des comportements demeurent observables et mesurables.

6.2.2 Les activités de transformation

Elles s'intègrent dans une séquence pour constituer un programme offert à un individu ou à des groupes d'individus qui ont les mêmes besoins. Elles consistent soit à diffuser une somme de connaissances, soit à créer un milieu d'apprentissage permettant de découvrir et d'expérimenter des sensations, des perceptions, des attitudes et des comportements nouveaux.

6.2.3 Les ressources (ou inputs)

Les activités de formation font appel à une variété de ressources qu'il est difficile de placer dans des catégories distinctes. On peut cependant établir la liste suivante:

118

• Une information sur la nature des postes à combler par voie de promotion interne.

• Une information sur les besoins de formation en termes d'écarts à combler entre les qualifications que possèdent les titulaires actuels des postes et les qualifications à acquérir pour accéder à d'autres postes ou pour améliorer leur performance dans leur poste actuel.

• La motivation de la clientèle à former: on peut difficilement forcer quelqu'un, sans tomber dans la manipulation, à participer à des activités de formation s'il n'en voit pas l'utilité.

• Des ressources matérielles et humaines: le service du personnel doit compter sur l'aide d'une personne compétente pour concevoir, mettre sur pied et surveiller le déroulement des activités de formation. Ce service peut également faire appel à des ressources extérieures pour penser et animer les actions de formation. Les activités de formation impliquent des investissements de temps, d'argent et d'énergie. La plupart nécessitent la disponibilité de locaux appropriés, de supports audio-visuels et de matériel didactique.

6.2.4   La rétroaction

La rétroaction (feedback) est une information en retour sur le degré d'atteinte des résultats anticipés. Cette évaluation doit être d'abord ponctuelle, c'est-à-dire qu'elle doit trouver sa place dans le déroulement des activités de formation.

C'est un point qui nous apparaît important puisque la théorie de l'apprentissage nous apprend que la connaissance des résultats atteints à des moments choisis au cours d'une action de formation vient renforcer chez l'individu la motivation à poursuivre cette action et à réviser la direction dans laquelle un effort plus grand doit être déployé.

La rétroaction est aussi une information qui permet de juger du degré de modification des connaissances, des perceptions, des attitudes et des comportements à la fin d'un programme ou peu de temps après. L'évaluation faite trois mois ou six mois après un programme sert à juger du degré de transfert des comportements nouveaux de la situation de formation à la situation de travail.

6.2.5   L'environnement de l'organisation

Une action de formation se voit facilitée ou compromise par la multitude des variables qui caractérisent l'environnement interne de l'organisation. Parmi les plus importantes, retenons les suivantes:

— Le support de la haute direction: dans quelle mesure la haute direction croit-elle qu'un programme de formation améliore le rendement des individus ou des équipes de travail et le climat des rapports sociaux?

— La philosophie de gestion: si le programme de formation vise à l'acquisition de valeurs, d'attitudes, de comportements *différents* de ceux qui prévalent au sein de l'équipe de direction, le transfert des effets immédiats de l'action de formation dans la situation de travail ne sera pas assuré... en d'autres termes, ce transfert ne se produira probablement jamais.

— La demande pour les biens et les services: certaines directions d'entreprises ont tendance à réduire les ressources affectées à la formation lorsque le volume des recettes diminue suite à un déclin de la demande. D'autres directions maintiennent leurs investissements dans la formation au cours d'une baisse de la demande. Elles veulent s'assurer qu'elles disposeront des ressources humaines (surtout le personnel de cadre) nécessaires pour assurer la reprise et l'expansion future.

— L'attitude des supérieurs hiérarchiques à l'endroit de la formation: si l'on n'a pas pris soin d'impliquer les supérieurs hiérarchiques des individus à former dans la détermination des besoins et des programmes de formation, ils montreront une certaine réticence à se priver momentanément des services de leurs collaborateurs. Rendre disponibles ses collaborateurs suppose pour un supérieur hiérarchique l'obligation de trouver des personnes pour les remplacer, ou encore l'obligation d'absorber une partie de leur tâche.

Pour saisir la nature des liens entre les différentes composantes d'une action de formation, nous croyons que leur représentation sous forme graphique suffira (fig. 6.1).

Figure 6.1   Représentation graphique d'une vision systémique de la formation

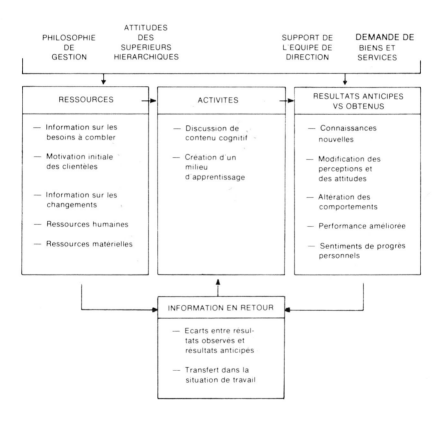

ENVIRONNEMENT INTERNE

PHILOSOPHIE DE GESTION

ATTITUDES DES SUPERIEURS HIERARCHIQUES

SUPPORT DE L'EQUIPE DE DIRECTION

DEMANDE DE BIENS ET SERVICES

RESSOURCES

— Information sur les besoins à combler

— Motivation initiale des clientèles

— Information sur les changements

— Ressources humaines

— Ressources matérielles

ACTIVITES

— Discussion de contenu cognitif

— Création d'un milieu d'apprentissage

RESULTATS ANTICIPES VS OBTENUS

— Connaissances nouvelles

— Modification des perceptions et des attitudes

— Altération des comportements

— Performance améliorée

— Sentiments de progrès personnels

INFORMATION EN RETOUR

— Ecarts entre résultats observes et résultats anticipés

— Transfert dans la situation de travail

6.3 L'appréciation du personnel: un préalable à toute action de formation

6.3.1 L'appréciation et ses difficultés

Indépendamment des systèmes et des techniques utilisés, l'appréciation du personnel consiste essentiellement en un jugement porté par un supérieur hiérarchique et des collègues de travail sur le comportement d'un individu dans l'exercice de ses fonctions. Ce jugement peut s'exprimer par une notation en vertu d'un système d'appréciation conçu à cet effet ou bien par un inventaire des points forts et des points faibles de l'individu par rapport à la fonction qu'il exerce.

L'appréciation du personnel demeure à l'heure actuelle une des activités les plus contestées dans le domaine de la gestion des ressources humaines (⁴) pour les principales raisons suivantes:

1) L'appréciation du personnel sert souvent à des fins autres que celles qu'on lui a assignées ou qu'on doit lui assigner. Par exemple, si l'on utilise un jugement porté sur un employé ou un cadre pour décider d'une augmentation annuelle de salaire alors que le système de rémunération en vigueur ne prévoit pas de différences de salaires pour des permances différentes, la notation du personnel devient un exercice inutile, voire même nuisible. L'appréciation du personnel devrait servir aux fins suivantes:

— générer une information pour décider...

- d'une promotion

- d'une mutation

- d'un congédiement.

— décider d'une augmentation de salaire lorsque des rémunérations différentes sont prévues pour des performances différentes

— décider de l'avancement à l'intérieur d'une classification, lorsque le critère "années de service" ou ancienneté n'est pas déterminant

— établir un inventaire des points forts et des points faibles d'un individu dans l'exercice de ses fonctions pour juger des corrections à apporter. Un programme de formation peut être un moyen parmi d'autres pour offrir au personnel l'occasion de s'améliorer. En ce sens, l'appréciation du personnel devient un préalable à toute action de formation

— fournir aux intéressés l'occasion de mieux se connaître, de savoir ce qu'on pense et ce que l'on attend d'eux.

2) L'appréciation du personnel donnant lieu à une notation établie à l'aide des méthodes conventionnelles (rangement, choix forcé, échelles graphiques, etc.) repose beaucoup plus sur l'évaluation des traits de personnalité que sur le rendement de l'individu. C'est une raison qui est à l'origine du biais systématique qui s'installe fréquemment au cours de l'évaluation: l'individu qui se voit évalué "excellent" ou "faible" sur un critère risque de recevoir la même notation pour tous les autres critères. L'évaluateur peut également éprouver une certaine réticence à signaler les faiblesses de ses collaborateurs immédiats pour ne pas nuire à leur carrière ou encore pour éviter d'être remis en cause au moment où il sera évalué à son tour. Par ailleurs, les critères utilisés au cours d'une évaluation ne sont pas toujours pondérés.

3) L'ambivalence des individus à l'endroit d'une appréciation: c'est un besoin chez l'individu de savoir où il en est dans son travail, de savoir s'il progresse, de savoir si sa contribution est appréciée à sa juste valeur. Par contre, il appréhende toujours les résultats d'une appréciation établie par un autre surtout s'il doute des aptitudes de cet "autre" à apprécier correctement le comportement de ses collaborateurs. Si l'évaluation s'avère négative, l'individu a tendance à s'inscrire en faux contre toute méthode d'appréciation, et cela, au moment où personne ne peut échapper à une évaluation quelconque au cours de sa vie de travail ou de sa carrière.

6.3.2   Les méthodes d'appréciation

A défaut d'une meilleure appellation, nous regroupons les méthodes d'appréciation du personnel sous deux grandes catégories: les méthodes "conventionnelles ou classiques" fortement axées sur l'évaluation des attributs de la personnalité et les méthodes "récentes" basées sur l'observation systématique des comportements ou sur le degré d'atteinte des objectifs spécifiques d'une fonction. Parmi l'éventail des méthodes traditionnelles, nous décrirons celles qui sont susceptibles de générer une information valable pour juger de la nature et de l'étendue des besoins à combler par des activités de formation.

6.3.2.1   Les méthodes axées sur l'évaluation des caractéristiques personnelles ou attributs de la personnalité

a) l'évaluation libre: elle consiste à demander à un évaluateur de rédiger un texte sur les points forts et les points faibles d'un individu, d'évaluer ses chances de succès et d'indiquer les moyens qui aideraient cet individu à s'améliorer. C'est une méthode très simple qui n'est pas très fiable pour fins de sélection et de promotion à cause de l'hétérogénéité de l'information fournie et qui rend presque impossible la comparaison entre des candidats. Cependant, pour fins de formation, l'appréciation ainsi faite fournit une information valable dans la mesure où l'évaluateur possède certaines aptitudes à donner une signification aux comportements observés.

b) la méthode du choix forcé: on demande à l'évaluateur d'indiquer si un énoncé s'applique *le mieux* ou s'applique *le moins* à un individu pour chacune des caractéristiques professionnelles retenues. Pour chaque facteur d'évaluation ou caractéristique professionnelle, on prévoit plusieurs énoncés. Cet exercice permet d'obtenir un profil des forces et des faiblesses d'un individu.

c) l'échelle de notation: elle consiste en une grille ou fiche de notation où, en abscisse, apparaît une liste des facteurs d'évaluation et, en ordonnée, une échelle des valeurs graduées indiquant le degré auquel un individu fait preuve des caractéristiques personnelles exprimées par l'un ou l'autre des facteurs. Cette grille est suivie d'un formulaire permettant à l'évaluateur de donner une appréciation globale du sujet, d'établir un profil de ses points forts et de ses points faibles, de faire des recommandations sur les moyens à prendre pour une meilleure utilisation du sujet: mutation ou promotion possible, perfectionnement suggéré, etc. La plupart des organisations élaborent des formulaires et grilles adaptés à chacune des catégories socioprofessionnelles (ouvriers, employés de bureau, personnel d'encadrement, personnel technique).

Figure 6.2: Exemple fictif d'une fiche de notation
pour le personnel d'encadrement

DEGRES FACTEURS D'EVALUATION	INSUF-FISANT (1)	PASSA-BLE (2)	BON (3)	TRES BON (4)	EXCEL-LENT (5)
Qualité du travail					
Quantité du travail					
Sens de la planification					
Sens de l'organisation					
Sens du contrôle					
Jugement					
Leadership					
Esprit de décision					
Motivation					
Communications orales					
Communications écrites					
Initiative					

La valeur de l'information qu'on retire de l'utilisation d'un tel instrument dépend de plusieurs facteurs:

a) le soin qu'on a mis à bien définir les caractéristiques personnelles à évaluer, et la nature des comportements qui traduisent ces caractéristiques

b) la préparation des évaluateurs

c) l'aptitude des évaluateurs à juger du comportement des autres.

6.3.2.2 Les méthodes axées sur l'observation des comportements

a) l'analyse des faits significatifs ou l'évaluation par incidents critiques: c'est une méthode inspirée de la technique de l'incident critique utilisée en sélection et développée par J.C. Flanagan. Elle consiste à exiger d'un supérieur hiérarchique qu'il note sur une fiche les comportements déployés par ses collaborateurs dans des situations critiques, i.e. comportements qui sont significatifs et qui peuvent expliquer les succès ou les échecs au plan de la performance. De l'analyse de ces comportements observés, l'évaluateur peut formuler un jugement factuel sur les qualifications d'un individu.

b) l'évaluation par les résultats (results appraisal): cette méthode consiste à juger de l'écart qui peut exister entre les résultats anticipés au début d'une période et les résultats obtenus à la fin de cette même période et des facteurs (personnels, organisationnels, d'environnement externe) qui peuvent expliquer un décalage éventuel. Le modèle suivant donne une représentation visuelle de cette méthode axée avant tout sur l'évaluation de la performance.

Figure 6.3: Processus d'évaluation de la performance

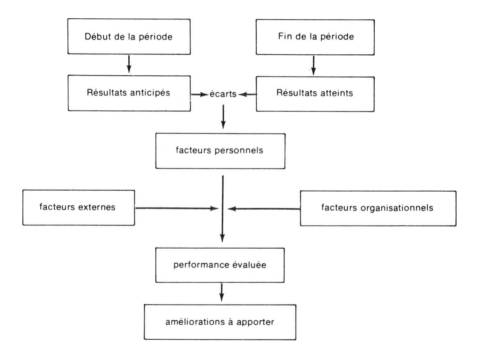

L'utilisation de cette méthode pour le personnel de cadre suppose l'implantation d'une philosophie et d'un processus de gestion que nous intitulons: **La direction participative par les objectifs** ([6]). L'application de cette méthode suppose également qu'on établisse une distinction très nette entre l'appréciation de la performance et l'évaluation du potentiel. L'évaluation de la performance est "un processus qui permet à l'administrateur d'identifier et de porter un jugement sur la contribution spécifique à l'atteinte de ses objectifs en vue d'améliorer sa performance future" ([7]).

Ce processus implique donc une participation de l'individu à sa propre évaluation. L'évaluation du potentiel ''consiste à apprécier les qualifications professionnelles et les caractéristiques personnelles d'un individu de façon à saisir les moyens à prendre pour lui permettre d'accéder à des postes comportant des responsabilités plus grandes au sein d'une organisation et de poursuivre en même temps la carrière qu'il a choisie''[8].

c) la méthode de l'appréciation par simulation (assesment center, A.P.S.). L'A.P.S. est une méthode d'évaluation qui peut être utilisée pour fins de sélection, de promotion et de détermination des besoins de formation. Puisque nous en avons déjà donné une description, rappelons qu'elle cherche à évaluer l'aptitude générale des sujets à occuper des postes comportant des responsabilités plus importantes en prenant comme bases les comportements à adopter dans ces postes.

6.4 Le plan de développement des ressources humaines

Le plan de formation varie d'une organisation à l'autre en fonction de la taille, des politiques de recrutement, de promotion et d'affectation des ressources humaines ainsi que du temps et des sommes d'argent que l'on veut consacrer à la valorisation des ressources humaines. Il peut consister en un simple calendrier d'actions ponctuelles pour répondre à des besoins immédiats pour satisfaire aux exigences d'une législation en vigueur, ou encore pour répondre à un désir d'imiter ce qui se fait ailleurs. Ce plan peut également être le produit d'un effort systématique pour donner une certaine cohérence à la multitude des actions de formation, pour tenir compte des changements organisationnels importants qui doivent prendre place dans l'immédiat ou dans un avenir rapproché et pour suivre le cheminement des individus dans la poursuite de leur carrière respective. Dans cette optique, un véritable plan de formation ou de développement des ressources humaines comprend généralement les étapes suivantes:

— l'analyse organisationnelle

— l'identification des besoins de formation (détermination des objectifs de la formation)

— la programmation des activités de formation et des moyens à prendre au plan de l'exécution

— la conduite des actions de formation et les ressources à mettre en disponibilité

— l'évaluation des actions de formation pour apporter des correctifs.

6.4.1 L'analyse organisationnelle

Elle consiste à identifier les changements majeurs anticipés et leurs répercussions sur l'évolution des qualifications requises chez les titulaires actuels et éventuels des postes. Pour ce faire, l'équipe de direction doit d'abord établir des organigrammes prévisionnels ou "futurs" indiquant le nouveau partage des responsabilités, le nombre d'ouvertures possibles de même que les qualifications exigées. En deuxième lieu, elle procédera à l'établissement de tableaux de remplacement indiquant le nom des individus susceptibles d'accéder aux divers postes par voie de promotions successives au cours d'une période donnée.

6.4.2 L'identification des besoins de formation

La connaissance de la situation future de l'entreprise et du cheminement possible des individus à travers la hiérarchie permet d'entreprendre une deuxième étape qui consiste en l'identification et la synthèse des besoins de formation. L'équipe de direction ou le préposé à la formation disposent de plusieurs méthodes pour générer une information valable.

a) la méthode empirique: elle consiste en l'utilisation de questionnaires adressés soit aux supérieurs hiérarchiques, soit à un échantillon représentatif du personnel de bureau et des effectifs ouvriers. Le questionnaire adressé aux supérieurs hiérarchiques (ou uniquement aux directeurs de services) demande de circonscrire les changements importants au plan de l'orientation future du service et leurs répercussions sur la nature des fonctions et d'indiquer, à la suite des informations recueillies au cours des entrevues d'appréciation, quels seraient parmi les collaborateurs immédiats et de niveaux inférieurs, ceux qui pourraient bénéficier d'une action de formation et quel type de formation leur serait utile.

L'utilisation d'un questionnaire présente un inconvénient majeur: ce ne sont pas tous les supérieurs hiérarchiques ou les directeurs de service qui voudront bien y répondre ou qui prendront le temps de le faire, privant ainsi l'équipe de direction ou le responsable de la formation d'une information utile. Dans ce cas, le responsable de la formation peut procéder par entrevues auprès de tous les supérieurs hiérarchiques dans les différents services. Un questionnaire adressé à tous les employés d'un service, si possible, ou à un échantillon d'employés incite les répondants à faire état des principales difficultés qu'ils rencontrent dans l'accomplissement de leur fonction respective, les conditions qui facilitent ou qui rendent difficile le cheminement dans leur carrière; on peut même leur demander d'indiquer quelles sont, par ordre de priorité, les actions de formation susceptibles d'aplanir les difficultés rencontrées et de favoriser leur cheminement dans la carrière.

Une synthèse des informations ainsi recueillies sera effectuée par le responsable de la formation qui cherchera à concilier les aspirations des individus et les exigences des unités administratives dans l'établissement d'un programme cohérent des actions à entreprendre en matière de formation ([9]).

b) la méthode de l'entrevue de groupe: elle s'apparente à la précédente dans sa conception, mais elle en diffère passablement au plan de son utilisation. Elle s'adresse surtout au personnel d'encadrement. Le responsable de la formation ou un spécialiste de l'extérieur se charge de rencontrer en groupe de sept ou huit personnes d'un même niveau hiérarchique. Ce type d'entrevue économise du temps et permet aux individus d'échanger entre eux sur les problèmes qu'ils rencontrent dans l'exécution de leur travail. C'est une entrevue semi-dirigée qui aborde les sujets suivants:

— clarification de l'autorité

— difficultés au plan de la planification, de l'organisation et du contrôle du travail (leur propre travail et celui de leurs collaborateurs)

— difficultés au plan de l'exercice du commandement

— communications entre les services et à l'intérieur des services

— autonomie dans l'exécution du travail

— disponibilité des effectifs

— motivations personnelles et motivation des collaborateurs

— déficiences au plan des connaissances acquises

— ... autres.

La synthèse de l'information ainsi recueillie permet des comparaisons d'un service à un autre, d'un niveau hiérarchique à un autre et elle conduit à l'établissement, par ordre de priorité, des actions communes de formation à entreprendre.

c) l'analyse systématique des besoins: elle consiste en un relevé de toutes les informations obtenues par l'utilisation des fiches d'appréciation de façon à établir des comparaisons entre un profil souhaité de qualifications professionnelles exigées et le profil actuel des qualifications professionnelles des titulaires de ces postes. Ces comparaisons permettent de juger de l'écart entre qualifications souhaitées et capacités actuelles du personnel en place et d'établir pour chacune des catégories de personnel concerné un plan des activités de formation à entreprendre et à réaliser dans l'immédiat ou à court terme ([10]).

d) la méthode de l'A.P.S.. en colligeant l'information fournie par les évaluateurs sur les observations qu'ils ont faites au cours du déroulement des activités d'un centre d'appréciation, le responsable de la formation peut établir avec l'aide des évaluateurs un profil des forces et des faiblesses de chaque candidat. Ce profil est communiqué au candidat qui a alors la possibilité d'en discuter et de faire part de la nature des activités de perfectionnement qu'il aimerait poursuivre. Le responsable de la formation fait par la suite ses recommandations au directeur des ressources humaines sur la nature des actions de formation à entreprendre pour un cadre ou une catégorie de cadres concernés.

Les besoins ainsi recensés et analysés sont traduits en termes d'objectifs spécifiques de formation. Ces objectifs s'expriment en termes de connaissances ou d'habiletés qu'un participant aura acquises ou en termes de comportements qu'il sera en mesure d'adopter à la fin de la période de formation.

6.4.3   La programmation des activités de formation

Une fois les besoins identifiés et les objectifs précisés, il faut établir la nature et la séquence des activités de formation à entreprendre, les calendriers de réalisation, et effectuer la répartition des budgets. Ces activités de formation peuvent être multiples. Elles se caractérisent par la diffusion d'un contenu, l'utilisation de méthodes et de supports pédagogiques appropriés qui varient selon le type de formation à dispenser.

6.4.3.1   Contenu des programmes

a) formation professionnelle: la formation qui s'adresse au personnel ouvrier et de soutien comme au personnel administratif commence, comme nous l'avons décrit dans un exposé précédent, par l'accueil, moment privilégié où l'on informe les personnes récemment embauchées sur l'historique, la structure et le fonctionnement de l'entreprise et sur la nature des services et des tâches à accomplir. L'apprentissage des métiers se fait surtout dans des institutions de formation et se complète "sur le tas". Le contenu de l'enseignement vise l'acquisition de connaissances et d'habiletés nécessaires à l'accomplissement efficace des diverses opérations inhérentes aux tâches, au bon usage et à la préservation de l'équipement ainsi qu'au respect des normes de sécurité.

Dans la province de Québec, un comité interministériel a été créé suite à l'accord fédéral-provincial du 28 juin 1974 pour assurer la coordination de deux programmes de formation professionnelle (l'un en institution, l'autre en industrie) et un programme de formation des cadres de la petite et de la moyenne entreprise.

Le programme de formation professionnelle des adultes en institution (PFMC) vise à accroître le taux de placement et les gains des personnes formées. Le programme de formation professionnelle des adultes en industrie (PFIMC) vise ''à munir un travailleur des connaissances et des habiletés à l'exercice d'une profession afin de lui permettre d'occuper un emploi, de conserver un emploi suite à des changements technologiques ou économiques et d'assurer sa promotion dans l'entreprise([11]).'' Un budget de $113.5 millions pour l'année 1976-77 a été affecté à ces deux programmes. Dans l'industrie, une assistance technique a été ainsi fournie à 4,117 entreprises pour la formation des 16,492 stagiaires ([12]).

b) le contenu des programmes de formation des cadres: ces programmes, comme nous l'avons déjà mentionné, mettent l'accent sur l'acquisition de connaissances et d'habiletés au plan conceptuel, au plan d'un fonctionnement efficace dans un réseau de relations interpersonnelles et au plan technique (connaissances des systèmes de gestion, des méthodes de prise de décision, connaissances de la technologie et des procédés de fabrication, connaissances des procédures administratives). L'éventail des sujets abordés est assez vaste...

— objectifs et politiques de l'organisation
— théorie et pratique de la gestion (planification, organisation et contrôle)
— relations humaines en administration
— styles de commandement
— relations de travail: syndicalisme, négociation et administration de la convention collective, législation ouvrière
— structure et fonctionnement d'une entreprise
— qualifications du travail, étude des temps et des mouvements
— appréciation du personnel
— méthodes d'enrichissement des tâches
— gestion par objectifs
— prise de décision en groupes
— communications
— sécurité au travail
— culture générale, économique et sociale.

6.4.3.2) les méthodes et les techniques de formation: si les contenus de formation sont diversifiés, les méthodes et les techniques le sont également. Cependant, le choix d'une méthode et d'une technique a un impact sur l'atteinte des objectifs de formation. Par conséquent, le responsable de la formation ou l'animateur doit prévoir l'utilisation d'une méthode plutôt qu'une autre ou une combinaison de méthodes et de techniques en tenant compte des objectifs d'apprentissage et de la nature de l'information à diffuser.

Parmi les essais de classification des méthodes et des techniques, nous retenons celui de G. Sarrouy dans son ouvrage intitulé ''Méthodes de formation des cadres'' ([13]). Sarrouy établit cinq grandes catégories de méthodes utilisant des techniques appropriées:

— méthodes didactiques

— méthodes démonstratives

— méthodes interrogatives

— méthodes actives

— méthodes de formation intégrées au travail.

Comme on peut le constater, c'est avant tout le degré de participation ou d'implication des intéressés dans leur propre action de formation qui permet de différencier une méthode d'une autre. De plus en plus, la formation des cadres en institution ou en industrie fait appel à l'usage des méthodes actives et intégrées au travail.

Les méthodes intégrées au travail utilisent, en général, les techniques ou les procédés suivants:

a) Le "coaching": c'est l'assistance qu'apporte un supérieur hiérarchique à ses collaborateurs immédiats dans la compréhension et la solution des problèmes que ces derniers rencontrent dans l'accomplissement de leur fonction respective. Cette méthode est valable en autant que le supérieur connaît bien le travail assigné à ses collaborateurs, qu'il est disponible, qu'il possède certaines aptitudes à communiquer et qu'il entretient une relation de confiance.

b) La rotation de postes: cette technique exige d'un cadre qu'il occupe successivement et pendant une courte période des postes différents dans des services différents; elle lui permet d'élargir l'éventail de ses connaissances et de son expérience, tout en accédant à une vision globale de la structure et du fonctionnement de l'organisation. Pour être efficace, cette exigence de mobilité occupationnelle interne doit s'inscrire autant que possible dans le plan de carrière de l'individu; sans cela, le jeune cadre surtout développera rapidement l'impression de ''tourner en rond'' et d'oublier les connaissances et les habiletés acquises au cours d'une formation spécialisée dans les institutions d'enseignement.

c) *Les stages dans d'autres établissements de l'entreprise:* ces courts séjours dans d'autres établissements d'une entreprise permettent aux cadres de se familiariser avec des méthodes de gestion et des procédés de fabrication différents ou même de s'initier à une culture différente si le stage a lieu à l'étranger.

Aux méthodes actives correspond également une gamme de techniques et de procédés de formation qui visent à créer une situation où les participants ont l'occasion d'échanger entre eux, et partant, de générer l'information pour solutionner des problèmes qui leur sont soumis, ou pour solutionner les problèmes dont l'origine réside dans le contexte même des échanges.

d) *L'étude et la discussion de cas:* c'est un procédé (d'aucuns considèrent l'étude de cas comme une méthode pédagogique) qui consiste à soumettre à un groupe restreint de participants un exposé d'une situation concrète (mais vécue par des personnes autres que les participants) pour arriver à délimiter la nature du problème présenté, les causes ou les événements significatifs qui l'expliquent et l'éventail des solutions possibles. La discussion en plénière tente de faire ressortir les éléments véritables du problème, de même que les solutions appropriées. A cette occasion, le responsable de l'activité de formation est appelé à jouer le rôle d'''homme-ressource'' et à faire un rappel ou un résumé des connaissances de base nécessaires. L'étude d'un cas peut également être assignée à un participant en particulier. La manière dont il traite alors le cas permet de juger dans quelle mesure il peut faire un bon usage des connaissances acquises.

e) *Les jeux d'entreprise:* c'est une variable de la technique précédente qui consiste en la simulation d'une situation concrète où un groupe d'acteurs doit prendre rapidement une série de décisions en se basant sur les probabilités d'actions d'un autre groupe. Les effets de chacune des décisions prises peuvent être déterminés avec précision par un ordinateur programmé à cette fin.

f) *La corbeille d'entrée* (in-basket): cette corbeille contient une liasse de documents (lettres, mémos, appels téléphoniques) qui reflètent la nature exacte des difficultés que rencontre un dirigeant dans l'accomplissement d'une fonction donnée. Le participant doit établir un ordre de priorité et indiquer les actions à prendre à l'intérieur d'une limite de temps, sans l'aide de collaborateurs ou sans l'assistance et le support administratif que l'entreprise fournit habituellement au titulaire du poste. Un exemple de cette méthode apparaît à la fin de cette première partie...

g) *Le jeu de rôles:* c'est encore une variante de l'étude et de la discussion de cas; cependant, ce procédé fait appel à une plus grande implication de la part des participants puisque ces derniers doivent épouser momentanément les perceptions et les attitudes des personnages en cause et reproduire leurs comportements.

h) *Le groupe de tâche* ou sensibilisation au travail d'équipe: ce procédé consiste à assigner des tâches à un groupe de participants originant d'un même service (supérieur immédiat et collaborateurs), de services différents dans une même organisation ou d'entreprises différentes. Les participants ont l'occasion de saisir les dimensions principales d'un groupe de travail: la tâche à accomplir ou l'objectif, la méthode de travail, la dimension socio-affective. Un exercice de sensibilisation au travail d'équipe vise à accroître l'habileté des participants à fonctionner efficacement dans un groupe de travail, à saisir les phénomènes d'influence (pouvoir, leadership), de communication, de motivation et de conflits interpersonnels. Le participant a également l'occasion de saisir l'impact de ses attitudes et de ses comportements sur les autres, de saisir l'importance de certains facteurs structurels et personnels au cours de la réalisation d'une tâche commune.

i) *Le groupe de diagnostic* (laboratory training): au cours d'une session de formation utilisant le groupe de tâche, les caractéristiques personnelles d'un participant sont remises en cause dans la mesure où elles facilitent ou retardent le bon fonctionnement du groupe dans la réalisation de la tâche ou la poursuite de l'objectif. Dans une session de groupe de diagnostic, qui s'étend sur une semaine ou une quinzaine, la personnalité et le fonctionnement d'un participant sont remis en cause, les tâches et les procédures n'étant pas définies ou structurées au préalable. Ces sessions originent des travaux de Kurt Lewin et du Centre de recherche sur la dynamique des groupes du MIT ([14]). Elles visent à créer une situation d'apprentissage où les participants accèdent à une meilleure connaissance de leur valeur personnelle par l'information qu'ils reçoivent des autres. C'est l'apprentissage d'une plus grande ouverture aux autres, de l'authenticité sur le plan des relations interpersonnelles, de l'expression des réactions émotives et des sentiments véritables. Très populaires au début des années 60, ces sessions ont maintenant fait place à d'autres telles que "la croissance personnelle", la pratique de la Gestalt ([15]) et l'analyse transactionnelle ([16]).

6.4.4 La conduite des actions de formation

Si l'on a fait un effort pour préciser les objectifs de formation et pour choisir les contenus, les méthodes et les procédés, il faut également songer aux conditions préalables qui assurent le déroulement des actions de formation. Sans chercher à anticiper tout ce qui peut survenir au moment du déroulement d'une activité de formation, il faut quand même s'interroger sur les points suivants pour y apporter une réponse adéquate au moment voulu:

— le support de l'équipe de direction

— la motivation des participants à poursuivre le programme

— le choix des lieux de formation

— l'étalement dans le temps des activités d'apprentissage

— l'approche pédagogique appropriée.

6.4.4.1 Le support des membres de la haute direction et des supérieurs hiérarchiques: la poursuite d'une action de formation, surtout au niveau du personnel d'encadrement, sera d'autant mieux assurée que la haute direction et les supérieurs hiérarchiques des participants seront convaincus de son utilité. Pour ce faire ils doivent d'abord s'impliquer dans le processus de conceptualisation et d'opérationnalisation des programmes de formation. La situation idéale serait celle où les supérieurs hiérarchiques et les membres de la haute direction participeraient eux-mêmes aux actions de formation qui seraient offertes par la suite à leurs propres collaborateurs. S'ils ne peuvent participer à de telles actions, ils doivent nécessairement avoir une bonne compréhension des objectifs des programmes et des méthodes utilisées. Sans le support des supérieurs hiérarchiques ou des membres de la haute direction, les participants pourront toujours alléguer, au cours des difficultés rencontrées, qu'il est inutile de faire un effort pour changer quoi que ce soit puisque la haute direction n'aura démontré à ce jour aucune volonté de changement. Au cours des sessions publiques de sensibilisation au travail d'équipe et de styles de management, on entend souvent des participants dire: "J'aimerais bien que mon "boss" suive ce séminaire, c'est surtout lui qui en a besoin".

6.4.4.2 La motivation des participants à poursuivre le programme: le support de la haute direction est un élément important dans la création d'un contexte qui motive les participants à poursuivre leur apprentissage; cependant, d'autres conditions doivent être assurées pour stimuler et maintenir l'effort d'apprentissage. Ces conditions s'appliquent surtout aux activités de formation à la gestion. Il faut...

— vérifier au début des sessions, des séminaires ou des cours si les objectifs établis, les contenus et le genre d'expérience que le formateur veut faire vivre aux participants répondent à leurs attentes spécifiques. Même s'ils ont déjà fait part de leurs besoins au cours de la phase de détermination des objectifs de formation, les participants, entre-temps, ont pu réfléchir de nouveau à leur carrière et modifier légèrement leurs attentes. Dans ce cas, l'animateur ou le formateur doit faire preuve d'une certaine souplesse en vue d'effectuer les ajustements nécessaires.

— prévoir des évaluations ponctuelles au cours du déroulement de l'action de formation. Les participants auront ainsi l'occasion d'échanger entre eux et avec le formateur sur les progrès qu'ils auront réalisés ou non à un moment donné. Les résultats obtenus, s'ils sont positifs, créent une sorte de renforcement de la motivation à poursuivre l'activité; s'ils sont négatifs, ils incitent les intéressés à réviser les objectifs du programme, les contenus et les méthodes d'apprentissage ([17]).

6.4.4.3 Le choix des lieux de formation: le choix des lieux où se déroulera l'activité de formation constitue une autre condition qui empêche ou facilite l'apprentissage de comportements nouveaux. L'activité de formation qui se déroule en dehors des cadres habituels de travail quotidien accroît la disponibilité des participants, favorise chez eux la remise en cause de valeurs, d'attitudes et de comportements qui ont cours dans leur situation habituelle de travail et permet l'expérimentation de comportements nouveaux. Cependant, si ces nouveaux comportements diffèrent passablement de ceux qui prévalent dans la situation de travail, les participants éprouveront une certaine anxiété qui origine de l'anticipation d'une impossibilité de transposer dans la situation de travail l'apprentissage fait en "laboratoire". Pour réduire cette anxiété et pour faciliter le "transfert", il faut autant que possible intégrer dans l'activité de formation des situations ou des expériences vécues par les participants eux-mêmes. La formation à l'intérieur de l'entreprise, dans le contexte habituel du travail, est plus appropriée si elle vise à familiariser l'individu avec la structure et le fonctionnement actuels de l'organisation, avec la philosophie de gestion qui prévaut, avec les procédures administratives et avec les conditions concrètes d'exécution des tâches.

6.4.4.4 L'étalement dans le temps des activités de formation: en général, les sessions, cours ou séminaires qui sont plutôt axés sur l'acquisition des connaissances doivent être échelonnés sur une période de temps de façon à favoriser l'assimilation de ces connaissances. Les laboratoires axés sur l'apprentissage de comportements nouveaux se donnent plutôt de façon intensive par périodes allant de 3 jours à 15 jours. Cet étalement doit également tenir compte des horaires de travail des participants ou de leur disponibilité.

6.4.4.5   L'approche pédagogique: existe-t-il une pédagogie appropriée à la formation des individus qui ont déjà une certaine expérience de travail? Existe-t-il une pédagogie appliquée aux adultes? Voilà une double question qui a fait l'objet de nombreuses publications de la part des spécialistes de la pédagogie, de l'andragogie et des praticiens de la formation des adultes. L'une des conclusions qui se dégage de ces travaux est la suivante: il n'existe pas d'approche pédagogique nettement supérieure à une autre; cependant, l'approche pédagogique appropriée est celle qui répond le plus adéquatement aux exigences et aux caractéristiques d'une situation éducative. L'approche pédagogique réfère à la conception qu'un éducateur ou un formateur se fait des individus à former et des buts de l'enseignement, conception qui guide ou oriente la conduite d'une action de formation. Par exemple, le formateur qui croit que les individus à former sont incapables d'assumer la responsabilité de leur propre développement, acceptera de jouer un rôle prépondérant dans une action de formation en se préoccupant surtout de diffuser un enseignement et d'en vérifier le degré d'assimilation par l'utilisation de contrôles traditionnels.

On peut, sans trop simplifier, regrouper les approches pédagogiques dans deux grandes catégories:

— approche axée sur l'individu à former: le formateur qui épouse les valeurs de cette approche tentera de créer une situation d'apprentissage où les participants seront incités à assumer une part de responsabilité dans leur propre développement, où les échanges formés-formateurs et entre les formés eux-mêmes seront possibles, où l'évaluation ponctuelle des actions de formation est laissée, en grande partie, aux participants.

— approche axée sur la matière ou le contenu de l'enseignement: le formateur qui épouse les valeurs de cette approche croit que les individus à former veulent faire le moins d'efforts possible pour apprendre; par conséquent, l'accent sera placé sur la multiplication des contrôles et la peur de l'échec.

Le choix d'une approche ou d'un dosage approprié des composantes de l'une ou l'autre des approches doit tenir compte d'un ensemble de facteurs qui caractérisent la situation particulière dans laquelle se déroule l'action de formation:

— la nature de l'enseignement

— les caractéristiques personnelles des individus à former (leurs attentes, leur degré de familiarité avec le contenu de l'enseignement, leur cheminement dans leur carrière respective)

— la conception que l'équipe de direction se fait de la formation

— l'arrière-plan culturel des participants

— les conditions matérielles (locaux, supports audio-visuels, disponibilité des participants).

6.4.5 L'évaluation des actions de formation

L'établissement d'un plan de formation doit prévoir, en plus des évaluations ponctuelles au cours des actions de formation, une évaluation globale pour juger du degré d'atteinte des objectifs de formation, et des correctifs à apporter aux programmes actuels.

Une première méthode d'évaluation est celle du *sondage* qui consiste à demander aux participants, immédiatement après la période de formation (ou quelques mois après) de communiquer leurs réactions à l'endroit des objectifs du programme, du contenu, du déroulement des activités de formation, des ressources matérielles et humaines mises à leur disposition. C'est une méthode simple qui exige peu de temps et d'argent, mais qui malheureusement génère une information peu valide, puisqu'elle se base uniquement sur des impressions. Pour contrer cette faiblesse, on peut demander aux supérieurs hiérarchiques d'indiquer, par voie de questionnaire ou d'entrevues, si leurs collaborateurs récemment formés ont modifié leur comportement au retour dans leur situation de travail. L'information ainsi obtenue sera comparée à celle qu'auront fournie les participants.

Une deuxième méthode, beaucoup plus sûre que la précédente pour connaître la valeur d'un programme de formation, consiste en l'observation de la performance des individus avant et après la période de formation. Pour la catégorie ouvrière, cette observation peut porter sur les points suivants: ([18])

— l'accroissement de la productivité

— la réduction du temps requis pour accomplir une tâche

— l'accroissement du nombre d'opérateurs qui rencontrent les normes de quantité et de qualité

— la diminution des rebuts

— la réduction des accidents

— la réduction du taux de roulement de la catégorie de travailleurs concernés.

Pour le personnel d'encadrement, cette méthode demeure d'une application limitée, puisqu'il n'existe pas de critères précis permettant de juger du degré de réussite professionnelle dans un poste. En l'absence de tels critères, l'évaluation portera sur l'observation des comportements avant et après la période de formation pour inférer dans quelle mesure la compétence des individus récemment formés s'est accrue. La compétence, comme nous l'avons vu précédemment, s'évalue en termes de qualifications professionnelles et de caractéristiques personnelles. L'information sur une modification possible des comportements sera recueillie soit auprès des supérieurs hiérarchiques des formés, soit auprès des subordonnés des individus récemment formés. Dans ce dernier cas, ce sont les subordonnés qui participeront à l'évaluation de leur supérieur hiérarchique respectif!

Pour s'assurer de la validité de cette méthode, basée sur l'observation des performances ou des comportements, il faut prévoir l'établissement d'un ''groupe expérimental'' (ceux qui participeront à un programme de formation) et d'un ''groupe contrôle'' (ceux qui occupent des positions à peu près identiques à celles des individus qu'on veut former et qui ne participeront pas à un programme de formation). La constitution de tels groupes ''expérimental et contrôle'' permettra de juger si les modifications de comportement chez les formés sont attribuables aux actions de formation ou à d'autres facteurs exogènes tels que des changements au plan de la structure administrative, de la technologie, des procédés de fabrication, ou bien des changements au niveau de l'équipe de direction qui se sont produits pendant la période de formation ou peu de temps après [19].

La formation dans les organisations de travail vise à relever le niveau de compétence des individus en place. Elle répond ainsi à une exigence d'accroissement de l'efficacité ou d'amélioration de la qualité des services offerts tout en fournissant aux intéressés des possibilités de progrès personnel.

Pour ce faire, elle doit s'insérer dans un plan qui incite à en préciser les objectifs, les contenus et les ressources. Tout au cours de cet exposé, nous avons essayé de dégager cette vision prévisionnelle et intégrée des actions de développement des ressources humaines.

6.5 Questions

1) Quelle différence établissez-vous entre une entrevue d'appréciation conduite à la suite d'une évaluation faite à l'aide d'échelles de notation et celle qui a lieu après un centre d'évaluation? (Voir Byham W.C., "Assessment Centers for spotting future managers", *Harvard Business Review,* July-August 1970, Vol. 48, pp. 150-167; pour obtenir une copie de ce texte en français, s'adresser à l'Ecole des H.E.C., Montréal).

2) Décrivez l'influence de certaines variables d'environnement interne sur la possibilité d'un transfert dans la situation de travail des connaissances et des habiletés acquises à la fin des sessions de formation hors entreprise.

3) Quels liens établissez-vous entre la planification des effectifs et la détermination des besoins de formation?

4) La formation professionnelle concerne-t-elle les catégories ouvrières et cléricales uniquement?

5) En quoi consiste l'analyse transactionnelle et quelle utilité peut-on en faire dans un programme de formation des cadres?

6) Que signifie l'expression "conditions d'apprentissage"? Quelles sont ces conditions?

7) Définissez un objectif de formation et choisissez une technique qui vous permettrait de juger du degré de réalisation de cet objectif.

8) Etablissez un partage des responsabilités entre le directeur de la formation au sein du service du personnel et les opérationnels (supérieurs hiérarchiques).

9) Etablissez une liste des avantages et une liste des inconvénients de chacune des méthodes d'évaluation suivantes:
   — le jugement libre
   — le choix forcé
   — l'échelle de notation
   — le centre d'évaluation.

6.6 Travaux pratiques

6.6.1 Exercice: Méthodes et techniques de formation

Tâche: Indiquez par un X si l'une ou l'autre des méthodes ou techniques de formation est axée...
A) sur le contenu de l'apprentissage
B) sur le processus de l'apprentissage
C) à la fois sur le contenu et le processus.

	CONFERENCE-DEBAT	ETUDES DE CAS ET DISCUSSION	ROTATION DE POSTES	GROUPE FORMATION	"COACHING"	JEU DE ROLES	"IN-BASKET"	JEUX D'ENTREPRISE	GROUPE DE TACHE	CONFERENCE OU EXPOSE
Axée sur le contenu (connaissances)										
Axée sur le processus										
Axée sur le contenu et le processus										

6.6.2   Exercice: "La formation n'est pas une *panacée* à tous les problèmes"

Tâche: Indiquez dans la colonne de gauche si une action de formation peut être une solution efficace au problème posé. Indiquez dans la colonne de droite si d'autres actions à prendre seraient plus appropriées qu'une action de formation.

ACTIONS PROBLEMES	Activités de formation qui seraient appropriées	Autres actions à prendre pour solutionner le problème
Rendement insuffisant		
Rigidité dans l'exercice de l'autorité		
Chevauchement des responsabilités		
Absence de communication		
Faible capacité de fonctionner en équipe		
Difficultés à assurer la relève des dirigeants		
Mauvaises conditions de travail		
Motivation faible chez le personnel d'encadrement		

6.6.3   Exercice: Détermination des besoins de formation

Après avoir participé à un centre d'appréciation par simulation A.P.S. (assessment center), sept candidats qui sont susceptibles d'occuper un poste de direction ont été notés par des évaluateurs.

Tâche: Etablissez une liste des points forts et des points faibles de chaque candidat et élaborez un programme de formation (objectifs, contenu et méthodes) pour accroître la compétence des individus concernés. La grille des notations apparaît ci-dessous.

GRILLE DE NOTATION DES CANDIDATS (maximum 10 points)

CARACTERISTIQUES PERSONNELLES	BLAIS	COTE	DESJARDINS	DUBE	MORIN	LAPIERRE	LEBLANC
Capacité de faire des prévisions et de fixer des objectifs	3	4	6	8	9	8	3
Capacité d'affecter des ressources à l'atteinte des objectifs fixés	3	3	5	7	8	9	3
Capacité d'assurer un suivi aux décisions prises	4	2	3	4	7	4	8
Habileté à tirer des conclusions logiques à partir des faits présentés	5	3	7	7	6	7	3
Habileté à influencer les autres	6	2	5	2	8	4	4
Capacité de faire un choix entre plusieurs solutions et de prendre action	4	4	4	7	7	7	4
Capacité de se motiver par le travail	2	8	4	7	7	5	8
Habileté à percevoir les sentiments et les opinions des autres	7	7	7	3	7	3	3
Communication orale	8	4	7	4	6	4	7
Communication écrite	8	4	4	3	7	5	7
Maturité émotive	4	7	4	2	7	7	7
Habileté à faire exécuter du travail par ses subordonnés	7	4	4	8	7	3	3
MOYENNE NON PONDEREE	5.0	3.5	5.0	5.0	7.2	5.5	5.0

6.6.4 Exercice: Techniques de formation et transfert des connaissances et des habiletés acquises

Tâche: Indiquez en plaçant un "X" dans la case appropriée le degré de probabilité de transfert dans la situation de travail des connaissances et des habiletés acquises à la fin d'un programme de formation en utilisant l'une ou l'autre des techniques mentionnées. Explicitez également les fondements de votre jugement.

PROBABILITE TECHNIQUE	PROBABILITE DE TRANSFERT		
	FAIBLE	MOYENNE	ELEVEE
1. Le "coaching"			
2. La rotation de poste			
3. L'étude de cas			
4. Le jeu de rôles			
5. Le groupe de tâche			
6. Le groupe de formation			
7. La conférence			
8. "In-basket"			
9. Les stages			
10. L'analyse transactionnelle			

6.6.5 Etude de cas

PIERRE BERGERON ET PAUL SIMARD *

Pierre Bergeron et Paul Simard sont deux jeunes diplômés de l'Ecole des Hautes Etudes Commerciales de Montréal. Ils occupent tous deux des postes de comptable chez un gros fabricant de meubles de la région de Montréal. Pierre Bergeron travaille depuis trois ans dans cette entreprise et Paul Simard depuis deux ans.

Leur supérieur immédiat, responsable de toutes les opérations comptables, après avoir discuté avec le directeur des ressources humaines, décide d'introduire une nouvelle manière de procéder à l'évaluation de son personnel. Il demande à ses deux jeunes collaborateurs de remplir eux-mêmes leur formule d'évaluation annuelle et de se préparer pour une entrevue qui aura lieu dans cinq jours où l'on discutera des cotations et où l'on comparera les cotations établies par le supérieur immédiat avec celles établies par les deux collaborateurs. Les notes accordées par le supérieur immédiat et celles que les deux collaborateurs se sont donnés eux-mêmes apparaissent ci-après.

Le responsable des opérations comptables considère Pierre Bergeron comme un type vraiment au-dessus de la moyenne, alors que Paul Simard serait plutôt dans la moyenne voire même au-dessous. Paul Simard, qui possède toutes les connaissances nécessaires pour accomplir sa fonction, éprouve beaucoup de difficultés à oeuvrer à l'intérieur des pratiques comptables qui prévalent chez son employeur; par conséquent, certaines erreurs se sont glissées au moment de la vérification et les délais ne furent pas toujours respectés. Contrairement à ce que le responsable anticipait, Pierre Bergeron s'est attribué des notes inférieures à celles établies par son supérieur; Paul Simard s'est attribué des notes supérieures à celles établies par son supérieur. Le responsable des opérations comptables se retrouve dans une situation plutôt délicate et s'interroge sur la manière dont l'entrevue d'appréciation "conjointe" va se dérouler.

Tâche: individuellement répondre aux questions suivantes:

1) Comment peut-on expliquer des différences aussi marquées entre les cotations?

2) Vous êtes le directeur des ressources humaines et le responsable de la comptabilité vous demande de l'aider à se préparer pour les entrevues: Quelles suggestions ferez-vous dans le cas de
   — Pierre Bergeron?
   — Paul Simard?

---

* Adaptation d'un cas fourni par M. Jacques Rojot, professeur, INSEAD, Fontainebleau, France.

3) Doit-on généraliser l'application du principe d'une participation des subordonnés à leur propre évaluation?
Si oui, dans quelles conditions?

Tâche: jeu de rôles: un participant joue le rôle du responsable de la comptabilité. Un participant joue le rôle de Paul Simard. Les autres observent le déroulement de l'entrevue d'appréciation et font leurs commentaires.
Même dispositif dans le cas de Pierre Bergeron.

COTATIONS ETABLIES PAR LE RESPONSABLE ET PAR SES DEUX COLLABORATEURS
(maximum 10 points; minimum 2 points)

COTATIONS / CRITERES	PIERRE BERGERON		PAUL SIMARD	
	Evaluation du responsable	Auto-évaluation	Evaluation du responsable	Auto-évaluation
Connaissances reliées à la fonction	8.0	7.0	8.0	8.5
Quantité de travail	9.0	6.5	6.5	9.0
Qualité du travail	9.0	7.0	6.5	8.0
Respect des délais	8.0	7.0	5.5	7.5
Initiative	9.0	6.5	6.5	8.0
Coopération	9.0	6.5	5.0	7.5
Motivation	8.0	7.5	6.0	8.5
Planification	8.0	6.0	6.0	8.5
Organisation	8.0	6.0	6.0	7.0
Contrôle	8.0	7.0	6.0	9.0
TOTAL	84.0	69.0	68.0	80.5

6.6.6 Etude de cas la Banque nationale *

Le vice-président exécutif de la Banque nationale fait face à un différend entre deux de ses meilleurs collaborateurs: le secrétaire général et le directeur général des ressources humaines. La Banque nationale compte 200 succursales réparties sur le territoire de la province de Québec. Pour un effectif total de 3,000 employés, elle compte 600 cadres intermédiaires et supérieurs. Cette entreprise bancaire connaît une expansion rapide qui a nécessité l'introduction de l'ordinateur et de la télémécanique pour assurer un traitement inter-succursale des comptes-clients. Elle pratiquait une politique de recrutement interne, mais des développements récents l'ont amenée à recruter d'une façon intensive de jeunes diplômés des facultés d'administration, des sciences sociales et des départements d'informatique. Le secrétaire général, en plus de s'occuper de l'administration interne de l'entreprise, est responsable du service d'inspection. C'est un homme qui jouit de la confiance de son supérieur hiérarchique et qui est toujours à l'affût des connaissances et des procédés nouveaux dans le domaine bancaire. La relève des cadres supérieurs dont la moyenne d'âge est de 51 ans le préoccupe grandement.

Le directeur général des ressources humaines jouit également de la confiance de son supérieur. C'est un type issu de la base qui a tout appris par lui-même et qui connaît bien les coutumes et le fonctionnement interne de la banque. Il est perçu comme un homme assez conservateur, mais dont la compétence est reconnue à l'échelle de l'entreprise. Le problème de la relève des cadres le préoccupe également, de même que le rôle que la Banque est appelée à jouer au cours des années futures.

Au cours d'une réunion de l'équipe de direction, la discussion s'est engagée sur le développement des ressources humaines en vue de constituer un bon réservoir de talents et d'assurer ainsi la relève des cadres supérieurs. Pour ce faire, le directeur général des ressources humaines proposa de faire un inventaire complet et une étude critique de tous les moyens de perfectionnement existants à l'intérieur de la banque afin d'apporter des améliorations nécessaires en tenant compte du rôle futur de la Banque. Le secrétaire général exprima sur-le-champ son désaccord. Selon lui, il fallait plutôt accélérer l'opération ''perfectionnement des cadres'' et donner à cette opération l'orientation suivante:

a) dans un premier temps, convaincre les cadres de la nécessité de se perfectionner. Pour ce faire, envoyer les personnes intéressées suivre des programmes de perfectionnement offerts par des organismes spécialisés dans ce domaine

---

* Adaptation du cas: *La Banque Confinale*, D.G.P.E.-I.N.P.E.D., Bermudes, 1974, 20 pages.

b) dans un deuxième temps, organiser un programme annuel complémentaire à l'intérieur même de la banque.

On opta alors pour la suggestion du secrétaire général et le vice-président demanda au directeur des ressources humaines de continuer à travailler à l'élaboration d'un plan interne de développement des ressources.

Entre-temps les cadres assistaient à tour de rôle à des sessions de perfectionnement en gestion bancaire offertes par des organismes extérieurs. Le secrétaire général continuait de s'interroger sur la valeur réelle des programmes. Il constatait chez les cadres une certaine acquisition de connaissances et de procédés nouveaux, mais cette acquisition ne se traduisait pas, pour le moment, dans une performance individuelle et collective améliorée. Après s'être documenté sur l'évaluation des actions de formation, il soumit au vice-président un plan plus élaboré. Ce plan comprenait les étapes suivantes:

1) Analyse organisationnelle:
— mettre au point des organigrammes prévisionnels pour tous les services et la Banque

— établir les cheminements possibles de carrière (career paths).

2) Inventaire:
— réaliser un inventaire complet des ressources humaines à l'emploi de la Banque. Cet inventaire ferait ressortir le potentiel de chaque individu et indiquerait le nombre de ceux qui peuvent être promus après une période de perfectionnement.

3) Programmation:
— mettre sur pied des programmes de perfectionnement organisés de façon centralisée pour répondre à des besoins communs et des programmes individualisés, si nécessaire. Ces programmes comprendraient possiblement les activités de formation suivantes:

a) un cours d'initiation aux diplômés pour leur permettre de se familiariser rapidement avec la structure et le fonctionnement de la Banque, leur nouveau milieu de travail (le service et les équipes de travail en place)
b) un cours de base en gestion pour sensibiliser les jeunes aux méthodes récentes de management qui sont largement utilisées dans les entreprises de production (administration générale, psychologie organisationnelle, direction des ressources humaines, pratique du commandement, communication, travail d'équipe)

c) pour les sous-directeurs: des conférences sur les problèmes économiques et sociaux et sur les changements socio-culturels

d) pour les directeurs: des cours sur les politiques générales des entreprises, les relations entre le système bancaire et le monde extérieur et la formation des successeurs.

4) Evaluation:

— dans les trois mois qui suivent chaque stage de perfectionnement, des évaluations seront conduites par les directeurs des services pour juger du degré de transfert dans la situation de travail des connaissances et des habiletés acquises au cours des activités de formation. Les directeurs de service feront un rapport sur les résultats obtenus et les améliorations à apporter.

Le déroulement des programmes doit respecter les principes suivants:

— C'est le supérieur hiérarchique qui, en dernier ressort, demeure responsable de la formation à donner à ses collaborateurs. Aucun résultat n'est durable si la haute hiérarchie se désintéresse des actions de formation. Le directeur des ressources humaines doit agir comme conseiller et fournir les instruments nécessaires au bon déroulement des actions de formation.

— Il faut en tout temps harmoniser les programmes offerts à l'extérieur avec ceux offerts par la Banque.

Au même moment, le directeur général des ressources humaines soumettait un rapport qui résumait assez fidèlement ce que la Banque faisait un plan du perfectionnement de tous les effectifs et qui se terminait par des suggestions pour l'avenir.

DESCRIPTION DE LA SITUATION ACTUELLE:

— Formation initiale ou orientation du personnel (employés et cadres) récemment embauchés:

Ce sont les collègues et les chefs immédiats qui se chargent de l'initiation du personnel nouveau. Pour ce faire, ils ont préparé un manuel qu'ils distribuent à tous les nouveaux. Ce manuel, différent de la brochure d'accueil, donne une description élaborée de la structure et du fonctionnement de la Banque et des méthodes à suivre dans l'exécution du travail.

— Formation professionnelle complémentaire des employés:

Ceux qui le méritent et qui veulent se perfectionner ont la possibilité de s'inscrire à des cours du soir ou de suivre des cours en dehors des heures de travail; ces cours sont organisés par les anciens. Ces activités, laissées à l'initiative des services, ne sont ni organisées, ni contrôlées par la direction. Elles ont lieu de façon régulière et elles intéressent au moins 80 participants à chaque année.

— Formation complémentaire des jeunes cadres:

Assignés d'abord à des tâches qui relèvent du siège social, les jeunes cadres sont déplacés vers les services pour travailler aux côtés des directeurs et sous-directeurs. Ces déplacements successifs permettent aux jeunes cadres universitaires de se familiariser avec les méthodes des cadres sortis du rang.

Dans un deuxième temps, et pour une période de six mois, les jeunes cadres ont la possibilité de parfaire leurs connaissances en économie générale: ils sont alors affectés au service des études économiques qui est sous la responsabilité du secrétaire général. Ensuite, ils reçoivent une assignation permanente au poste d'assistant-gérant de succursale ou bien ils sont rapplés au siège social.

On constate, après discussion avec les cadres en place, que ceux qui complètent leur période de formation sont:

- ou bien les moins bons, auxquels personne ne tient particulièrement,

- ou bien les meilleurs, que la direction générale a su conserver.

— Suivi des jeunes cadres et perfectionnement des cadres supérieurs:

Les plus compétents parmi les jeunes cadres sont envoyés dans une institution bancaire à l'étranger pour une période d'au moins six mois.

Ceux qui le désirent peuvent suivre des séminaires de perfectionnement offerts par l'association des banquiers. D'autres sont assignés à l'élaboration et à la mise sur pied de projets spéciaux. Ceux qui profitent de ces possibilités sont généralement ceux qui sont les moins occupés.

Suggestions:

a) Renforcer et officialiser l'effort que font les collègues et les chefs de services au plan de la formation initiale du personnel. Pour ce faire, organiser des stages de deux jours pour parfaire leur rôle d'animateur.

b) Systématiser l'envoi des cadres en séminaires, stages ou sessions de niveau universitaire. Cette suggestion s'adresse surtout aux cadres issus du rang.

c) Ajouter une année après la période de formation interne pour permettre aux futurs cadres de suivre des cours de perfectionnement en gestion des entreprises.

d) Décentraliser au maximum les actions de formation, sauf les stages de deux jours destinés au perfectionnement des cadres qui se chargent de la formation initiale.

Donc, le vice-président exécutif se rendait compte du fossé immense qui séparait ses deux collaborateurs au sujet de la conception et de l'implantation des actions de formation à un point tel qu'il ne savait pas du tout quel programme de formation la Banque devait adopter. Il décida alors de distribuer les deux rapports à l'équipe de direction et de rencontrer, à tour de rôle, ses deux collaborateurs pour connaître plus exactement les arguments qu'ils vont mettre de l'avant pour soutenir leur approche respective.

Tâches:

a) Individuellement ou en groupe, essayez de découvrir les arguments que le secrétaire général fera valoir pour soutenir sa démarche. Prenez pour acquis que le secrétaire général a fait une étude attentive du rapport soumis par le directeur général des ressources humaines.

b) Individuellement ou en groupe, essayez de découvrir les arguments que fera valoir le directeur général des ressources humaines (ce dernier a également lu le rapport de son collègue).

c) Vous êtes le vice-président exécutif et vous devez, après cette "confrontation", faire des suggestions à l'équipe de direction quant à l'orientation à donner aux actions de formation. Quelles suggestions ferez-vous?

(1) VATIER, RAYMOND, *Développement de l'entreprise et promotion des hommes*, Paris, Editions de l'Entreprise Moderne, 1960, p. 50.

(2) GOODSTEIN, L.D., "Développement individuel et développement organisationnel", *Synopsis,* sept.-oct. 1972, pp. 19-26.

(3) Voir à ce sujet
BELANGER, L., "Le développement organisationnel: évaluation d'une expérience en cours", *Relations industrielles,* Québec, vol. 25, no 2, 1970, pp. 169-210.
Idem: "Les stratégies de développement organisationnel", *Relations industrielles,* Québec, vol. 27, no 4, 1972, pp. 633-654.

(4) McGREGOR, D., "Un regard inquiet sur l'appréciation du rendement", *Harvard Business Review,* vol. 35, no 3, 1957, pp. 89-94 (Texte en français)

(5) FLANAGAN, J.-C., "L'incident critique en situation professionnelle", dans *Techniques modernes de choix des hommes,* A.N.D.C.P., les Editions d'Organisation, Paris, 1965, pp. 181-205.

(6) LANGEVIN, J.-L., TREMBLAY, R. et L. BELANGER, *La direction participative par les objectifs,* Dossier Management No 2, Presses universitaires Laval, 1976 (adaptation du schéma de la page 212).

(7) Idem, p. 211.

(8) Idem, p. 213.

(9) PERRIN, DENIS, "L'étude des besoins dans l'établissement des plans de formation, *Hommes et techniques,* no 328, février 1972, pp. 144-152.

(10) DIVERREZ, JEAN, "L'analyse méthodique des besoins et les inventaires", dans *Politiques et techniques de direction du personnel,* Entreprise Moderne d'Edition, Paris, 1970, pp. 135-142.

(11) RICHARD, ALFRED, "La formation professionnelle des adultes au Québec", Allocution donnée aux étudiants de 3e année, *Relations industrielles,* Université Laval, Québec, octobre 1977, p. 9.

(12) Idem, p. 12

(13) SARROUY, G., *Méthodes de formation des cadres,* Dunod, Paris, Coll. Vie de l'entreprise, 1969, 112 p.

(14) FORTIN, ALINE, "Le groupe de formation: légende et science", dans Tessier, R. et Y. Tellier, *Changement planifié et développement organisationnel,* Editions I.F.G. et de l'Epi, pp. 383-415.

(15) HERMAN, S.M., "A Gestalt Orientation to Organization Development, in Warner Burke (ed.), *New Technologies in Organization Development,* University Associates Inc., California, 1975, tome I, pp. 69-90.

(16) JONGEWARD, D., *Everybody Wins: Transactional Analysis Applied to Organizations,* Addison-Wesley Pub. Co., Don Mills, Ontario, 1974, 325 p.

(17) Pour un traitement plus approfondi de ce sujet, voir:
ARCHAMBAULT, MICHEL, "Eléments stratégiques de la formation des cadres", *Revue internationale de gestion,* Montréal, vol. 2, no 2, avril 1977, p.

(18) LAWSHEE, "Eight Ways to Check the Value of Training Program", *Factory Management and Maintenance,* May 1945, Vol. 103, p. 117.

(19) BELANGER, LAURENT, "Essai d'évaluation méthodique des sessions de sensibilisation au travail d'équipe et aux styles d'administration", Département de relations industrielles, Université Laval, 1970, 128 p., plus annexes (inédit).

LECTURES ADDITIONNELLES EN FRANCAIS
— Formation dans l'entreprise

ARCHAMBAULT, GUY, "Le perfectionnement des cadres", dans *Actualité économique*, 41e année, no 3, oct.-déc. 1965, pp. 418-450.

BELORJEY, J.M. BOMBLI, B. et M. POCHARD, *Apprentissage, orientation, formation professionnelle*, Paris, Librairie technique, 1974, 327 p.

BASS, BERNARD M. et J. A. VAUGHAN, "Les principes et les conditions de l'apprentissage dans l'industrie", *Direction et gestion des entreprises*, no 6, nov.-déc. 1970, pp. 99-105, no 1, janv.-fév. 1971, pp. 87-99.

BECQUART, G., "Quelques stratégies de formation", *Personnel*, (Paris), no 166, fév. 1974, pp. 28-34.

DAUBEDIER, MARCEL, "La formation du personnel dans les entreprises", *Reflets et Perspectives*, Bruxelles, Belgique, tome XII, no 4, 1973, pp. 293-301.

BIRIEN, J. L., ESCANDE, Y. et J. P. MIGNOT, *Gestion pratique de la formation continue dans l'entreprise*, Entreprise Moderne d'édition, Paris, 1973.

BIRIEN, J. L., "Les six étapes du plan de formation", *Le Management*, sept. 1972, pp. 51-58.

BORDET, MICHEL, "Prévision et programme de la formation: Les plans de formation", *Management-France*, oct. 1971, pp. 28-36.

BUCHOND, P., "Le plan de formation dans l'entreprise", *Management-France*, nov. 1972, pp. 3-8.

CENTOR, *Le plan de formation dans l'entreprise*, Paris, Ed. Chotard et Ass., 1972, 284 p.

CORBERAND, A., *Comment organiser et gérer la formation dans l'entreprise*, Paris, A. Colin Formation, Coll. Formathèque, 1974, 127 p.

DIVERREZ, J., "La détermination et la hiérarchisation des besoins de formation", *Entreprise et formation continue*, no 8, janv.-fév. 1974, pp. 15-19.

DURAND, P., "La signification des politiques de formation et de promotion", *Sociologie du travail*, no 4, oct.-déc. 1963, pp. 316-328.

ELLIS, C. D. et J. R. TALBOT, *La formation dans l'entreprise. Conditions requises, coût, évaluation des résultats*, Paris, Entreprise Moderne d'Edition, 1972, 179 p.

GASPAR, P., *Pratique de la formation des adultes*, Paris, Edition d'Organisation, 1975, 184 p.

KELLOG, M. S., *La gestion des carrières*, Editions Hommes et Techniques, 1975, 157 p.

LEMONIER, J. et A. BERNARD, "L'intégration de la fonction formation dans l'entreprise", *Enseignement et gestion*, no 12, oct. 1975, pp. 73-96.

LEMONIER, J., "Plan de formation: définir des objectifs", *Revue de l'entreprise*, no 5, avril 1977, pp. 9-15.

LERBET, G., BOURGEON, G., "La formation permanente à l'université, problèmes socio-pédagogiques", *Bulletin de psychologie*, tome 21, no 325, sept.-oct. 1975-76, pp. 983-1,000.

PERNIN, D., "Contraintes et objectifs des plans de formation des cadres", *Hommes et techniques*, no 300, 1969, pp. 282-286.

PETIT-DUTAILLIS, G., "La formation professionnelle dans l'entreprise", *Humanisme et entreprise*, juin 1970, pp. 18-49.

REYNAUD, J. D., "Formation et promotion dans l'entreprise", *Sociologie du travail*, no spécial, oct.-déc. 1963, p. 313.

RUBY, GEORGES, "Recensement des méthodes de créativité et de résolution de problèmes", *Direction et gestion*, no 3, mai-juin 1975, pp. 49-54.

SARTIN, P., "La formation, conscience de ses limites", *Travail et méthodes*, no 298, fév. 1974, pp. 31 ss.

LECTURES ADDITIONNELLES EN FRANCAIS
— Appréciation du personnel

————, L'appréciation du personnel, no spécial, *Personnel,* Paris, no 124, mai 1969.

BALLET, JACQUES, "Présentation d'un système de notation du personnel", *Humanisme et Entreprise,* no 65 (fév. 1971), pp. 1-33 (Description du cas de la Cie Esso France).

BYHAM, W. C., "Les centres d'évaluation du potentiel pour choisir les futurs cadres", *Harvard Business Review,* vol. 48, no 4, July-August 1970, pp. 150-160, traduit par H.E.C., Montréal.

DIVERREZ, JEAN, *L'appréciation du personnel,* Editions de l'Entreprise Moderne, Paris, 1962, 171 p.

IVALDI, J. P., "Les centres d'évaluation", *Personnel,* juin 1976, no 188.

IVALDI, J. P., "Comment juger nos cadres", *Le management,* sept. 1970, pp. 51-55.

LAURIOZ, JACQUES, "L'appréciation du personnel. Pourquoi noter et comment noter?", *Personnel,* (Paris), no 179, juin 1975, pp. 24-27.

HAMON, MAURICE "Performance-Motivation-Evaluation", *Direction et gestion,* vol. II, no 6, nov.-déc. 1975, pp. 41-51.

MARULLO, M.S., "L'évaluation du personnel", dans *Manuel pour la direction du personnel,* Editions Hommes et Techniques, Puteaux, France, 1972, ch. VII, pp. 225-246.

OBERG, WINSTON, "Une évaluation de la performance adaptée à nos besoins", *Harvard Business Review,* Jan.-Fév. 1972, (traduit par H.E.C., Montréal).

RAUZIER, C., "Contribution à l'étude sur l'appréciation du personnel non cadre", in *Travail et méthodes,* no 268-9, août-sept. 1971, pp. 21-25 et no 270, pp. 26-35.

WARNOTTE, GERARD, "Les systèmes d'évaluation: perspectives d'évolution", *Annales des sciences économiques appliquées,* 1974-75, no 4, pp. 43-63.

WITVROUW, MARCEL, "Développements récents des méthodes d'appréciation du personnel dans l'entreprise", *L'information psychologique,* Bruxelles, no 47, 3e trimestre 1972, pp. 39-51.

LECTURES ADDITIONNELLES EN ANGLAIS
— Formation dans l'entreprise

BASS, B. M. et J. A. VAUGAHN, *Training in Industry: The Management of Learning,* Wadsworth Co., Belmont, California, 1968, 164 p.

BELCOURT, M. L., "A Systematic Approach to Training and Development", *Canadian Personnel and Industrial Relations Journal,* vol. 20, no 3, May 1973, pp. 53-77.

CAMPBELL, JOHN P. et MARVIN D. DUNNELLE, "Effectiveness of T-Group Experiences in Managerial Training and Development", *Psychological Bulletin,* 1978, vol. 70, no 2, pp. 73-104.

DAVIES, JUDITH, "An Evaluation Framework for Management Education", *Industrial Training International,* vol. 11, no 10, oct. 1976, pp. 282-286.

HODGSON, R., "Developing Human Resources", *The Business Quarterly,* London, Canada, vol. 41, no 4, Winter 1976, pp. 82-87.

HAMBLIN, A. C., "Evaluation in the Training Process", extrait de *Evaluation and Control of Training,* McGraw Hill Book Co., 1974, pp. 1-12.

KIRKPATRICK, DONALD, "Determining Training Needs: Four Simple and Effective Approaches", *Training and Development Journal,* Feb. 1977, vol. 31, no 2, p. 22.

NEWELL, C.F., "How to Plan a Training Program", *Personnel Journal,* vol. 55, no 5, mai 1976, pp. 220-223.

STEWART, W. J., "Determining First-Time Supervisory Training Needs", *Training and Development Journal*, April 1970, vol. 24, no 4, pp. 12-19.

SULKIN, HOWARD A., "Effects of Participant Personnality on Management Training Methods", *Adult Education*, vol. XXII, no 4, 1972, pp. 251-266.

WESSMAN, F., "Determining the Training Needs of Managers", *Personnel Journal*, Feb. 1975, vol. 54, no 2, pp. 109-114.

LECTURES ADDITIONNELLES EN ANGLAIS
— Appréciation du personnel

BYHAM, W. C., "The Assessment Center as an Aid in Management Development", *Training and Development Journal*, Dec. 1971.

COHEN, B. M., MORES, J. L., BYHAM, W. C., "The Validity of Assessment Centers, A Litterature Review", *Journal of Organization of Psychology*, Summer 1973.

COMBRINK, J. W. N., "Apprasing Job Apparisal", *European Business*, Summer 1970, pp. 9-17.

CUMMINGS, L. L. et D. P. SCHWAB, *Performance in Organizations: Determinants and Appraisals*, 1973, 176 pages, dont une bibliographie annotée (37 pages).

FORD, R. C. et K. M. JENNINGS, "How to Make Performance Appraisal more Effective", *Personnel*, March-April 1977, vol. 54, no 2, pp. 51-57.

JAFFE, C., FRANK, J. D. et J. B. ROLLINS, "Assessment Centers: The New Method for Selecting Managers", *Human Resource Management*, vol. 15, no 2, Summer 1976, pp. 5-12.

KRANT, ALLEN, "A Hard Look at Management Assessment Centers and their Future", *Personnel Journal*, vol. 51, no 5, May 1972, pp. 317-327.

LARKIN, E. J., "Three Models of Evaluation", *Canadian Psychologist - Psychologie Canadienne*, Calgary, vol. 15, no 1, Jan. 1974, pp. 89-95.

LEVINSON, HARRY, "Appraisal of What Performance", *Harvard Business Review*, vol. 54, no 4, pp. 30-40.

LYNCH, S. M., "Being Practical About Appraisals", *Personnel News and Views*, vol. 6, no 1, pp. 5-22.

MAIER, N. R. F., "Three Types of Appraisal Interview", *Personnel*, 1958, 34(5), pp. 27-40.

McDERMOTT, M. C., "Merit Systems under Fire", *Public Personnel Management*, vol. 5, no 4, 1976, pp. 225-234.

PATZ, A. L., "Performance Appraisal Useful but Still Resisted", *Harvard Business Review*, May-June 1975, pp. 74-80.

SLEVIN, DENNIS, "The Assessment Center: Breakthrough in Management Appraisal and Development", *Personnel Journal*, vol. 51, no 4, April 1972, pp. 255-261.

THOMPSON, P. H. and G. W. DALTON, "Performance Appraisal: Managers Beware", *Harvard Business Review*, vol. 48, no 1, Jan-Feb. 1970, pp. 149-157.

WALKER, J. et al., "Performance Appraisal: An Open and Shut Case?", *Personnel Review*, vol. 6, no 1, 1977, pp. 38-42.

ZAWACKI, R. A., TAYLOR, R. L., "A View of Performance Appraisal from Organization Using it", *Personnel Journal*, vol. 55, no 6, June 1976, pp. 290-292.

Exposé 7

POLITIQUE DE REMUNERATION

La rémunération occupe une place importante dans l'éventail des conditions de travail qu'une organisation peut offrir en vue de maintenir la participation de ses membres à la réalisation d'objectifs communs. Les conditions salariales offertes ou revendiquées demeurent encore l'enjeu principal de la négociation collective tant dans le secteur public que privé. Au plan individuel, dans les circonstances que nous traiterons plus loin, l'argent devient un facteur qui motive quelqu'un à maintenir, et même à améliorer sa performance. Le salarié, qui constate une différence marquée entre la rémunération qu'il juge équitable pour les fonctions qu'il assume et la rémunération qu'il reçoit effectivement, développe un sentiment d'insatisfaction qui se traduit soit par une diminution de l'effort fourni, soit par des absences plus fréquentes ou plus prolongées, soit par une incitation à quitter l'organisation qui l'emploie.

7.1 Les besoins auxquels répond une politique salariale

Cette réflexion nous amène à nous interroger sur la nécessité d'une politique salariale ou sur la nature des besoins auxquels elle répond au sein d'une organisation de travail.

7.1.1 Pour l'organisation:

— Besoin de retenir la main-d'oeuvre qu'elle a réussi à embaucher et à former.

— Besoin de connaître avec précision et de contrôler l'évolution des coûts directs du travail dans l'effort de production des biens et des services. Ces coûts peuvent constituer entre 70% et 80% des coûts globaux d'opérations, tout dépend de l'intensité de l'utilisation de la technologie.

— Besoin de justifier des différences de salaires: que l'écart entre les emplois les mieux rémunérés et les moins bien rémunérés correspondent à la différence des contributions exigées de la part des individus; qu'à des emplois identiques ou comparables correspondent des rémunérations comparables au sein d'un même établissement ou d'une même région, voire même à l'échelle nationale dans certains métiers ou professions (à travail égal, salaire égal: sans égard pour l'âge, le sexe et la race).

— Besoin de faire connaître aux intéressés les critères précis qui président à l'établissement d'une structure des salaires et les critères utilisés dans la détermination des niveaux de rémunération pour toutes les catégories de personnel.

— Besoin de maintenir et de développer un climat satisfaisant de relations du travail.

7.1.2 Pour l'individu:

— Besoin de s'assurer si les différences au plan de la rémunération sont justifiées pour répondre à un sens de l'équité. La théorie de l'équité développée par Stacy Adams (¹) nous apprend que le personnel s'interroge sur l'équité de la relation qui existe entre la contribution fournie en terme d'effort, d'utilisation de connaissances et d'habiletés (inputs) et la rémunération effectivement obtenue (salaires, pensions, avantages sociaux). Une telle relation, lorsqu'elle est jugée équitable, générera une certaine satisfaction chez le personnel et l'incitera à maintenir sa contribution. Par contre, lorsque le personnel considère qu'il contribue plus à l'organisation qu'il en reçoit, un sentiment d'inéquité se développe. Le jugement sur l'équité d'une relation entre la rémunération et la contribution se fait par voie de comparaison. L'individu A qui réalise l'existence d'une certaine inégalité ou disproportion entre le rapport rémunération/contribution afférent à son emploi et le rapport rémunération/contribution d'un individu B occupant un emploi appartenant à une même catégorie ou à une catégorie différente développe un sentiment d'insatisfaction; par contre, lorsqu'il y a proportionnalité au plan des ratios respectifs, le sens de l'équité est maintenu. Ce raisonnement peut traduire par les équations suivantes:

$$\frac{\text{Rémunération A}}{\text{Contribution A}} > \frac{\text{Rémunération B}}{\text{Contribution B}} \quad \begin{array}{l} \text{sens de l'inéquité} \\ \text{insatisfaction} \end{array}$$

$$\frac{\text{Rémunération A}}{\text{Contribution A}} = \frac{\text{Rémunération B}}{\text{Contribution B}} \quad \begin{array}{l} \text{sens de l'équité} \\ \text{satisfaction} \end{array}$$

— Besoin de sécurité économique: ce qui nécessite une structure de rémunération qui permette d'envisager adéquatement des événements tels que la perte d'un emploi, la maladie, le décès, la retraite; ce qui nécessite également un niveau de rémunération qui compense pour la dévaluation de l'argent.

— Besoin d'être apprécié à sa juste valeur: ce qui implique l'existence d'échelles de salaires qui tiennent compte de l'expérience, du degré de scolarisation ou de formation en situation de travail et d'un niveau de performance au-delà de celui qui est considéré comme acceptable.

7.2 Politique de salaire et qualification du travail

Après avoir effectué une analyse des besoins précis qu'elle entend satisfaire par sa politique de salaires, la direction d'une entreprise doit se donner les moyens appropriés pour concevoir et mettre en place une structure de salaires. Cette structure consiste en un ensemble de rapports entre les différents taux de salaires qui sont payés pour différentes occupations à l'intérieur d'une entreprise. La qualification du travail ou l'évaluation des tâches se présentent comme un ensemble de méthodes qui permettent d'établir d'une manière cohérente et rationnelle la valeur relative des emplois à l'intérieur d'une organisation de travail. Nous décrivons ici les méthodes les plus communes d'évaluation des emplois en soulignant leur nature et leurs limites ([3]).

7.2.1 Les méthodes non quantitatives ou non analytiques

a) La forme la plus ancienne et la plus élémentaire d'évaluation des emplois est celle du *rangement:* elle consiste à comparer globalement les emplois entre eux en se basant sur le titre ou la description sommaire qu'on en fait. L'emploi qui a le plus de valeur, selon la conception que l'évaluateur s'en fait, est rangé le premier; le processus recommence pour chacun des emplois restants.

Avantages:

C'est une méthode simple et rapide, applicable dans les petits établissements où l'on retrouve une gamme d'emplois peu étendue.

Inconvénients:

Cette méthode présente un élément de subjectivité assez marqué dans la détermination de la valeur relative des emplois, puisqu'elle ne tient pas compte des particularités ou des conditions spécifiques d'exécution. Pour contrer cette difficulté, on peut transcrire sur des cartes la liste des emplois à évaluer, distribuer ces cartes à des évaluateurs qui vont effectuer séparément un rangement et demander aux évaluateurs d'établir un consensus sur le rangement à adopter. Ce rangement peut être effectué en tenant compte du nombre de fois que la valeur de chaque emploi a été estimée supérieure aux autres.

b) La méthode des classes

Elle nécessite, au préalable, l'établissement de différentes classes d'emplois. Ensuite, les emplois sont décrits et intégrés dans l'une ou l'autre des classes prédéterminées selon le degré d'affinité qu'un emploi particulier entretient avec l'une ou l'autre de ces classes.

Avantages:

Cette méthode est relativement simple, peu coûteuse, facile d'application et elle tient compte, au moment du rangement, des différences au plan des qualifications exigées et des conditions d'exécution. Elle s'applique surtout dans les établissements où l'on retrouve un nombre restreint de classifications et de postes à évaluer.

Inconvénients:

Si le nombre de postes est élevé et si les emplois comportent des caractéristiques différentes, il faudra accroître alors le nombre de classifications; par conséquent, l'évaluation devient une tâche complexe.

7.2.2 Les méthodes quantitatives ou analytiques

Ces méthodes reposent sur l'utilisation de facteurs ou de sous-facteurs permettant de repérer les caractéristiques spécifiques de chaque emploi et de leur attribuer une valeur numérique exprimée en termes monétaires ou en points.

a) La méthode de comparaison par facteurs

Elle procède d'abord à l'identification et la description des facteurs (ou des sous-facteurs) qu'on utilisera au cours de l'évaluation. Ces facteurs sont habituellement au nombre de cinq:

— La compétence professionnelle (degré d'instruction, expérience, habilités)

— Les exigences mentales ou intellectuelles

— Les exigences physiques

— La responsabilité

— Les conditions de travail

Ensuite, 15 ou 20 postes-clés sont sélectionnés. Ils doivent être représentatifs de l'éventail des emplois. La description précise et les taux de salaires afférents ne doivent donner lieu à aucune contestation. Ces postes-clés sont hiérarchisés par rapport à chacun des facteurs retenus. Le taux de salaire est réparti sur chacun des facteurs selon son importance dans la composition de l'emploi. Par exemple, un emploi d'opérateur de presse-poinçon auquel correspond un salaire de $6 l'heure se verra attribuer une fraction de ce montant pour chacun des facteurs suivants:

Habileté	$3.30
Effort mental	0.60
Effort physique	0.40
Responsabilité	0.70
Conditions de travail	1.00
Taux de salaire:	$6.00

Une fois les postes-repères hiérarchisés selon leur valeur relative sur chacun des facteurs et la distribution des cotes salariales effectuée, il ne reste plus qu'à déterminer la valeur des postes restants en les comparant avec les postes-repères [4].

Avantages de cette méthode:

— Elle permet une comparaison systématique entre les emplois en faisant ressortir des différences quantifiables en termes d'exigences inhérentes à ces emplois.

— L'utilisation de cotes salariales donne lieu à une pondération des facteurs que l'on ne retrouvait pas dans les deux méthodes précédentes.

Inconvénients:

— Elle implique l'utilisation d'un nombre suffisant de tâches-clés pour être en mesure, par la suite, de construire une échelle de salaires;

cette méthode serait difficilement utilisable dans les entreprises de taille moyenne ou petite.

— Elle introduit une certaine confusion en télescopant deux opérations qui doivent demeurer distinctes; l'établissement de la valeur relative des emplois d'une part, la détermination d'une structure de salaires d'autre part. Pour contrer cette difficulté, il est préférable d'utiliser des cotes numériques plutôt qu'une répartition du taux de salaires selon l'importance de chaque facteur.

b) La méthode des points

C'est la méthode la plus répandue dans les pays industrialisés. Une première étape au plan de l'implantation consiste en la définition de facteurs ou sous-facteurs qui seraient communs à l'ensemble des emplois qu'on veut évaluer. Par exemple, le système de la *National Electrical Manufacturer's Association* ([5]) utilise l'éventail des facteurs et sous-facteurs suivants:

Qualification:	instruction
	expérience
	initiative et ingéniosité
Effort:	physique
	mental ou visuel
Responsabilité:	équipement ou opérations
	matière ou produit
	sécurité des autres
	travail des autres
Conditions:	conditions physiques
	risques inévitables

On procède ensuite à la détermination du nombre de degrés pour chacun des sous-facteurs et à la description de chacun de ces degrés.

Ces degrés reflètent des différences au plan des difficultés inhérentes à l'exécution de l'emploi. Par exemple, le sous-facteur "expérience" ou temps d'apprentissage peut comprendre les degrés suivants:

— Jusqu'à 3 mois	Degré	1
— De 3 à 6 mois	"	2
— De 6 à 12 mois	"	3
— De 1 an à 2 ans	"	4
— De 2 ans à 3 ans	"	5

Lorsque les facteurs et sous-facteurs sont définis et les degrés pour chacun des sous-facteurs déterminés, l'on procède à l'établissement d'une répartition de points qu'on attribuera à chacun des sous-facteurs et des degrés. A l'aide de cette technique, on procède à l'évaluation de chaque tâche en elle-même. En comparant la somme totale des points attribués à chaque tâche à la somme totale que la tâche la mieux cotée peut théoriquement se voir attribuer, on découvre la valeur relative de cette tâche par rapport aux autres tâches évaluées selon le même procédé.

Avantages de cette méthode

— L'évaluation numérique sans référence au taux des salaires payés pour l'emploi permet d'atteindre une plus grande "objectivité" dans la détermination de la valeur relative des tâches.

— L'utilisation de facteurs, de degrés et de points apporte une plus grande précision dans l'établissement des différences entre une multitude de tâches variées.

Inconvénients:

— Des éléments arbitraires et subjectifs peuvent se glisser au moment du choix et de la description des sous-facteurs et des degrés et au moment de la répartition pondérée des points.

— Le nombre de facteurs utilisés, que l'on veut communs à tous les emplois à évaluer, demeure assez limité pour ne pas alourdir le système: il se peut parfois qu'on ne réussisse pas à couvrir effectivement tous les emplois qu'on voudrait évaluer. Par conséquent, si l'on envisage d'appliquer cette méthode au personnel de cadre, il faudra procéder à des modifications majeures. Par exemple, la firme

S.I.N.T.E.C. ([6]) a mis au point une méthode qui utilise, dans ce cas, cinq facteurs ainsi regroupés:

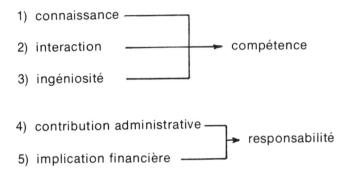

1) connaissance

2) interaction ——————► compétence

3) ingéniosité

4) contribution administrative

5) implication financière ———► responsabilité

A chaque facteur correspondent des niveaux qui, à leur tour, sont subdivisés en degrés. L'attribution des points pour chacun des degrés des niveaux et des facteurs donne lieu à l'établissement d'une grille de pondération de points assez complexe. Cependant, cette grille permet de faire ressortir avec précision les différents niveaux de compétence et la contribution relative de chaque poste dans l'entreprise.

7.3 Etablissement d'une échelle de salaires

Une fois la valeur relative des postes établie, il faut traduire les évaluations en terme de taux de salaires pour obtenir une échelle applicable aux emplois ou aux catégories d'emplois évalués. Si l'on a utilisé une méthode non quantitative (rangement ou classification) au moment de l'évaluation, il suffira de fixer des taux de salaires pour le poste évalué le plus bas et pour le poste évalué hiérarchiquement le plus élevé de façon à obtenir une marge assez grande pour insérer une gamme de taux intermédiaires qui seraient applicables à tous les autres postes.

Si l'on utilise la méthode des points (la méthode de comparaison de facteurs, que nous avons vue, détermine directement une structure de salaires), l'établissement d'une échelle de salaires peut se faire de deux manières:

1) On fixe des taux minimum, moyen et maximum pour l'emploi évalué le plus bas, celui auquel on a attribué le minimum de points au total. On peut également attribuer une valeur monétaire au point et obtenir ainsi le taux pour l'emploi évalué le plus bas. En utilisant un

graphique, on porte en abscisses la valeur des points résultant de l'évaluation et, en ordonnée, les taux de salaires correspondants. On obtient ainsi, par la rencontre des points et des taux, une ligne de conversion ou "courbe de salaire" si l'on a utilisé un taux unique, un "corridor" de rémunération si l'on a utilisé des taux minimaux, moyens ou maximaux. Le graphique suivant illustre l'emploi de cette méthode:

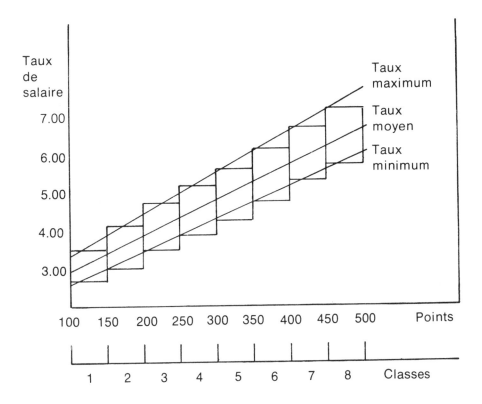

2) Une deuxième manière consiste en l'établissement de la relation entre les taux effectivement payés (l'échelle de salaires actuellement en vigueur s'il en existe une) et les différentes valeurs attribuées aux emplois. Cette relation s'obtient par l'application de la méthode statistique des moindres carrés.

Evidemment, certaines tâches se retrouveront alors au-dessous de la ligne de régression et d'autres au-dessus. Celles qui seront au-dessous seront réajustées pour se situer sur la courbe; celles qui seront au-dessus seront "gelées" (ou encerclées) momentanément en attendant que les augmentations de taux déterminent une nouvelle courbe qui permette de rattraper les taux fixés pour ces tâches ([7]).

7.4 Détermination des taux de salaires

L'établissement d'une échelle de salaires permet de préciser les différences numériques qui peuvent exister au sein de la variété des emplois soumis à une évaluation. Cependant, elle ne détermine pas pour autant les niveaux de rémunération, c'est-à-dire les taux applicables aux diverses catégories d'emplois. Cette détermination fait l'objet de négociations dans les entreprises syndiquées et l'objet d'une décision unilatérale des employeurs dans les entreprises non syndiquées. C'est un élément important d'une politique salariale, si l'on songe aux répercussions qu'une telle décision peut avoir sur les coûts directs de la main-d'oeuvre et sur le comportement des diverses catégories de personnel. La fixation des niveaux de rémunération, qu'elle soit l'objet d'une négociation ou d'une décision unilatérale, obéit à un ensemble de facteurs internes ou externes à l'organisation. Parmi ces facteurs nous retrouvons les suivants:

7.4.1 Facteurs d'environnement interne

a) La capacité de payer de l'organisation

Elle dépend de la somme d'argent qu'elle peut générer en terme de profits au cours de la transformation des biens et des services. L'accroissement des taux de rémunération influence le prix de revient des biens et des services et la position concurrentielle de l'organisation, dans la mesure où celle-ci peut ou ne peut pas pratiquer une augmentation des prix et dans la mesure où le coût direct de la main-d'oeuvre constitue une proportion élevée ou faible des coûts globaux d'opérations. De même, pour les organisations du secteur public, la capacité de payer n'est pas illimitée, puisqu'elle est reliée, dans une certaine mesure, soit à une structure d'imposition de taxes ou d'impôts, soit à des critères de répartition "équitable" des fonds générés par l'imposition des taxes.

b) La productivité de la main-d'oeuvre

Les systèmes de rémunération au rendement que nous décrivons plus loin tentent d'établir un lien direct entre la productivité et des taux de rémunération. Un travailleur est payé selon le nombre de pièces qu'il réussit à produire au cours d'une période de temps fixée, et cela dans des proportions variables. Cependant, les taux de rémunération ainsi établis doivent demeurer à l'intérieur des limites appropriées pour qu'il existe un rapport acceptable entre un travail payé à la pièce et un autre payé au temps écoulé, dans une même catégorie d'emploi.

c) La négociation collective

La pression économique que peut exercer l'employeur ou le syndicat dans les entreprises syndiquées influence la détermination des barèmes de rémunération. On peut constater en courte période des différences majeures entre les entreprises syndiquées et celles qui ne le sont pas. Au Canada et aux Etats-Unis, on constate également des différences de rémunération pour les mêmes emplois entre le secteur public et le secteur privé. Ces différences peuvent être partiellement attribuées aux différents degrés de pénétration du syndicalisme à un moment donné dans l'un ou l'autre des secteurs ou encore à la pression économique utilisée par l'un ou l'autre des partenaires au moment de la négociation.

d) La valeur relative d'un emploi

L'application d'un système d'évaluation des tâches nous permet d'établir la valeur relative des emplois. Il est normal de s'attendre, dans ce cas, à ce qu'une tâche comportant plus de difficultés ou de responsabilités qu'une autre commande une rémunération différente. En d'autres termes, c'est l'application de la notion d'équité que nous avons soulignée au début de cet exposé.

7.4.2 Facteurs d'environnement externe

a) L'offre et la demande de travail

La rareté de la main-d'oeuvre dans une catégorie d'emploi peut inciter à fixer des taux de rémunération qui rendent possible l'acquisition et la conservation d'une main-d'oeuvre compétente. Par contre, l'abondance de main-d'oeuvre conduira à un relèvement des niveaux de rémunération moins accentué que dans le cas où il y aurait rareté. Le taux de rémunération qui prévaut à un moment donné à l'échelle régionale, sectorielle ou nationale, constitue en lui-même l'un des facteurs les plus importants si !'on songe à l'impact que peut avoir le paiement d'un taux inférieur ou supérieur à celui qui prévaut sur le marché du travail.

b)
L'Etat, en tant que législateur, peut fixer par une loi ou un décret les conditions salariales minimales à respecter dans la détermination des niveaux de rémunération. En tant qu'employeur, l'Etat est souvent le plus important. La politique de rémunération qu'il applique à ses propres fonctionnaires peut influencer directement le niveau de salaire de toute la population active ou de certaines catégories ([8]).

c) Le secteur industriel

Certains secteurs de l'industrie qu'il est convenu d'appeler ''secteurs mous'' (le textile et la chaussure) réussissent difficilement à soutenir la concurrence étrangère et sont sensibles aux variations des accords tarifaires entre les pays. Les taux de rémunération ont tendance à être plus faibles dans ces secteurs, par comparaison aux taux payés dans les entreprises d'un ''secteur de pointe'' où la pénétration de la technologie est plus accentuée.

d) L'indice des prix à la consommation

Le maintien du pouvoir d'achat ou de la valeur réelle des rémunérations face à la montée rapide des prix nécessite des relèvements automatiques et périodiques des niveaux de rémunération. Par contre, une baisse ou une stabilisation de l'indice des prix à la consommation n'entraîne pas de réajustements vers le bas; cela imprime une certaine rigidité aux structures de rémunération.

7.5 Les modes de rémunération

On peut, sans recourir à une simplification abusive, regrouper tous les modes de rémunération sous deux grandes catégories: la rémunération basée sur le temps écoulé, la rémunération basée sur l'efficacité (rendement individuel et rentabilité globale des opérations). Ce n'est pas tellement le choix d'un système de rémunération de préférence à un autre qui est important dans une politique de salaires, mais plutôt la manière dont un système est administré [9]. En d'autres termes, ces deux systèmes de rémunération visent à rémunérer les individus de manière adéquate et équitable; cependant, la compréhension que les individus se font de ces systèmes influencent leur comportement et leur satisfaction. Cette compréhension découle en grande partie de la manière dont les systèmes sont conçus et appliqués.

7.5.1 Rémunération basée sur le temps écoulé

La rémunération basée sur le temps écoulé est le système le plus simple et c'est encore celui qui est le plus courant. L'employé, en vertu de ce système, est rémunéré au taux de sa classification pour le nombre d'heures effectivement accomplies au cours d'une journée régulière ou d'une semaine régulière de travail. A cela s'ajoute toute une variété de paiements liés à des circonstances particulières:

— Le travail fait en temps supplémentaire: taux et demi en sus ou en dehors des heures régulières, taux double si le temps supplémentaire survient pendant un congé férié

— Les congés-maladie

— Les congés fériés

— Les vacances annuelles

— Les primes (prime du soir et de nuit, prime de vêtement et d'outillage, prime de transport et d'éloignement, prime d'ancienneté et d'assiduité, prime de conditions de travail dangereuses ou pénibles, etc...).

Comme on peut facilement le constater, un tel système vise à rémunérer la fonction et les conditions particulières d'exécution plutôt que l'effort et le rendement de l'individu. Dans ce cas, une augmentation de salaire (ou un réajustement des taux de rémunération) n'entraîneront pas nécessairement une amélioration de la performance; cependant, elle produira les effets suivants:

— Le maintien d'un niveau de performance acceptable

— La réduction de la fréquence des absences

— Le maintien du désir de demeurer à l'emploi de l'organisation

— Le rétablissement d'un équilibre entre le niveau d'aspiration de l'individu et son niveau de satisfaction éprouvée.

7.5.2 Rémunération basée sur l'efficacité

Un système de rémunération basée sur l'efficacité, même s'il utilise un taux de base (salaire de la qualification), se caractérise avant tout par la relation plus ou moins proportionnelle qu'il établit entre l'efficacité d'un individu, d'un groupe ou d'une organisation et la rémunération. Ce système demeure encore largement utilisé dans des entreprises où l'organisation du travail de production répond assez fidèlement aux principes du taylorisme. Ce système est également utilisé au niveau du personnel de direction selon des modalités qui diffèrent passablement de celles qu'on retrouve au niveau du personnel ouvrier. Le pourcentage des salariés ([10]) payés au rendement varie d'une branche industrielle à l'autre. Le tableau (7.1) donne une idée de ces variations dans la province de Québec (1974).

Tableau 7.1   Pourcentage des salariés payés au rendement selon certaines branches industrielles

Vêtement	91.5%
Textile	91.3%
Matériel de transport	68.7%
Meuble	65.9%
Cuir	64.3%
Bonnetterie	60.7%
Caoutchouc	59.4%
Bois	18.5%
Papier	7.2%
Chimie	4.8%
Pétrole	0.0%

L'établissement d'un système de rémunération au rendement pour les salariés directement affectés à la production comprend deux opérations nettement distinctes:

— La mesure du travail

— Le calcul d'une prime selon la quantité de travail fourni.

La mesure du travail consiste en l'application de certaines techniques (chronométrage, observations instantanées, temps et mouvements prédéterminés) qui visent à déterminer le contenu de travail d'une tâche donnée et à traduire ce contenu en terme d'unités de temps jugées nécessaires à l'exécution de chaque type d'opération inhérent à la tâche. La mesure du travail comprend généralement les étapes suivantes:

• L'identification: tous les renseignements concernant l'exécutant, la la nature des conditions de travail, de l'équipement utilisé et du produit fabriqué

• La description des opérations

• La décomposition de la tâche en mouvements élémentaires et l'élimination des gestes inutiles s'il y a lieu (simplification du travail)

• Le chronométrage: le temps que prend l'exécutant pour réaliser les éléments de la tâche ou mouvements élémentaires retenus

• L'appréciation du jugement d'allure: il s'agit d'établir une comparaison entre la vitesse réelle de l'exécutant telle qu'observée et une allure de référence prédéterminée qu'il est convenu d'appeler "allure normale" (l'allure normale est celle d'un individu de force physique moyenne qui marche sans charge sur un terrain plat en couvrant une distance de trois milles à l'heure ou celle d'un individu effectuant la distribution de 52 cartes en 4 paquets sur un carré de 1 pied de côté en 30 secondes)

- La conversion des temps observés en temps normalisés: il s'agit de déterminer la période de temps que l'opération devrait prendre si elle était faite par un exécutant qui travaille à une allure de 100% (allure normale)

- La détermination d'une allocation pour la fatigue, les besoins personnels et les délais inévitables

- La détermination du temps alloué pour l'exécution de la totalité de la tâche ([11]).

La détermination de la prime varie en fonction du système particulier de rémunération qu'on a choisi et en fonction du taux à la pièce qui a été soit négocié, soit fixé unilatéralement par la direction. Il existe une variété de systèmes de rémunération à la pièce qu'on peut regrouper sous les quatre grandes catégories suivantes ([12]):

a) Les systèmes selon lesquels la prime est proportionnelle au rendement, avec une garantie de salaire de base.

b) Les systèmes selon lesquels la prime est proportionnellement inférieure au rendement (les systèmes D.M.D.*, Bedeau, Barth, Harley et Roman). Par exemple, dans une entreprise, un salarié qui fait un travail en 6 heures au lieu de 8 heures à $3 recevrait normalement $24; mais si l'entreprise utilise un "système à 70%", le salarié ne touchera que 70% du temps économisé au cours de l'exécution de sa tâche.★

c) Les systèmes dont la prime est proportionnellement supérieure au rendement. Dans ce cas, la prime s'accroît à un taux supérieur à l'accroissement du rendement.

d) Les systèmes selon lesquels les gains des travailleurs varient dans des proportions différentes selon divers niveaux de rendement. (Taylor, Merrick, Gantt, Emerson).

★ D.M.D.: Dufresne, McLagan et Daignault. Ce système, en particulier, prévoit le versement de la prime à partir de 95% de l'allure normale au lieu de 100%.

Tous ces systèmes ont fait l'objet de nombreuses critiques depuis le début de leur implantation et demeurent encore un objet privilégié de contestation de la part des syndicats et des travailleurs eux-mêmes.

A la lumière des études effectuées sur des groupes de travail ainsi rémunérés, les membres développent une compréhension plus ou moins juste du fonctionnement de ces systèmes et se fixent eux-mêmes un plafond ou "norme de rendement" qu'ils s'interdisent de dépasser. Cette situation nous amène à conclure que l'argent devient un facteur motivationnel important, lorsque la rémunération est reliée à la performance (elle permet de maintenir un niveau de performance plus élevé et relativement stable que celui qu'on obtiendrait normalement en payant un salaire au temps écoulé). Par contre, il serait faux de prétendre que dans de tels systèmes, "plus on paie les travailleurs, plus ils vont produire".

Les systèmes de rémunération au rendement que nous venons de décrire s'appliquent au niveau individuel et créent chez les salariés un climat de compétition. Il existe d'autres systèmes qui s'appliquent sur une base collective et qui favorisent soit la collaboration entre les salariés, soit une plus grande intériorisation des objectifs économiques de l'entreprise. Ces systèmes prévoient une participation au capital-actions ou des sommes d'argent qui viennent s'ajouter aux montants gagnés calculés sur la base du temps écoulé. Nous signalons ici ceux qui sont les plus courants:

— *Les bonis de groupe*

Lorsqu'il est difficile d'identifier le rendement spécifique d'un individu ou encore lorsque la performance d'un individu varie en fonction de l'interdépendance qui existe entre cet individu et ses compagnons de travail, il est préférable d'utiliser un système collectif de salaire au rendement. Le bonus est donc calculé sur la productivité du groupe mesurée soit par un pourcentage de dépassement d'une norme prédéterminée, soit par un pourcentage de la réduction des coûts directs d'opérations. En remontant la hiérarchie, on constate également l'existence de bonis ou suppléments de salaires distribués aux membres de la haute direction qui varient en fonction d'un pourcentage du salaire gagné ou en fonction de la rentabilité économique de l'entreprise.

— *Le plan optionnel d'achat d'actions (stock option)*

Appliqué surtout au niveau des cadres supérieurs, ce système confère le droit d'acheter un montant spécifique d'actions offertes à un prix inférieur à celui du marché; la différence entre le prix du marché et le prix offert par l'organisation détermine alors la valeur de l'option.

— *Le plan de partage des profits*

Ces plans prévoient une redistribution aux employés d'un pourcentage des profits réalisés au cours d'un exercice financier. Les sommes d'argent ainsi redistribuées varient en fonction du salaire gagné ou en fonction de l'ancienneté et du mérite.

— *Le plan Scanlon*

Ce plan n'entre dans aucune des catégories de systèmes de rémunération décrites plus haut. Il suppose d'abord la mise sur pied d'un comité formé de représentants syndicaux et de représentants de la direction. Ce comité doit décider des sommes d'argent à partager entre tous les employés après une analyse des résultats financiers et des économies réalisées à la fin d'une période mensuelle. Le partage des économies est "fondé sur un ratio entre le coût total de la main-d'oeuvre de l'entreprise et une mesure du rendement, tel que le produit total des ventes ou la valeur ajoutée" ([13]). Le plan prévoit l'établissement d'une réserve d'environ 25% des économies réalisées. Cette réserve permet de rencontrer des déficits éventuels au cours d'une période subséquente. La somme d'argent restante est partagée entre la direction et les employés dans une proportion de 25%-75%. Ce plan vise évidemment à susciter la coopération des employés dans un effort d'amélioration des méthodes de production et de réduction des coûts de production.

— *L'application du principe du mérite*

Certaines entreprises utilisent un système de rémunération basé sur le temps écoulé auquel vient s'ajouter une "prime au mérite". Un tel système vise à briser la rigidité des taux de rémunérations établis avec l'aide d'un plan d'évaluation des emplois et cherche à introduire une relation directe entre la performance et la rémunération. Le principe du mérite appliqué à la détermination de la rémunération individuelle est fortement contesté et pratiquement abandonné. Dans l'application de ce principe, on recourt habituellement aux systèmes existants d'appréciation du personnel qui visent plutôt à évaluer les traits de personnalité des individus qu'à évaluer leur rendement comme tel. Des biais systématiques s'introduisent au moment de l'appréciation. La majorité des salariés se retrouvent évalués au-dessus d'une moyenne qu'on obtiendrait par le moyen d'une distribution normale. Par conséquent, la majorité des employés s'attendent à recevoir "l'augmentation au mérite". Dans ce cas, le système ne permet plus de rémunérer adéquatement le salarié qui fournit un rendement "exceptionnel". Ce système ne peut donc être utilisé que si les conditions suivantes sont réalisées:

a) Que le rendement ou la performance de l'individu soit quantifiable et mesurable

b) Que des rémunérations nettement différentes soient prévues pour des performances nettement différentes

c) Que les salariés puissent croire qu'un accroissement de leur effort ou de leur performance sera effectivement suivie par une différence de rémunération jugée équitable.

7.6 **Questions**

1) Les membres du conseil de l'Université Laval ont décidé par 20 voix contre 18 d'accorder une ''prime de marché'' d'environ $300,000 aux professeurs de génie, de droit, d'architecture et de comptabilité; les autres continuent d'être rémunérés selon l'échelle négociée. Les professeurs qui se distribueront cette ''cagnotte marché'' sont relativement satisfaits puisque leur rémunération se situera à un niveau comparable à celui de leur profession respective. Les autres, qui constituent la majorité, sont plutôt mécontents puisqu'ils considèrent que, pour des charges de travail parfaitement comparables et en tenant compte des classifications, le salaire doit être similaire.

Existe-t-il une incompatibilité entre le facteur marché et l'application du principe d'équité? Si oui, comment peut-on réduire cette incompatibilité?

2) La rémunération établie en se servant d'une méthode de qualification du travail vise plutôt à rémunérer la fonction que l'individu qui l'exerce. Commentez cette affirmation.

3) Est-il juste d'affirmer que l'existence d'un système de rémunération au rendement incite les ouvriers à produire plus pour gagner toujours plus d'argent?

4) Quelle différence existe-t-il entre un plan d'évaluation des tâches qui utilise la méthode des points et un autre qui utilise la méthode de comparaison par facteurs?

5) Quels sont les facteurs dont il faut tenir compte lorsqu'on veut introduire un système de rémunération au rendement?

6) Identifiez les faiblesses d'un système de participation aux profits qui consiste dans le versement de bonis uniformes à tous les employés à la fin de l'exercice financier.

7) Si la méthode des points utilisée pour déterminer la valeur relative d'une tâche est ''objective'', il n'y a pas lieu, dans une entreprise syndiquée, d'inviter les représentants syndicaux à siéger sur un comité d'évaluation des tâches. Commentez cette affirmation.

174

8) Le plan Scanlon est-il applicable dans le secteur de l'enseignement?

9) Etablissez une grille des avantages et des inconvénients des systèmes de rémunération au temps écoulé et au rendement.

10) A lumière de l'information fournie dans cet exposé, peut-on conclure à l'existence d'un système de rémunération idéal?

7.7 Travaux pratiques

7.7.1 Exercice: Système de rémunération

Dans certaines conditions, il serait préférable d'utiliser un système de rémunération au temps écoulé pour payer les employés de façon juste et équitable; dans d'autres conditions il serait préférable d'utiliser un système de rémunération basée sur la performance effective. Indiquez par un X lequel des systèmes serait le plus approprié en tenant compte des conditions décrites.

NATURE DU TRAVAIL ET CONDITIONS D'EXECUTION	PAIEMENT AU TEMPS ECOULE	PAIEMENT AU RENDEMENT
1- Travail répétitif dont la vitesse d'exécution est déterminée par la machine		
2- Perforation de cartes qui seront placées dans un ordinateur		
3- Maintien d'un service après-vente		
4- Travail d'entretien de l'équipement		
5- Coudre des poignets de chemise disposés sur un gabarit		
6- Prendre des radiographies et les interpréter		
7- Travail dont la qualité est beaucoup plus importante que la quantité produite		
8- Supervision d'un groupe de travailleurs rémunérés à la pièce		
9- Fabrication de souliers en série		

7.7.2 Exercice: Evaluation des emplois et structure de salaires*

A. Individuellement ou en triade, déterminez, avec l'aide du guide d'évaluation fourni en annexe, la valeur relative des tâches suivantes:

Secrétaire de direction   Classe:

Secrétaire   Classe:

Commis (sélection des candidats)   Classe:

Sténo-secrétaire   Classe:

* La description de ces emplois et les qualifications requises apparaissent aux pages suivantes. L'auteur remercie l'Université du Québec pour lui avoir fourni la description de ces emplois et le guide d'évaluation.

Commis (service de prêt, bibliothèque)   Classe:

Commis certification   Classe:

B. Attribuez une valeur monétaire aux points de façon à obtenir une échelle de rémunération qui reflète adéquatement les différences en termes de responsabilités assumées et de qualifications exigées.

C. Vérifiez dans quelle mesure les taux que vous avez établis en B se comparent assez bien avec les taux normalement payés pour ces emplois.

D. Quels sont les facteurs qui présentent le plus de difficultés au moment de l'évaluation? Pourquoi?

E. A la suite de cet exercice, que pensez-vous du degré d'objectivité de la méthode des points?

UNIVERSITE DU QUEBEC A MONTREAL
DESCRIPTION DE FONCTION

Date: le 1er juin 1973
CODE: 1660

Titre: SECRETAIRE DE DIRECTION

Sommaire de la fonction:
Sous la direction du supérieur immédiat, effectue différents travaux afin de le dégager de certaines tâches administratives ou académiques; assure la bonne marche du bureau en son absence.

Tâches et responsabilités principales:
1. Renseigne les personnes concernées par certaines politiques et procédures d'ordre courant.
2. Dépouille le courrier et répond elle-même à certaines correspondances.
3. Prend et transcrit la dictée pour la remettre à la signature de son supérieur et prépare des projets de réponse sur des sujets plus complexes.
4. Fait les réservation de train, avion, hôtel, et prépare les formules appropriées.
5. Organise les réunions, établit l'horaire et fait les réservations de locaux.

6. Achemine la documentation relative aux différents comités internes et externes et communique avec les autres universités et certains organismes gouvernementaux.
7. Tient l'agenda de son supérieur et prend les dispositions s'y rattachant; filtre les communications téléphoniques et donne des renseignements d'ordre courant.
8. Reçoit et dirige les visiteurs vers les personnes concernées.
9. Soumet à son supérieur au moment opportun les dossiers en suspens.
10. Assiste son supérieur dans le contrôle budgétaire.
11. Accomplit temporairement les tâches d'un poste connexe ou inférieur lorsque requis.
12. La liste des tâches et responsabilités ci-dessus énumérées est sommaire et indicative. Il ne s'agit pas d'une liste complète et détaillée des tâches et responsabilités susceptibles d'être effectuées par un employé occupant ce poste. Cependant, les tâches et responsabilités non énumérées ne doivent pas avoir d'effet sur l'évaluation.

Qualifications requises:
1. Scolarité: diplôme terminal du cours secondaire.
2. Expérience: quatre (4) années.
3. Autres:
sténographie et dactylographie.

UNIVERSITE DU QUEBEC A MONTREAL

DESCRIPTION DE FONCTION

Date: le 1er juin 1973
Code: 1650

Titre: SECRETAIRE

Sommaire de la fonction:
Sous la direction du supérieur immédiat, remplit les fonctions de secrétaire relativement aux opérations d'un secteur administratif ou académique afin de dégager l'administrateur de certaines tâches d'ordre courant.

Tâches et responsabilités principales:
1. Tient à jour la comptabilité, enregistre dans un journal les dépenses effectuées et fait, sur demande, un rapport des états de comptes.
2. Complète différentes formules administratives en conformité avec les procédures.

3. Fournit, à l'aide de documents (annuaires, répertoire de cours, horaires de cours, procès verbaux, etc.) des informations à la direction, professeurs, étudiants, employés et à certaines personnes de l'extérieur de l'université.
4. Prend et transcrit les dictées, rédige de la correspondance pour la soumettre à la signature du supérieur; rédige et signe la correspondance courante telle que: mémos, bordereaux de transmission, etc.
5. Tient l'agenda de son et/ou ses supérieurs, prend les dispositions s'y rattachant et filtre les communications téléphoniques.
6. Prépare différents tableaux pour des fins académiques tels que: compilation statistique, nombre d'étudiants par programme, par cours, etc.
7. Effectue des travaux pour des fins administratives. Fournit des statistiques telles que: nombre de professeurs, listes des locaux, du mobilier, etc.
8. Ouvre, trie et distribue le courrier.
9. Tient à jour les fiches et dossiers confidentiels et assume la responsabilité d'un système de classement.
10. Assume la responsabilité d'une petite caisse.
11. Réserve les salles de cours, salles de conférences, etc.
12. Utilise des appareils de bureau tels que: calculatrices, photocopieurs, etc.
13. Collabore aux inscriptions en donnant les informations sur les programmes, les horaires et aide les étudiants dans leur choix de cours.
14. Accomplit temporairement les tâches d'un poste connexe ou inférieur lorsque requis.
15. La liste des tâches et responsabilités ci-dessus énumérées est sommaire et indicative. Il ne s'agit pas d'une liste complète et détaillée des tâches et responsabilités susceptibles d'être effectuées par un employé occupant ce poste. Cependant, les tâches et responsabilités non énumérées ne doivent pas avoir d'effet sur l'évaluation.

Qualifications requises:
1. Scolarité: diplôme terminal du cours secondaire
2. Expérience: trois (3) années.
3. Autres: sténographie et dactylographie.

UNIVERSITE DU QUEBEC A MONTREAL
DESCRIPTION DE FONCTION

Date: le 1er juin 1973
Code: 1632

Titre: COMMIS (selection des candidats)

Sommaire de la fonction:
Sous la direction du supérieur immédiat, effectue les tâches inhérentes

à la sélection des candidats.

Tâches et responsabilités principales:
1. Analyse les candidatures des étudiants à certains programmes, les accepte ou les refuse et soumet les cas plus complexes à son supérieur.
2. Etudie les dossiers afin de contrôler les conditions d'admission, les cours pré-requis, etc., aux divers programmes.
3. Contrôle le respect des conditions d'admission définies par les comités de sélection et procède aux recommandations d'admission définitive ou de rejet.
4. Vérifie si les normes d'admission ont été respectées par les comités de sélection et règle les cas litigieux avec les responsables de programmes.
5. Planifie les réunions des comités de sélection, convoque les membres, détermine les dossiers à étudier et vérifie si les dossiers contiennent tous les documents pertinents.
6. Accomplit temporairement les tâches d'un poste connexe ou inférieur lorsque requis.
7. La liste des tâches et responsabilités ci-dessus énumérées est sommaire et indicative. Il ne s'agit pas d'une liste complète et détaillée des tâches et responsabilités susceptibles d'être effectuées par un employé occupant ce poste. Cependant, les tâches et responsabilités non énumérées ne doivent pas avoir d'effet sur l'évaluation.

Qualifications requises:

1. Scolarité: diplôme terminal du cours secondaire.
2. Expérience: deux (2) années.
3. Autres:

UNIVERSITE DU QUEBEC A MONTREAL
DESCRIPTION DE FONCTION

Date: 15 octobre 1975
Code: 1625

Titre: COMMIS (caissière)

Sommaire de la fonction:
Sous la direction du supérieur immédiat, perçoit et rembourse les argents; émet les reçus.

Tâches et responsabilités principales:
1. Encaisse les argents des comptes étudiants et émet les reçus requis.

2. Enregistre les paiements des étudiants sur la caisse enregistreuse et vérifie le compte étudiant s'il y a lieu.
3. Effectue les remboursements d'argent pour: fonds de dépannage aux étudiants, repas, taxis, hôtels, etc.
4. Enregistre toutes les entrées et sorties d'argent sur la caisse enregistreuse, y compris les dépôts d'argent de différents services pour des frais d'admission, d'amendes, de location de salles, de transfert de créances, etc.
5. Vérifie et balance quotidiennement le rapport de caisse avec les argents reçus et les pièces justificatives (déboursés).
6. Prépare le dépôt en remplissant un bordereau, en subdivisant les chèques par nom de banque ou de caisse et en classifiant les billets et la monnaie par leur valeur numérique.
7. Assume la responsabilité d'une caisse.
8. Prépare et envoie les reçus des encaissements par la poste.
9. Répond occasionnellement au téléphone et règle les problèmes des étudiants concernant leurs comptes.
10. Accomplit temporairement les tâches d'un poste connexe ou inférieur lorsque requis.
11. La liste des tâches et responsabilités ci-dessus énumérées est sommaire et indicative. Il ne s'agit pas d'une liste complète et détaillée des tâches et responsabilités susceptibles d'être effectuées par un employé occupant ce poste. Cependant, les tâches et responsabilités non énumérées ne doivent pas avoir d'effet sur l'évaluation.

Qualifications requises:

1. Scolarité: diplôme terminal du cours secondaire
2. Expérience: une (1) année
3. Autres: connaissance de la dactylographie

UNIVERSITE DU QUEBEC A MONTREAL
DESCRIPTION DE FONCTION

Date: 1er juin 1973
Code: 1630

Titre: STENO-SECRETAIRE

Sommaire de la fonction:
Sous la direction du supérieur immédiat, sténographie et/ou dactylographie des textes. A l'occasion, utilise un appareil enregistreur, fournit les informations appropriées, ouvre, trie, distribue le courrier et s'occupe d'un système de classement.

Tâches et responsabilités principales:
1. Sténographie et retranscrit des textes et/ou les dactylographie à partir d'un appareil enregistreur.
2. Dactylographie des textes tels que: notes manuscrites, lettres, rapports, mémoires, formules, etc.
3. Effectue les recherches appropriées afin de fournir les informations nécessaires aux professeurs, étudiants, employés et, à l'occasion, à certaines personnes de l'extérieur de l'université.
4. Rédige ou transcrit la correspondance relative aux demandes de renseignements d'ordre courant.
5. Tient l'agenda de son et/ou ses supérieurs et prend les dispositions s'y rattachant.
6. Ouvre, trie et distribue le courrier.
7. Assume la responsabilité d'un système de classement, est appelée à tenir des dossiers confidentiels.
8. Utilise des appareils de bureau tels que: calculatrices, photocopieurs, etc.
9. Aide les responsables lors de l'inscription des étudiants, émet les listes et compile les notes.
10. Effectue des recherches appropriées afin de compléter les dossiers des étudiants et demande les pièces manquantes telles que: notes, crédits obtenus, etc.
11. Compile les notes d'un étudiant pour le service des diplômes et envoie les avis de reprises d'examens.
12. Accomplit temporairement les tâches d'un poste connexe ou inférieur lorsque requis.
13. La liste des tâches et responsabilités ci-dessus énumérées est sommaire et indicative. Il ne s'agit pas d'une liste complète et détaillée des tâches et responsabilités susceptibles d'être effectuées par un employé occupant ce poste. Cependant, les tâches et responsabilités non énumérées ne doivent pas avoir d'effet sur l'évaluation.

Qualifications requises:

1. Scolarité: diplôme terminal du cours secondaire
2. Expérience: une (1) année
3. Autres: sténographie et dactylographie

UNIVERSITE DU QUEBEC A MONTREAL

DESCRIPTION DE FONCTION

Date: 1er juin 1973
Code: 1616

Titre: COMMIS (bibliothèque)

Sommaire de la fonction:
Sous la direction du supérieur immédiat, exécute des tâches relatives à la préparation matérielle, au prêt, au rangement, au repérage et à la réception des volumes ou autres documents et matériaux.

Tâches et responsabilités principales:
1. Tient à jour les registres d'emprunts et enregistre sur des fiches la sortie et le retour des volumes.
2. Classe des volumes, factures ou fiches de prêts selon le système établi, déménage des collections, monte des rayons, etc.
3. Localise les documents d'accès facile et les remet au comptoir du prêt.
4. Renseigne les usagers sur des questions de routine telles que: localisation d'un volume, etc.
5. Surveille les entrées et les sorties de la bibliothèque ainsi que les objets personnels laissés à l'entrée par les usagers.
6. Reçoit, déballe, ventile et distribue le courrier (colis, volumes, etc.) à qui de droit.
7. Insère les factures et fiches dans les volumes correspondants.
8. Transmet les messages urgents à l'intérieur et/ou à l'extérieur de l'université.
9. Estampille, selon les procédures établies, les volumes ou autres documents et matériaux.
10. Emballe et déballe les volumes pour expédition à l'intérieur ou à l'extérieur de l'université.
11. Opère la machine à polycopier.
12. Etablit et tient à jour des statistiques de nature simple.
13. Accomplit temporairement les tâches d'un poste connexe ou inférieur lorsque requis.
14. La liste des tâches et responsabilités ci-dessus énumérées est sommaire et indicative. Il ne s'agit pas d'une liste complète et détaillée des tâches et responsabilités susceptibles d'être effectuées par un employé occupant ce poste. Cependant, les tâches et responsabilités non énumérées ne doivent pas avoir d'effet sur l'évaluation.

Qualifications requises:

1. Scolarité: diplôme terminal du cours secondaire
2. Expérience: moins de six (6) mois
3. Autres   connaissance de la dactylographie

UNIVERSITE DU QUEBEC A MONTREAL

DESCRIPTION DE FONCTION

Date: 1er juin 1973
Code: 1621

Titre: COMMIS (certification)

Sommaire de la fonction:
Sous la direction du supérieur immédiat, effectue des tâches inhérentes à la section de la certification.

Tâches et responsabilités principales:
1. Reçoit les demandes et les dossiers des étudiants.
2. Vérifie le dossier informatisé afin qu'il soit conforme au dossier étudiant et effectue les corrections (programme, résultats, équivalences, etc.).
3. Communique avec le directeur ou la secrétaire du module et demande les renseignements nécessaires en rapport avec les dossiers (équivalences, notes manquantes, etc.).
4. Vérifie la validité des corrections demandées par le responsable du programme et y donne suite s'il y a lieu.
5. Photocopie tous les documents nécessaires (diplômes, attestations, etc.).
6. Remet le dossier et les documents produits à son supérieur.
7. Dactylographie: relevés de notes, attestations, lettres, etc.
8. Accomplit temporairement les tâches d'un poste connexe ou inférieur lorsque requis.
9. La liste des tâches et responsabilités ci-dessus énumérées est sommaire et indicative. Il ne s'agit pas d'une liste complète et détaillée des tâches et responsabilités susceptibles d'être effectuées par un employé occupant ce poste. Cependant, les tâches et responsabilités non énumérées ne doivent pas avoir d'effet sur l'évaluation.

Qualifications requises:

1. Scolarité: diplôme terminal du cours secondaire
2. Expérience: une (1) année
3. Autres: connaissance de la dactylographie

ANNEXE 1:

Formule d'évaluation "groupe bureau"

Cette formule d'évaluation de fonctions devra être utilisée pour chaque titre de fonction.

Titre: **Date:**
Classe: **Code:**

Facteur no.	Appellation	Degré du facteur	Nombre de points
1	Scolarité		
2	Expérience		
3	Complexité du travail		
4	Responsabilité d'action		
5	Responsabilité de surveillance		
6	Contacts		
7	Conditions de travail		
	Total		

Premier facteur: scolarité

Ce facteur sert à apprécier le degré minimum de connaissances générales et la formation spécialisée pour accomplir ou s'initier aux tâches de la fonction. Il ne prend en considération que les connaissances générales et particulières pré-requises chez celui qui occupe ou postule une fonction lesquelles s'acquièrent par l'étude dans une école, un collège ou un institut.

Degrés   **Points**

(A)   50   Cours pré-secondaire

(B)   90   Diplôme terminal du cours secondaire

(C)   120   Fonctions exigeant au moins une année supplémentaire de spécialisation après l'obtention du diplôme terminal du cours secondaire

(D)   150   Cours collégial général (13)

Deuxième facteur: expérience

Ce facteur définit le nombre de mois ou d'années d'expérience pertinente similaire ou connexe pour remplir la fonction de façon satisfaisante.

Degrés	Points	Temps minimum requis
(A)	10	Moins de 6 mois
(B)	50	6 mois à 12 mois
(C)	90	1 an
(D)	130	2 ans
(E)	170	3 ans
(F)	210	4 ans
(G)	250	6 ans et plus

Troisième facteur: complexité du travail

Ce facteur indique le degré de complexité des tâches. Celle-ci est déterminée par la nature du travail, la multiplicité des opérations et des problèmes, le nombre d'éléments variables qui font appel à l'analyse, au jugement, à l'initiative et à l'ingéniosité.

Degrés	Points	

(A)   20   Tâches simples et routinières qui comportent l'application d'instructions ou de procédés limités en nombre et très bien définis. Il y a peu de choix dans les modes d'action.

(B)   65   Tâches simples mais variées ne laissant au salarié que très peu d'éléments à analyser; l'accomplissement du travail fait que le salarié doit occasionnellement exercer un jugement en vue d'accomplir les tâches qui lui sont assignées.

(C)	110	Tâches plus complexes mais d'une certaine façon répétitives exigeant l'analyse de quelques variables limitées en nombre, dans un domaine semi-spécialisé ou spécialisé, là où généralement la spécialité de la fonction ou du service oriente l'analyse en vue de l'accomplissement des tâches.
(D)	155	Tâches plus complexes et plus variées, dans un domaine spécialisé, qui impliquent l'analyse fréquente d'éléments ou de techniques variés et/ou nouveaux pour déterminer l'action à prendre à l'intérieur de limltes généralement bien définies par la pratique, la fonction, spécialité et/ou par des instructions ou règlements.
(E)	200	Tâches diversifiées et complexes, dans un domaine spécialisé, qui impliquent l'analyse régulière d'éléments et de techniques spécialisées pour appliquer adéquatement des procédés de travail plus complexes et/ou déterminer l'opération ou l'action à prendre en fonction de normes établies. Les problèmes et situations rencontrés ne tombent pas toujours à l'intérieur des limites déterminées par la pratique et les précédents; il est alors nécessaire d'adapter ou de modifier les méthodes et les techniques spécialisées du travail dans le champ d'activité de la tâche.

Quatrième facteur: responsabilité d'action

Ce facteur mesure le degré d'autonomie d'action inhérente à la fonction.

Degrés   Points

(A)	10	Le travail s'effectue selon des instructions précises et/ou des procédés de travail connus.
(B)	30	Le travail est accompli à l'intérieur de procédés plus généraux et les décisions sont d'un caractère routinier.
(C)	75	Le travail comporte une liberté d'action dans les méthodes, les techniques et procédés de travail. Les décisions sont prises à l'intérieur des limites prescrites.

(D) 100 Le travail comporte une liberté d'action dans la planification et l'organisation du travail et dans la participation à l'élaboration des méthodes et procédures. Les décisions sont prises à partir des directives et politiques du ou des services de l'université.

Cinquième facteur: responsabilité de surveillance

Ce facteur mesure le degré de surveillance requis pour le contrôle de l'exécution du travail: la répartition des tâches, le choix des méthodes à suivre, la vérification du travail effectué. Ce facteur tient compte également du nombre de salariés surveillés.

Degrés Nombre

(A) Surveillance d'aucun salarié mais la fonction comporte l'initiation d'un nouveau salarié.

(B) Surveillance de façon régulière et continue d'une (1) à trois (3) personnes inclusivement avec la responsabilité de l'accomplissement des tâches; les responsabilités incluent la répartition du travail, les instructions au besoin et la vérification du travail accompli.

(C) Surveillance de façon régulière et continue de quatre (4) à huit (8) personnes inclusivement avec la responsabilité de l'accomplissement des tâches. La surveillance consiste dans l'assignation et la vérification du travail et la formulation des instructions requises pour l'accomplissement du travail.

(D) Surveillance de façon régulière et continue de neuf (9) personnes ou plus inclusivement avec la responsabilité de l'accomplissement des tâches. La surveillance consiste dans l'assignation et la vérification du travail et la formulation des instructions requises pour l'accomplissement du travail.

Degrés Nature du travail

(A) Travail nécessitant l'application d'instructions, règlements et procédés plus ou moins variés à l'intérieur de limites opérationnelles généralement bien définies par la pratique: ceci fait qu'un degré limité de planification et de coordination d'activités est requis de la part du surveillant.

(B)   Travail nécessitant l'application d'instructions, règlements et procédés variés dans un domaine administratif ou technique particulier, là où la pratique ainsi que les limites opérationnelles font qu'un degré plus élevé de planification et de coordination d'activités est requis de la part du surveillant.

(C)   Travail nécessitant l'application d'instructions, règlements et procédés de travail diversifiés dans un domaine administratif ou technique plus étendu ou complexe, là où la pratique ainsi que les limites opérationnelles font qu'un degré très élevé de planification, coordination et direction d'activités s'avère nécessaire de la part du surveillant.
Degrés et points.

Degrés	a	b	c
A	5		
B	50	75	100
C	75	100	125
D	100	125	150

Sixième facteur: contacts

Ce facteur mesure la nature et la fréquence de tous contacts inhérents à la tâche à accomplir. Il considère les contacts internes et externes.

	Echange de renseignements de routine		Echange de renseignements qui demande de la discussion, des explications et de la persuasion	
	(a) Peu (− de ⅓) (du temps)	(b) Nombreux	(c) Peu (− de ⅓) (du temps)	(d) Nombreux
A) Contacts à l'intérieur du service avec le personnel et/ou des étudiants.	5	10	15	20
B) Contacts inter-services.	15	20	45	60
C) Contacts avec des gens autres que ceux de l'université.	25	30	75	100

Septième facteur: conditions de travail

Ce facteur évalue l'entourage ou les conditions dans lesquelles le travail doit être effectué.

Facteurs à considérer

Bruit causé par le fonctionnement de machines, risque d'accident, effort physique, attention visuelle.

Degrés   Points

(A)   0   Conditions ordinaires de bureau et attention visuelle normale.

(B)   20   Présence d'un facteur quelconque pouvant affecter continuellement l'exécution du travail.

(C)   50   Présence de plusieurs facteurs pouvant affecter continuellement l'exécution du travail.

Délimitation des classes

Classe	Points
1	90 — 150
2	151 — 225
3	226 — 300
4	301 — 375
5	376 — 450
6	451 — 525
7	526 — 600
8	601 — 675
9	676 — 750
10	751 et plus

BIBLIOGRAPHIE: sources consultées au cours de la rédaction de l'exposé.

1) PIERRE Joseph C., "La gestion des ressources humaines: une approche intégrée et provision-nelle". *Management France*, No 6, juin 1974.

2) BELANGER Laurent, "Le rôle d'un service du personnel dans une administration scolaire plus humaine". *Relations industrielles*, Québec, Vol. 28, No 4, 1973.

3) ANTHONY P.W. et NICHOLSON E.A., *Management of Human Ressources: A Systems Approach to Personnel Management*, Grid Inc., Columbus, Ohio, 1977.

4) ODIORNE George, *Personnel Administration by Objectives*. Richard D. Irwin, 1971.

5) LANGEVIN J.-L., TREMBLAY R. et BELANGER L., *La direction participative par objectifs*. Dossier Management No 2, Presses de l'Université Laval, Québec, 1976.

6) SAPPEY P.L., "La fonction "Personnel": finalités et objectifs possibles", *Personnel*, France, No 148, janvier 1972.

7) RABE W.F., "Yardstick for Measuring Personnel Department Effectiveness", *Personnel*, janv. fév. 1967.

8) JACQUET J.-L. et PERRIN D.-H., *La fonction personnel en gestion*, Paris, Entreprise et Person-nel, Document interne, 1972.

9) MACGREGOR D., *La dimension humaine de l'entreprise*, Paris, Gauthier — Villars, 1976.

10) CROZIER M., "Les problèmes humains que posent les structures de l'entreprise dans une société et changement", *Organisation et gestion des entreprises*, mars 1971.

11) STRAUS George, "Organizational Behavior and Personnel Relations", dans Ginsburg W.L. et alii, *A Review of Industrial Relations Research*, Madison, Wisconsin, 1970.

12) SHAW Malcoud E., "The Behavioral Science: a New Image". *Training and Development Journal*, février 1977.

13) DONNAY, Lucienne, "Bilan de la Psychologie et perspective d'applications", *Chefs, Revue Suisse du Management*, octobre 1973.

14) CONFEDERATION PATRONALE SUEDOISE (SAF), *Gestion participative des ateliers; bilan de 500 cas de réorganisation des tâches*, Ed. Hommes et Techniques, Surennes, 1977.

15) LEFEBVRE C. et ROLLOY C., *L'amélioration des conditions de travail dans les emplois administratifs*, Chotard, Paris, 1976.

16) BERNIER Jean et al., *Les relations du travail du Québec: la dynamique du système*, Presses de l'Université Laval, 1976.

17) "Réflexions sur le problème des jeunes face à l'emploi industriel, *Personnel*, France, sept 1976, No 190.

18) SARTIN, Pierrette, Jeunes au travail, jeunes sans travail. Editions d'Organisation, Paris, 1977.

19) DELPLANQUE B., "Les attentes des jeunes dans le travail", *Direction et gestion des entrepri-ses*, Vol. 2, No 5, 1975.

20) DEPATIE Francine, La femme dans la vie économique et sociale du Québec, *Forces*, N° 27, 1974.

Lectures additionnelles en français

Bureau International du Travail, *La qualification du travail,* Imprimerie Grandchamp, Genève, 1960, 140 pp.

BESSING, X., "L'analyse des fonctions", *Personnel,* (Paris), sept. 72, no 154, pp. 15-32.

BEAL, F., "Playdoyer pour l'évaluation des emplois", dans Pigors P., Myers, C.A. et F.T. Malm, *La gestion des ressources humaines,* Suresnes, France, 1977, ch. 38.

BOYER, A. et J. DUBOIS, "Ce que doit être une structure logique et moderne de la rémunération du travail", *Travail et Méthodes,* fév. 1966, pp. 16-19.

DELORME, François, *La rémunération globale: est-il possible de la mesurer?,* Ministère du Travail et de la Main-d'oeuvre, Direction générale de la recherche, novembre 1977, 16 pages.

DUBOIS, L., "Les principaux problèmes concrets de la mise en place d'une politique des salaires", *Travail et Méthodes,* Mai 1973, pp. 39-41.

DUBOIS, J., "Pour déterminer une politique des salaires, connaître les aspects essentiels du salarié", *Travail et Méthodes,* Mars 1973, pp. 23-25.

JACQUES, Elliot, *Rémunération objective des cadres et du personnsl,* Editions Hommes et Techniques, Nevilly-Sur-Seine, 1963, 320 pages.

JARDILLER, P. ET M.C. LUPE, *De la qualification du travail à l'évaluation des fonctions,* Entreprise Moderne d'Edition, Paris, 1976.

MANGUM, G.L., "Le système des primes de rendement est-il périmé?" dans Pigns P., Myers, C.A. et F.T. Malm, *La gestion des ressources humaines,* Editions Hommes et Techniques, Surismes, France, 1977, ch. 40.

ROSIN, José, "Les éléments qui déterminent la rémunération", dans *Reflets et Perspectives,* Bruxelles, Belgique, Tome XII, no 4, 1973, pp. 301-315.

ROULLET, V., "La structuration des tâches de la section tertiaire", *Production et Gestion,* no 277, nov. 75, pp. 48-57.

LECTURES ADDITIONNELLES EN ANGLAIS

BELCHER, David W., *Compensation Administration,* Englewot d Cliffs, New York, Prentice-Hall, 1974, pp. 311-335.

BERG, J. Gray, *Managing Compensation,* New York, AMACOM, 1976, 250 pages.

BRENHAM, C.W., *Wage Administration,* Plans, Practices and Principles, Richard D. Irwin, Homewood, 1963.

DUNN, J.D. et F.M. RACHEL, *Wage and Salary Administration: Total Compensation Systems,* New York, McGraw-Hill Book Co., 1971.

HENLEY, J.S., "Salary Administration", *Personnal Management,* janv.-fév., Vol. 4, no 4, pp. 28-30.

LAWLER III, E.E., *Pay and Organizational Effectivness: A Psychological View,* New York, McGraw-Hill Book Co., 1971.

LIVY, Bruan, *Job Evaluation: a Critical Review,* New York, John Wiley and Sons, 1975, 192 pages.

MANGUM, Garth L., "Are Wage Incentives Becoming Obsolete", *Industrial Relations,* Vol. 2, oct. 1968.

MORRIS, S. Walker, *Principles and Practice of Job Evaluation,* London, Heinemann, 1973, 194 pages.

PORTER, L.W. et E.E. LAWLER III, *Managerial Attitudes and Performance,* Richard D. Irwin, Homewood, Illinois, 1968.

LES RELATIONS DU TRAVAIL ET LA GESTION
DES RESSOURCES HUMAINES

(négociation et administration
des conventions collectives)

Les relations du travail se définissent comme l'ensemble des rapports individuels et collectifs qui s'établissent et se développent entre la direction et ses différentes catégories de personnel dans la production d'un bien ou la prestation d'un service. Habituellement, cette expression est utilisée pour délimiter le domaine des rapports individuels et collectifs à établir et à maintenir entre la direction et les salariés syndiqués, conformément aux dispositions des lois du travail en vigueur, puisque fondamentalement la relation du travail origine d'un lien de subordination juridique entre un employeur et un salarié.

Puisque les "relations du travail" s'inscrivent à l'intérieur d'un encadrement juridique, elles sont donc ordonnées et, du moins, "réglementées"; elles se distinguent alors des "relations humaines" qui sont plutôt d'origine spontanée. Les "relations humaines" se caractérisent par un ensemble d'échanges interpersonnels qui prennent place au moment de l'accomplissement des activités de travail et qui se développent au sein des groupes de travail en réponse à un besoin d'appartenance sociale et de sécurité affective.

Au cours de cet exposé, nous tenterons de décrire deux activités importantes qui s'insèrent dans la dimension administrative de la gestion des ressources humaines et qui concernent surtout les rapports collectifs du travail:

1)   la détermination conjointe (employeur - salariés syndiqués) des conditions de travail qui donne lieu à la signature d'une convention collective

2)   la solution des problèmes que soulèvent l'interprétation et l'application d'une convention collective.

Ce sont là deux activités importantes, non seulement à cause de leur impact sur le rendement des salariés et sur la dimunition de leur mécontentement à l'égard de la situation de travail, mais encore à cause du temps consacré par les membres d'un service de personnel (approximativement 60% dans le contexte nord-américain) à l'accomplissement de cette double tâche: la négociation et l'administration des conventions collectives.

Pour décrire convenablement ces deux activités, nous croyons utile de présenter au préalable un aperçu de l'ampleur du phénomène de la syndicalisation de même qu'un schéma de l'encadrement juridique qui précède à l'établissement et à la normalisation des rapports collectifs de travail.

8.1 Le phénomène syndical

On s'est longtemps interrogé sur les multiples raisons qui ont incité et qui incitent encore des salariés à se regrouper en syndicats. Fondamentalement, la syndicalisation naît d'un désir chez le salarié de promouvoir et de défendre ses intérêts économiques et son statut dans l'entreprise par le recours à l'association. Ce désir origine dans une perception commune des conditions de travail (rémunération, avantages sociaux, mutation, promotion, mise à pied, licenciement, sécurité, hygiène, etc...) dont la détermination relève des prérogatives de la direction et dont la marge de liberté est considérée par les salariés comme une marge ''d'arbitraire''. La syndicalisation naît également d'un désir chez les salariés de faire valoir leur point de vue dans la prise de décisions qui les concernent et d'exercer un contrôle sur l'application de ces décisions.

Les premières tentatives de regroupement des travailleurs en syndicats ou unions sur une base locale et fortement décentralisées remontent au début du dix-neuvième siècle tant aux Etats-Unis qu'au Canada. Ce n'est qu'après avoir échappé à la rigueur des lois interdisant la ''conspiration'' et ce n'est qu'après avoir obtenu une reconnaissance juridique (Clayton Act, aux Etats-Unis en 1914; la Loi des syndicats professionnels, au Québec, en 1924), que les syndicats ont pu négocier des conventions collectives de travail. Actuellement, on retrouve au Canada et au Québec une multitude d'unités syndicales regroupée au sein d'unités plus vastes ou affiliées à des centrales.

8.1.1 Les centrales syndicales

— A l'échelle canadienne, le Congrès du travail du Canada (CTC), créé en 1956 à la suite de la fusion du Congrès des métiers et du travail du Canada avec le Congrès canadien du travail, regroupe plus de deux millions de syndiqués, répartis dans des unités locales affiliées à des unions internationales ou nationales. Le CTC comprend également dix fédérations provinciales, dont la Fédération des travailleurs du Québec (F.T.Q.); l'affiliation des unités locales à ces fédérations demeurant facultative. La F.T.Q. regroupe 279,281 membres, ce qui représente environ le tiers des effectifs syndiqués au Québec(¹).

— La Confédération des syndicats nationaux (CSN) fut fondée en 1921 sous le nom de Confédération des travailleurs catholiques du Canada. Elle prenait alors une orientation fortement nationaliste et chrétienne, en réaction contre les unions américaines dont on appréhendait le caractère de neutralité et avec une intention de mettre en application les enseignements de l'Encyclique Rerum Novarum(²). La presque totalité de ses effectifs (environ 137,000 en 1977∗) se retrouve dans la province de Québec au sein d'une dizaine de fédérations comprenant des unités locales obligatoirement affiliées.

— La Centrale des syndicats démocratiques (CSD) est une centrale relativement jeune, fondée en 1972 à la suite d'une scission au sein de la Confédération des syndicats nationaux. Elle regroupait, en 1975, 38,557(³) membres.

— La Centrale des enseignants du Québec (CEQ), autrefois la Corporation des enseignants du Québec. La CEQ comprend surtout des syndicats d'instituteurs à l'emploi des commissions scolaires (niveaux élémentaire et secondaire), quelques syndicats de personnel de soutien et deux syndicats de professeurs de niveau universitaire. Ses effectifs, en 1975, sont évalués à environ 84,905 membres(⁴).

D'autres unions et fédérations ne sont affiliées à aucune centrale:
- L'Association des policiers provinciaux du Québec (APPQ)
- Le Syndicat des fonctionnaires provinciaux du Québec (FPQ)
- La Fédération canadienne des associations indépendantes (FCAI)
- Le Syndicat professionnel des infirmiers catholiques (SPIC)
- The Provincial Association of Catholic Teachers (PACT)
- The Provincial Association of Protestant Teachers (PAPI)
- Le Syndicat des travailleurs de l'Alcan
- La Fédération des associations de professeurs des universités du Québec (FAPUQ).

∗ En 1975, selon un relevé du ministère du Travail (Ottawa), (Organisation des travailleurs au Canada), la CSN déclarait des effectifs évalués à 173,610 membres. À la suite de certaines désaffiliations, en particulier le Syndicat des travailleurs de l'Alcan (6,000 membres) et le Syndicat des fonctionnaires provinciaux (30,000), nous avons évalué les effectifs de cette centrale à 137,000 membres. Il faut souligner que les statistiques sur les effectifs syndicaux doivent être utilisées avec prudence, surtout lorsque le calcul est effectué à l'aide d'un relevé des cotisations syndicales payées. En vertu de l'application de la Formule Rand, plusieurs salariés paient des cotisations syndicales sans être membres d'un syndicat.

— Les Travailleurs alliés et techniques du Canada et des Etats-Unis (TAT), ancien district 50 des United Mines Workers of America
— La Fraternité internationale d'Amérique des camionneurs, chauffeurs, préposés d'entrepôts et aides.

8.1.2 Le degré de pénétration du syndicalisme

La présence de centrales syndicales, de fédérations ou de syndicats autonomes laissent voir un premier aspect du degré d'organisation des salariés pour la défense de leurs intérêts. Le degré de pénétration du syndicalisme constitue un deuxième aspect. Pour en juger, nous présentons les données suivantes tirées des rapports annuels publiés par le ministère du Travail et intitulés: *Organisations des travailleurs au Canada.*

Tableau 8.1

Effectifs syndicaux en pourcentage des travailleurs
non-agricoles rémunérés au Canada
(années sélectionnées*)

Années	Effectifs syndicaux (millions)	Travailleurs non-agricoles rémunérés (millions)	% des effectifs syndicaux par rapport aux travailleurs non-agricoles rémunérés
1921	313	1 956	16.0
1931	311	2 028	15.3
1941	462	2 566	18.0
1951	1 029	3 625	28.4
1961	1 147	4 578	31.6
1971(a)	2 231	6 637	33.6
1972	2 371	6 893	34.4
1973	2 591	7 181	36.3
1974	2 726	7 637	35.7
1975	2 875	7 817	36.8

(a) comprend Terre-Neuve pour la première fois

---

* Une distribution de ces données pour chaque année (1921 à 1975) sont présentées à l'annexe 4 de l'ouvrage suivant: Dion, Gérard, *Dictionnaire des relations du travail*, Presses de l'Université Laval, 1976, pp. 652-653.

Ces données nous permettent de constater qu'à l'échelle canadienne, sans tenir compte des fortes disparités d'un secteur industriel à l'autre, la proportion des syndiqués par rapport à la population active est plutôt faible: environ un tiers depuis le début des années 60 et moins de 20% au cours de la période 1921-1941. Au cours de la dernière guerre et dans les années qui suivirent, le degré de pénétration du syndicalisme s'est accentué. Cette percée coïncide également avec le passage d'un syndicalisme de métier à un syndicalisme industriel. Ces données, cependant, ne nous permettent pas de juger de l'influence que peut avoir le syndicalisme dans l'économie canadienne et québécoise. Une bonne proportion des travailleurs bénéficient des avantages obtenus par le syndicalisme au plan d'une amélioration des conditions de travail et de la législation sans être membres d'un syndicat.

Cette situation est due au fait que plusieurs salariés sont compris dans une unité d'accréditation sans être membres d'un syndicat, qu'un certain nombre de travailleurs oeuvrent dans des secteurs industriels régis par un décret (conventions collectives extensionnées), que des employeurs, pour contrer le syndicalisme, offrent des conditions de travail qui se comparent à celles établies dans des entreprises syndiquées.

8.2 L'encadrement juridique

Sans entrer dans les détails de la multitude des lois qui régissent les rapports individuels et collectifs du travail, nous essaierons de présenter sous une forme schématique l'économie générale du droit du travail québécois (le Code du travail et les modifications récemment apportées par le projet de loi no 45), dont la connaissance est un préalable à la négociation et l'administration d'une convention collective. Pour ce faire, nous reproduisons ici, en y apportant quelques modifications, un schéma déjà élaboré par les auteurs Blouin et Morin[5].

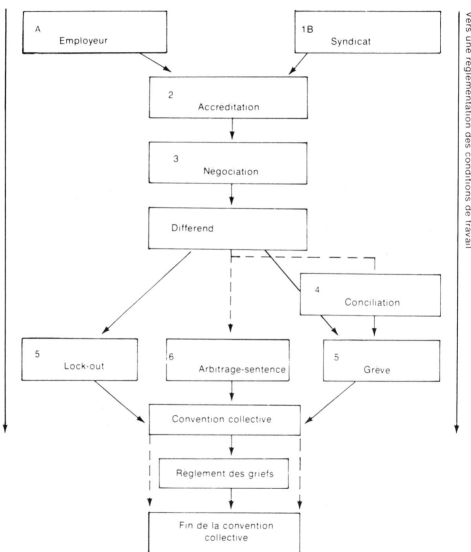

Explication du schéma:

Ce schéma indique les principales étapes à franchir (certaines sont facultatives, d'autres sont obligatoires) pour arriver à la signature d'une convention collective et à la solution des problèmes d'interprétation ou d'application qui peuvent survenir pendant la durée de cette convention.

1A-1B Une première étape consiste en l'identification des parties en présence. Les articles 1 à 20 du *Code du travail* traitent de la définition de salarié, d'association de salariés, d'association d'employeurs et finalement du droit d'association.

2- La détermination du syndicat majoritaire habilité à négocier et à signer une convention collective constitue l'étape de l'accréditation régie par les articles 20 à 40 et 100 à 120. Le Projet de loi no 45 permet à l'agent d'accréditation de procéder au scrutin secret pour s'assurer du caractère représentatif de l'association lorsqu'il y a "accord entre l'employeur et l'association... sur l'unité de négociation et sur les personnes qu'elle vise et qu'il y a entre 35% et 50% des salariés dans cette unité qui sont membres de l'association de salariés". Art. 24(b).

3- Au cours de cette étape, la négociation collective directe s'engage. Ce sont les articles 40, 41, 42, 46 et 47 qui s'appliquent alors.

4- Même si une forte proportion des conventions collectives sont signées sans recours à la grève ou à l'arbitrage, il n'en demeure pas moins qu'un différend peut survenir. Les parties peuvent alors faire appel à la conciliation (Articles 43, 44, et 45 du Code du travail). Des modifications apportées par le Projet de loi no 45 rendent maintenant facultatif le recours à la conciliation. Cependant, le ministre peut de son propre chef désigner un conciliateur sans attendre la demande de l'une ou l'autre des parties.

5- Advenant une impasse sérieuse, les parties peuvent utiliser des moyens de pression tels que le lock-out ou la grève (articles 46, 93 à 100 du Code du travail). En vertu des nouvelles dispositions, le droit de grève est maintenant acquis quatre-vingt-dix jours après la réception par le ministre d'une copie de l'avis de négociation transmis par l'une ou l'autre des parties. En l'absence d'un tel avis, c'est le jour de l'expiration de la convention collective qui tient lieu d'avis. Ces nouvelles dispositions interdisent l'embauche de "scabs" ou briseurs de grèves.

6- Sans recourir à la grève ou au lock-out, les parties peuvent soumettre leur différend à un conseil d'arbitrage qui les entendra et rendra une sentence ayant l'effet d'une convention collective signée par les parties (articles 62 à 82 du Code). Dans le cas des policiers et pompiers, l'interdiction du droit de grève rend obligatoire cette étape de l'arbitrage des différends lorsque les parties ne peuvent s'entendre (articles 82-87). Le ministre peut également charger un conseil d'arbitrage de déterminer le contenu d'une première convention collective à la demande d'une partie après que l'intervention du conciliateur se sera avérée infructueuse (art. 81 a, b, c, d).

7- La signature et le dépôt de la convention collective vient clore la négociation (art. 50 à 57 et 60). De nouvelles dispositions apportées par le Projet de loi no 45 prévoient que la convention prend effet au moment de sa signature alors qu'auparavant la convention prenait effet au moment de son dépôt au ministère.

8- Puisqu'une convention collective ne peut englober toutes les situations concrètes qui peuvent survenir pendant sa durée, les mésententes relatives à l'interprétation ou à l'application qui sont soulevées doivent obligatoirement trouver une solution, le recours à la grève et au lock-out étant alors interdit. Pour ce faire, un tribunal doit être formé pour entendre les griefs non-réglés aux étapes antérieures de la procédure. Les membres du tribunal sont choisis par les parties; si elles ne s'entendent pas sur le choix, le ministre du Travail nomme le président du tribunal. La sentence rendue est sans appel et lie les parties (art. 88 à 90 du Code du travail). Les nouvelles dispositions du Projet de loi no 45 accordent beaucoup plus de pouvoir au tribunal d'arbitrage: pouvoir d'assigner et d'assermenter des témoins, pouvoir de poser les questions qu'il croit utiles, pouvoir de visiter les lieux de travail.

8.3 La négociation d'une convention collective: préparation et déroulement

La négociation collective consiste essentiellement en un processus de discussion et de tractations entre des parties en présence l'une de l'autre "employeur(s) et syndicat(s)" en vue d'établir une réglementation en termes de droits et d'obligations qui va donner lieu à la signature d'une convention collective. Si les parties veulent maintenir un niveau de discussion ordonnée et bien informée, la préparation devient une phase importante de la négociation.

8.3.1 Préparation des négociations

Cette préparation comprend tout un ensemble d'activités qu'on peut regrouper sous les deux dimensions suivantes:

— L'établissement des structures de négociation

— La cueillette et le traitement de l'information nécessaire à l'élaboration et l'explication des positions respectives des parties.

8.3.1.1   L'établissement des structures de négociation

Lorsqu'on parle de structures de négociations, on réfère en pratique au nombre de paliers et de tables de négociation, à la délimitation des objets de négociation qui seront discutés à l'un ou l'autre des paliers et des tables. Ces structures varient en fonction des situations suivantes:

— Un établissement unique et un syndicat unique
— Un établissement unique et deux ou trois unités d'accréditation distinctes
— Une entreprise à établissements multiples et un syndicat unique
— Une entreprise à établissements multiples et des syndicats multiples: c'est le cas, par exemple, de l'Université du Québec avec ses constituantes, où l'on retrouve des locaux affiliés à différentes centrales syndicales et des associations de personnel de cadre non-accréditées
— Des entreprises multiples et un syndicat unique
— Des entreprises multiples et des syndicats multiples
— Une association d'employeurs et un syndicat unique
— Une association d'employeurs et des syndicats multiples: le cas de l'industrie de la construction où l'on retrouve des locaux affiliés à différentes centrales syndicales.

Les secteurs public et para-public présentent une situation plus particularisée parce qu'on y retrouve souvent trois paliers et au moins neuf tables de négociations: un palier central, un palier sectoriel, un palier local et autant de tables de négociation que le nombre de catégories socioprofessionnelles qui y sont représentées.

L'établissement des structures de négociation suppose également une délimitation des objets de négociation qui seront discutés aux différents paliers; Par conséquent, les parties doivent s'entendre au préalable sur une liste d'éléments ou de conditions de travail qui seront discutées à l'un ou l'autre des paliers.

Au cours de cette phase de pré-négociation, les parties doivent s'assurer de leur caractère de représentativité pour éviter toute discussion à ce sujet une fois les négociations engagées. L'employeur doit mandater une personne qui est habilitée à prendre des décisions qui engagent l'avenir de l'entreprise à l'intérieur de limites fixées. Dans la grande entreprise, c'est habituellement le directeur des relations du travail qui obtient le pouvoir de décision à la table des négociations, assisté d'un conseiller légal. Dans la moyenne et la petite entreprise, c'est le président ou le directeur de la production qui joue ce rôle. De toute manière, le porte-parole de l'employeur doit être perçu par le syndicat comme un "interlocuteur valable".

Du côté syndical, l'identification des porte-parole semblent poser moins de problèmes puisqu'il sont désignés par les syndicats qui détiennent chacun un certificat d'accréditation. Cependant, leur pouvoir de décisions demeure forcément limité puisque tout projet de convention collective doit être ratifié par les membres du syndicat.

Les parties devraient également s'entendre au cours de cette phase de pré-négociation sur le lieu où se déroulera les négociations et sur le paiement des dépenses encourues.

8.3.1.2 La cueillette de l'information

Tout en cherchant à anticiper les demandes syndicales, l'employeur doit procéder à une cueillette d'information nécessaire à la présentation de contre-propositions ou de modifications à la convention collective existante. Pour ce faire, il peut recourir à un éventail de moyens:([6])

Pour la cueillette des données internes:

— Demander aux contremaîtres et aux chefs de service par voie de questionnaire ou d'entrevues de décrire les principaux problèmes que soulèvent l'interprétation et l'application de la convention collective existante et d'indiquer les changements souhaitables. L'information doit être ventilée de manière qu'on puisse identifier chaque clause qui a fait l'objet d'une difficulté d'application ou d'interprétation; reconnaître la nature exacte de l'événement, les personnes impliquées et les raisons qui sont à l'origine du litige.
— Faire effectuer une analyse des griefs qui ont été réglés à l'une ou l'autre des étapes de la procédure et de ceux qui ont fait l'objet d'une sentence arbitrale.

Le rapport devrait contenir les informations suivantes:

— la nature du grief et la clause de la convention qui a été invoquée
— les raisons qui ont incité un salarié, un groupe de salariés ou le syndicat à soulever le grief

— la décision prise par le représentant de l'employeur en réponse au grief
— le moment et le lieu où le grief a été présenté.

— Procéder à un relevé des salaires effectivement payés en tenant compte des classifications et du nombre de salariés dans chaque classification et établir le coût réel des avantages sociaux; calculer l'impact de différentes augmentations possibles de salaires et des primes sur les coûts de la main-d'oeuvre; calculer l'impact d'une amélioration possible des avantages sociaux.

Pour la cueillette des données externes:

— Effectuer un relevé des taux de salaires horaires payés pour des tâches clefs dans des entreprises comparables à l'échelle régionale, sectorielle et nationale.
— Obtenir des données sur les augmentations de salaires accordées dans ces entreprises et à l'échelle de l'économie.
— Obtenir des données sur la productivité à l'échelle nationale et sur le comportement de l'indice des prix à la consommation.
— Obtenir, par l'analyse des conventions collectives existantes, un profil des avantages sociaux négociés.*

La partie syndicale procède également à une préparation des négociations en vue d'élaborer ses demandes initiales ou son cahier de revendications. Pour ce faire, elle va mener un sondage auprès des membres du syndicat pour obtenir un profil des améliorations à apporter au contrat de travail existant. Elle va recueillir et traiter une masse de données sur les taux de rémunération en vigueur pour les catégories socioprofessionnelles qu'on retrouve dans l'unité de négociation et dans d'autres entreprises syndiquées. Une fois ces informations recueillies, les représentants syndicaux, assistés de leurs conseillers, vont élaborer un cahier de "doléances" qui sera soumis aux membres et présentés par la suite à la table des négociations.

---

* A l'échelle nationale, des organismes gouvernementaux comme Statistique Canada et les divisions de la statistique au sein de certains ministères (Industrie et Commerce, Travail et Main-d'Oeuvre) fournissent une foule de données sur les conditions de travail qui prévalent à l'échelle de l'économie, des régions et des secteurs industriels([7]).

8.3.2 Le déroulement des négociations

On dispose, malheureusement, de très peu de connaissances sur les phases d'une négociation et sur les stratégies et les tactiques utilisées pour arriver à un accord. Les facteurs qui influencent le déroulement d'une négociation sont tellement nombreux qu'aucun modèle, si bien articulé qu'il soit, ne réussit à en prédire le dénouement.

On peut cependant identifier quelques-uns de ces facteurs:

— le degré de confiance mutuelle qui existe entre les parties en présence

— la manière de traiter et d'utiliser l'information recueillie au cours de la phase de préparation

— la personnalité des négociateurs et la qualité de leur mandat

— le degré de mécontentement des salariés à l'endroit des conditions de travail qui prévalent dans l'entreprise

— la capacité de part et d'autre de recourir aux moyens de pression tels que le harcèlement, la grève ou le lock-out

— les objectifs de la direction dans ses relations avec le syndicat et ses salariés

— les objectifs poursuivis par le syndicat et son idéologie dominante

— la conjoncture économique (taux de croissance, niveau des prix, niveau de l'emploi et du chômage)

— l'intervention possible de l'Etat dans les négociations, indirectement, en offrant des services de médiation et de conciliation ou directement, en stimulant le mécanisme d'arbitrage, en brandissant la menace d'une législation spéciale.

— enfin, le caractère relativement nouveau de certaines demandes syndicales; le principe qui sous-tend une demande nouvelle et ses implications pratiques sur le gouvernement de l'entreprise ou de l'institution. Par exemple, la participation des salariés à la nomination des contremaîtres ou des chefs de service!

Le déroulement d'une négociation obéit la plupart du temps aux phases majeures suivantes:

a) Les rites d'ouverture

Ils consistent en une déclaration d'intention de part et d'autre de la table quant à la conduite à adopter en cours des négociations et quant au climat des relations du travail à créer au sein de l'entreprise ou de l'institution. Ces déclarations sont suivies du dépôt des demandes syndicales.

b) Explications et contre-propositions

La partie syndicale présente le raisonnement qui sous-tend chacune de ses demandes à s'appuyant sur des faits ou des principes et en cherchant à convaincre l'employeur du bien-fondé de ces revendications. Après une période de réflexion, la partie patronale présente ses contre-propositions en cherchant à son tour à convaincre la partie syndicale du bien-fondé de ses positions.

c) La phase critique ou phase d'achoppement

Les deux parties ont pris connaissance de leurs positions respectives... en d'autres termes, pour utiliser un langage courant, "chaque partie a fait son lit". Elles sont maintenant en mesure d'évaluer l'écart qui existe entre les demandes syndicales et les offres patronales. Si ce n'est déjà fait, les représentants syndicaux tenteront d'obtenir de leurs membres une autorisation de déclencher la grève au moment opportun à l'intérieur des délais prévus par la législation en vigueur. De son côté, l'employeur peut annoncer qu'il est prêt à utiliser le lock-out plutôt que d'accéder aux demandes "exagérées" de la partie syndicale. C'est également la course aux media d'information pour convaincre le public de la justesse de ses positions respectives. Une atmosphère de tension s'installe à la table des négociations et quelques concessions se font de part et d'autre. Le recours effectif au moyen de pression rompt momentanément les discussions à la table des négociations et le gouvernement, sur demande ou de sa propre initiative, peut en vertu des nouvelles dispositions du Code du travail, soit offrir les services d'un conciliateur, soit instituer un conseil d'arbitrage s'il s'agit d'une première négociation; il peut encore utiliser les mécanismes de solution des différends prévus par la législation s'il s'agit d'un conflit dans le secteur public ou parapublic mettant en jeu la santé et la sécurité des citoyens.

8.3.3 Le dénouement ou la signature d'un accord

La majorité (environ 95% au Québec) des conventions collectives sont signées sans le recours aux moyens de pression conventionnels. A la suite de concessions faites, les différences sont résorbées et le projet de convention collective devient acceptable de part et d'autre. Si le projet est ratifié par les salariés, il deviendra la convention collective que les parties signeront, convention qui réglementera les rapports individuels et collectifs pour une durée déterminée et qui prendra effet au moment de sa signature, une fois déposée conformément aux dispositions de la législation en vigueur. L'utilisation effective des moyens de pression rend le dénouement imprévisible: soit que les parties en viennent à un accord de leur propre gré, ce qui est toujours souhaitable; soit que les parties se voient imposer un "règlement" par un conseil d'arbitrage ou une législation spéciale.

8.4 L'administration de la convention collective

La convention collective, une fois signée, est distribuée à tous les salariés et au personnel de cadre chargé de sa mise en application. Elle constitue un ensemble de dispositions générales et spécifiques qui viennent encadrer les décisions prises par la direction ou ses représentants. Cependant, en dépit de l'effort qu'on a mis à rédiger avec précision le texte, certaines dispositions demeureront forcément vagues: elles font appel au jugement des individus au moment de leur interprétation ou de leur application. Par exemple, une disposition concernant l'exercice du pouvoir disciplinaire de l'employeur veut qu'un salarié ne soit congédié (ne pas confondre avec licencié) que pour "cause juste et raisonnable". C'est là une expression qui fait l'objet d'une appréciation dans des circonstances bien particularisées. Un autre exemple serait celui d'une disposition qui veut qu'un salarié soit en mesure de satisfaire aux exigences normales d'une tâche dans le cas d'une mutation ou d'une promotion. Une décision à l'effet qu'un salarié peut satisfaire ou non aux exigences d'une tâche fait l'objet d'une appréciation de la part du supérieur hiérarchique, appréciation qui peut être contestée. Par ailleurs, des situations nouvelles se présenteront durant la vie de la convention, sans qu'on puisse les anticiper au moment de la négociation.

L'administration d'une convention collective, à cause des problèmes d'interprétation et d'application que le texte soulève, implique une clarification des responsabilités et constitue un ensemble d'activités dont l'accomplissement a un impact sur la réalisation des objectifs propres à la gestion des ressources humaines.

8.4.1 Clarification des responsabilités

En principe, ce sont les supérieurs hiérarchiques (chefs linéaires) des salariés qui prennent les décisions quotidiennes en matière d'application de la convention collective dans leurs unités respectives. Le directeur des relations du travail et ses collaborateurs au sein du service des ressources humaines agissent comme conseillers auprès de la direction et de ses représentants qui ont reçu une délégation d'autorité dite linéaire. Cependant, dans la pratique, les nombreuses suggestions faites par les conseillers équivalent à des décisions d'un caractère impératif pour répondre à un souci d'uniformité dans l'application des mêmes dispositions d'une convention au sein d'unités administratives différentes. On cherche à éviter, autant que possible, surtout en matière disciplinaire, des situations de type "deux poids, deux mesures". En dernier ressort, si le supérieur hiérarchique ne prend pas effectivement la décision, c'est à lui que revient la responsabilité de la communiquer d'une manière qu'il juge correcte au salarié ou à un groupe de salariés. Advenant une mésentente acheminée par la procédure de règlement des griefs, c'est le supérieur hiérarchique qui est impliqué dès la première étape. Cependant, à l'étape qui précède l'arbitrage et si la convention le prévoit, la discussion s'engage entre le représentant du syndicat et le directeur du personnel. Ce dernier peut modifier ou maintenir la décision prise au cours des étapes précédentes.

8.4.2 Activités inhérentes à l'administration de la convention collective

a) Formation des supérieurs hiérarchiques

En rendant les supérieurs hiérarchiques responsables de l'administration de la convention, il faut s'assurer qu'ils possèdent les connaissances et les habiletés nécessaires à la prise en charge d'une telle responsabilité.

Des sessions d'information organisées par la direction des relations du travail permettront aux cadres de se familiariser avec l'économie générale de la convention récemment signée et avec les nouvelles dispositions spécifiques qui viennent corriger les lacunes de l'ancienne ou élargir le cadre des conditions de travail offertes jusque-là.

En plus de prendre connaissance du nouveau contrat et des modifications apportées, le supérieur hiérarchique devrait également améliorer ses aptitudes à solutionner les problèmes que soulèvent l'application de la convention.

— Aptitude à écouter

Donner au salarié ou au représentant syndical la possibilité d'exprimer son point de vue ou de présenter sa version des faits.

— Aptitude à recueillir l'information

Obtenir plus d'information sur la nature exacte de la mésentente, la véracité des faits relatés, le moment où les faits sont survenus, les personnes impliquées et les dispositions de la convention qui sont visées par la mésentente.

— Aptitude à communiquer

Rédiger d'une façon claire et concise la position prise et la communiquer au salarié ou au représentant syndical selon le cas.

b) Solution des problèmes inhérents à la mise en application de la convention

Typologie des problèmes soulevés

On peut regrouper sous deux grandes rubriques les mésententes qui peuvent survenir au cours de la durée d'une convention: a) des *mésententes* portant sur *l'application* de la convention: c'est-à-dire un non-respect allégué de l'une ou de l'autre de ses dispositions; des différences portant sur la reconnaissance des faits qui légitiment la position de l'employeur; un désaccord sur la justesse et l'équité de l'appréciation laissée au jugement de l'employeur (appréciation d'une faute disciplinaire, appréciation de la compétence d'un salarié); désaccord sur la manière d'appliquer telle ou telle disposition, et b) des mésententes portant sur l'interprétation des termes de la convention: il s'agit ici de désaccords concernant la signification à donner à des termes ou à des expressions ambiguës. (Par exemple: les termes ''cédule de travail'' et ''horaire de travail'' sont-ils synonymes?).

c) Les principaux mécanismes de solutions

L'entente à l'amiable

Dès le moment où le désaccord survient sur l'interprétation ou l'application d'une disposition, les parties (le supérieur hiérarchique et le salarié, le représentant de l'employeur et celui du syndicat) peuvent, après discussion, trouver une solution sur-le-champ, sans recourir à d'autres moyens. La décision se prend alors rapidement par des personnes qui ont une connaissance concrète de la situation, empêchant ainsi une situation de se détériorer. Cependant, une telle entente à l'amiable peut créer des précédents ou engendrer des pratiques qui iraient à l'encontre d'une disposition explicite de la convention collective. Une telle situation ne pourrait aucunement être invoquée devant un arbitre ou un conseil d'arbitrage pour le règlement d'un grief.

L'entente formelle

Il peut arriver qu'une situation particulière ne soit en aucune façon couverte par la convention qui lie les parties. Ces dernières peuvent élaborer des dispositions nouvelles qui feront l'objet d'une lettre d'entente qui aura une valeur légale si elle est signée et déposée conformément aux exigences du Code du travail.

La procédure de règlement des griefs

C'est le mécanisme de solutions des conflits d'interprétation et d'application le plus utilisé. En effet, presque toutes les conventions collectives en vigueur contiennent une telle procédure. Elle consiste en une séquence d'étapes avec délais et à l'intérieur desquelles un grief peut être acheminé pour être résolu. Si la décision prise par l'employeur est jugée inacceptable, le grief est alors soumis à l'arbitrage. Une audition du grief sera tenue devant un arbitre seul ou devant un conseil d'arbitrage.

8.5 Administration de la convention et problèmes disciplinaires

Une bonne proportion des griefs soumis à l'arbitrage ont trait à l'exercice du pouvoir disciplinaire de l'employeur. La clause des droits de gérance reconnaît à l'employeur le droit de gérer efficacement les opérations, ce qui implique le droit d'élaborer une politique disciplinaire et de formuler des règlements. En contrepartie, l'employeur s'engage à utiliser ce pouvoir uniquement lorsqu'il a des motifs "justes et raisonnables" de le faire. L'expression "cause juste et raisonnable" est forcément imprécise et oblige le décideur à considérer un éventail de facteurs avant d'arriver à une décision:(5)

— le degré de gravité de la faute
— le nombre et la fréquence des fautes commises dans le passé
— les années de service de l'employé
— les sanctions déjà prises à l'endroit de l'employé
— la conduite ou le comportement général de l'employé
— les sanctions déjà prises contre d'autres employés qui ont commis des fautes similaires
— la nature des règlements édictés et la manière dont ils sont diffusés et appliqués
— la promptitude, la consistance et l'impartialité dans l'application des règlements
— le comportement des supérieurs hiérarchiques en matière de discipline
— la proportionnalité de la sanction à la faute commise.

A la limite, c'est tout le régime disciplinaire élaboré par l'employeur qui peut être remis en question au moment où un litige en matière d'exercice de la discipline emprunte l'une ou l'autre des étapes de la procédure de recours, d'où la nécessité d'un régime disciplinaire bien articulé et appliqué selon des normes de justice et d'équité.

8.5.1   Les éléments d'une politique disciplinaire

Fondamentalement, tout programme de discipline vise à inciter l'employé à adopter des comportements qui sont approuvés ou jugés acceptables et à éviter de poser des gestes qui seraient répréhensibles.

Pour ce faire, la direction peut imprimer à sa politique disciplinaire deux orientations distinctes mais complémentaires:

— une orientation positive, qui consiste en la création et le maintien de conditions de travail (au sens le plus large de l'expression) qui sont perçues par les individus comme satisfaisantes et valorisantes. Dans de telles conditions, les employés seraient incités à respecter les normes qui servent d'encadrement à la réalisation de leurs objectifs personnels et de ceux de l'organisation. On chercherait à créer ainsi une situation où les individus et les groupes accepteraient une grande part de responsabilité dans le maintien d'une discipline consentie.

— une orientation constructive et punitive qui consiste en l'application graduée de sanctions disciplinaires aux fautes commises ou à la répétition des mêmes fautes. C'est l'orientation qui prévaut actuellement dans les organisations de travail tant du secteur privé que des secteurs public et para-public. Elle vise à créer chez les employés une incitation à éviter de poser des gestes qui seraient considérés comme répréhensibles. L'exercice des mesures disciplinaires se fait alors selon la progression suivante:

— *un avertissement oral*. Cet avertissement est donné à la suite d'une rencontre entre l'employé et son supérieur immédiat. Ce dernier, au cours des échanges, doit chercher à identifier le problème auquel fait face l'employé, les causes sous-jacentes qui peuvent expliquer sa conduite. Il doit rappeler à l'employé l'existence des règlements et lui indiquer ce qu'on attend de lui dans l'avenir.

— *un avertissement écrit*. A la suite d'une rencontre semblable à celle que nous venons de décrire, le supérieur hiérarchique rédige un avertissement indiquant la nature de la faute commise et les mesures disciplinaires subséquentes qui seront prises si le comportement de l'individu ne s'améliore pas.

— *une démotion*. C'est une mesure utilisée surtout dans les forces policières et militaires qui consiste à assigner un employé à un poste comportant moins de responsabilités; elle peut entraîner une réduction de salaire ou une perte de privilèges s'il s'agit d'un membre de la direction.

— *une suspension*. C'est "une mesure qui consiste à priver un salarié de son emploi et du salaire correspondant pendant une pédiode de durée déterminée(⁵)".

— *un congédiement ou un renvoi*. C'est la sanction la plus sévère en matière de discipline. Pour les salariés syndiqués, elle est perçue comme une mesure équivalente à celle de la "peine capitale". En effet, le congédiement rompt la relation de droit entre l'employeur et le salarié en privant ce dernier de son emploi et tous les avantages qu'il en retirait.

L'application graduée des sanctions disciplinaires doit tenir compte à la fois de la répétition de la faute et de la gravité de la faute en elle-même. Des offenses mineures telles que les absences non-autorisées, les retards ou l'omission d'avertir en cas d'absence sont partiellement réprimées par l'usage d'avertissements oraux ou écrits. La répétition de ces mêmes actes répréhensibles incitera l'employeur à recourir à des sanctions plus sévères telles que la suspension et parfois même le congédiement. Ces mesures sont habituellement utilisées dans les cas de fautes majeures, comme le vol, la détérioration intentionnelle de l'équipement, les altercations sur le lieu du travail et le refus d'obéir à des directives légitimes.

8.5.2   Le partage des responsabilités en matière disciplinaire

Puisqu'il a reçu une délégation formelle d'autorité et qu'il exerce un rôle de supervision, le supérieur hiérarchique doit assumer la responsabilité première dans le domaine de l'administration de la discipline.

Pour ce faire, il doit pouvoir compter sur le support de ceux qui oeuvrent à d'autres niveaux d'autorité à l'intérieur de la ligne de commandement.

La direction des relations de travail joue d'abord un rôle d'assistance et de conseil en se chargeant des responsabilités suivantes:

— L'élaboration du régime disciplinaire et l'approbation de ce régime par la haute direction

— La diffusion et l'explication du régime aux cadres chargés de l'appliquer

— La formation des cadres dans le domaine de l'étude des problèmes de discipline et de l'application uniforme des sanctions

— Le maintien et la mise à jour des dossiers disciplinaires du personnel

— L'assistance aux cadres dans l'étude des cas difficiles.

Pour des raisons d'uniformité dans l'application des sanctions et pour répondre aux dispositions de certaines conventions collectives qui exigent l'introduction de griefs de suspension ou de congédiement à l'étape précédant celle de l'arbitrage, le directeur des relations du travail se voit souvent attribuer un rôle décisionnel.

8.5.3 Quelques principes qui doivent présider à l'exercice de la discipline

a) La direction doit s'assurer que le personnel de surveillance de même que tous les employés connaissent la politique, les règlements et les modifications apportées aux règlements de discipline.

b) Une action disciplinaire doit être prise avec promptitude. Pour être efficace, une action disciplinaire doit être prise immédiatement après que la faute a été commise ou que l'erreur a été décelée. En refusant d'intervenir au bon moment, le supérieur hiérarchique laisse s'installer une situation permettant aux employés de justifier leur comportement ou de présumer d'une approbation tacite de sa part. En intervenant rapidement, il ne doit pas se laisser guider par l'impulsion du moment. Si le temps lui manque pour considérer les faits et les causes qui peuvent expliquer une inconduite, le supérieur peut recourir à l'utilisation d'une mesure disciplinaire temporaire, quitte à la modifier par la suite. Par exemple, dans le cas d'une insubordination, il peut imposer une suspension, procéder à l'étude plus approfondie des faits et des motifs qui sont à l'origine de l'inconduite et modifier cette suspension en congédiement, s'il y a lieu.

c) L'administration de la discipline doit revêtir un caractère d'impartialité et d'équité. Le supérieur hiérarchique doit éviter le favoritisme ou les passe-droits qui consistent à réprimander certains employés à cause d'une antipathie naturelle à leur endroit et "fermer les yeux" sur la conduite répréhensible d'autres employés qu'il considère compétents ou qu'il compte parmi son groupe d'amis.

L'impartialité ne doit pas exclure le souci d'équité dans l'administration de la discipline. La sanction doit être proportionnelle à la faute. Ce principe n'implique pas nécessairement que tous les employés doivent recevoir la même sanction pour des fautes identiques. Par exemple, l'employé qui s'absente sans autorisation une première fois ne peut se voir servir la même sanction qu'un autre dont le dossier fait état d'absences répétées et non autorisées.

d) L'application d'une mesure disciplinaire doit être constructive. Elle doit permettre à l'employé de prendre conscience de la nécessité d'améliorer son comportement et non fournir l'occasion à un supérieur hiérarchique d'affirmer son autorité ou d'assouvir une vengeance quelconque en distribuant à tort et à travers des réprimandes.

e) Ces quelques principes reposent sur une conception de l'administration de la discipline qui se veut avant tout constructive, sans lui enlever son caractère punitif. La sévérité et la fréquence des actes répréhensibles commis par un employé ou un groupe d'employés témoignent dans une certaine mesure de la nature du climat des relations de travail et des relations interpersonnelles qui existent à l'intérieur d'une organisation de travail à un moment donné. La situation souhaitable serait celle où la direction et ses représentants réussiraient à créer et maintenir un climat organisationnel où le recours à des mesures disciplinaires ne serait pas généralisé, où le caractère punitif de la discipline serait atténué. Pour ce faire, il faudrait repenser la conception qu'on se fait des individus au travail et des organisations qui les emploient. Une deuxième partie de cet ouvrage cherchera à décrire et à expliquer les caractéristiques d'une organisation offrant une situation de travail satisfaisante et valorisante.

8.6 Questions

1) ''Relations du travail'' et ''relations humaines'' sont-elles des expressions synonymes?

2) Quels sont les indicateurs d'une détérioration des ''relations du travail'' dans une organisation?

3) Quelles sont les principales raisons qui peuvent inciter les employés d'une entreprise à se syndiquer? Ces raisons sont-elles les mêmes dans le cas du syndicalisme de cadre?

4) Dans quelle mesure la négociation collective peut-elle être considérée comme une forme de participation à la gestion de l'entreprise?

5) Le degré de pénétration du syndicalisme nous permet-il de juger de son influence dans la province de Québec?

6) Que signifie l'expression ''structures de négociation''?

7) Décrivez les principales étapes de la préparation d'une négociation?

8) Décrivez une situation où un employeur peut avoir recours à l'injonction durant une grève légale.

9) Existe-t-il une distinction entre un grief d'application de la convention collective et un grief d'interprétation?

10) Des ententes à l'amiable entre un supérieur hiérarchique et un salarié concernant l'application d'une clause de la convention ont-elles une valeur légale?

11) Le supérieur hiérarchique immédiat peut-il décider en matière de discipline lorsqu'il s'agit d'une faute majeure entraînant soit une suspension ou un congédiement?

12) Le principe d'une discipline progressive est-il applicable dans le cas d'offenses majeures?

8.7 Travaux pratiques

8.7.1 Exercice: Quelle influence peuvent exercer les facteurs suivants au moment de décider d'une mesure disciplinaire?

Facteurs	Influence
1- Gravité de la faute	
2- Fréquence des fautes commises	
3- Comportement du supérieur hiérarchique	
4- Connaissance des règlements	
5- Années de service de l'employé	

8.7.2 Etude de cas:

INTERPRETATION D'UNE CLAUSE DE LA CONVENTION COLLECTIVE.

Le syndicat des travailleurs des produits chimiques de McMasterville et Canadian Industries Limited*.

Il s'agit d'un conflit survenu à la suite d'une promotion accordée après affichage. Ce conflit porte sur l'interprétation de la clause 7.03 du contrat collectif de travail.

7.03 L'ancienneté prévaudra entre employés possédant des qualifications équivalentes pour accomplir la tâche chaque fois qu'une mise à pied ou une permutation ou une promotion à une classification existante ou nouvelle comprise dans l'unité de négociation est nécessaire.

Le 14 mai 1973, le plaignant, monsieur P. V., logeait le grief suivant:

''Dernièrement, vous avez choisi pour un poste vacant à la classification de ''millwright helper'' un employé ayant moins d'ancienneté que moi.

J'affirme être en mesure d'accomplir cette tâche efficacement puisque j'y ai travaillé régulièrement chaque semaine durant de nombreuses années quand j'occupais le poste de machiniste.

En conséquence, je réclame le poste en question en vertu des articles 1:04, 6:01, 7:03 et autres de la convention collective.''

Le surintendant du département, monsieur G. L., donnait la réponse suivante le 24 mai 1973:

''Nous devons rejeter votre grief pour les raisons suivantes:

a) sur la base des qualifications, celles du candidat choisi sont nettement supérieures

b) sur la base du potentiel, la preuve est faite qu'en sept (7) ans comme machiniste 2ème classe, vous n'avez pas pu vous qualifier comme 1ère classe: nous croyons que vous n'avez pas les aptitudes voulues pour réussir davantage dans le métier connexe qu'est celui de ''millwright''

---

* Extrait d'une sentence arbitrale rendue par J.-R. Boivin, président, Raymond Caron, arbitre patronal; Pierre-J. Rolland, arbitre syndical; Service de la recherche, ministère du Travail, Québec, 1974.

c) en dix (10) ans avec la compagnie, vous avez fait preuve de fort peu d'intérêt et de sérieux au travail et il semble n'y avoir eu que très peu d'amélioration depuis votre départ de ce département.''

LA PREUVE

Le 28 mars 1973, l'intimée faisait l'affichage suivant:

''Il y a une position vacante en qualité de:

''Millwright 1st helper''
Département de la maintenance
Taux de paie: $3.66 l'heure

Les candidats doivent avoir complété une 10ème année du cours secondaire, un cours de jour d'une durée de trois (3) ans à une école technique reconnue ou avoir acquis l'équivalent par étude personnelle ou expérience de façon à avoir une connaissance générale des méthodes et pratiques du métier. Ils doivent avoir les connaissances de base pour pouvoir lire et interpréter les dessins et les diagrammes simples.

Les employés qualifiés et intéressés sont priés de poser leur candidature au bureau du personnel.''

Suite à cet affichage, neuf (9) personnes posèrent leur candidature. L'intimée accorda le poste à monsieur R. G., dont l'ancienneté remontait au 15 octobre 1963 alors que celle du requérant s'accumulait depuis le 30 septembre 1963.

Sur le plan des qualifications, la preuve a révélé qu'au moment de l'affichage le requérant avait complété une 9ème année ainsi qu'un cours de machiniste d'une durée de deux (2) ans. Il avait également commencé un cours en dessin industriel mais ne fut pas admis aux examens à cause de ses absences élevées.

Quant à ses expériences de travail, monsieur V. a mentionné qu'il avait été assez souvent appelé à faire du travail de ''millwright'' alors qu'il était machiniste 2ème classe. Messieurs J. M. et R. C., tous deux ''millwright'', ont corroboré ce témoignage. Ils ont affirmé que le plaignant les avait aidé à l'occasion, qu'il comprenait facilement que sur la qualité de son travail, il n'avait rien à lui reprocher.

Les différentes fonctions occupées par monsieur V., depuis son entrée au service de l'intimée, furent les suivantes:

a) journalier et travail général à l'usine incluant différentes périodes de mise à pied du 4 septembre 1962 au 29 mars 1964

b) machiniste "1st helper" du 30 mars 1964 au 9 octobre 1966.

c) machiniste 2ème classe du 10 octobre 1966 au 15 mai 1971

d) journalier, travail général et camionneur du 16 mai 1971 au 21 juillet 1973.

En ce qui regarde la scolarité de monsieur R. G, la preuve a révélé que ce dernier avait suivi avec succès le cours de 10ème année sciences-lettres, section du soir, durant l'année scolaire 1964-1965. Il avait auparavant suivi un cours de métier, d'une durée de deux (2) années, en ajustage mécanique et également un cours du soir en dessin industriel pendant trois (3) années. L'intimée a produit également un bulletin du ministère du Bien-Etre Social et de la Jeunesse, en date du 19 mars 1956, pour un cours du soir en mathématiques. Nous devons mentionner cependant qu'il n'y a pas lieu de tenir compte de ce cours puisque monsieur G. l'a repris en 1964 en suivant ses cours de 10ème année.

Monsieur G. occupa également plusieurs fonctions chez l'intimée.

a) machiniste 2ème classe du 17 février 1958 au 21 novembre 1958

b) machiniste 2ème classe du 15 octobre 1963 au 29 décembre 1963

c) machiniste 1ère classe B du 30 décembre 1963 au 31 octobre 1965

d) "tool room miller mechanical specialist (trainee)" du 1er novembre 1965 au 21 août 1966

e) "mechanical specialist B" du 22 août 1966 au 3 novembre 1968

f) "mechanical specialist A" du 4 novembre 1968 au 17 mars 1973

g) machiniste 1ère classe A du 18 mars 1973 au 5 mai 1973.

Monsieur G. occupa ensuite le poste de "millwright 1st helper" du 6 mai 1973 au 14 septembre 1973 avant d'être promu aux cadres le 15 septembre 1973.

La preuve a de plus révélé que le rendement au travail fut une des considérations retenues dans le choix de monsieur G. En effet, aux yeux de l'intimée, l'employé choisi était appelé nécessairement à être promu puisque le poste de "millwright 1st helper" n'était constitué que comme un stage dans cette échelle.

Plusieurs personnes participèrent au choix de monsieur G. et plus particulièrement monsieur R. M., contremaître général, monsieur W. L., contremaître des "millwrights" et des machinistes et monsieur G. L., surintendant de la maintenance.

Selon le témoignage de ces personnes, il semble que monsieur G. était un ouvrier plus habile que monsieur V., qu'il comprenait plus facilement et demandait moins de surveillance au travail.

Questions

1- L'expression "qualifications équivalentes pour accomplir une tâche" a-t-elle la même signification que "capacités de satisfaire aux exigences normales de la tâche"?

2- Donneriez-vous raison à monsieur P. V., le plaignant?

8.7.3 Etude de cas:

La ville de Québec et le Syndicat des employés manuels de la ville de Québec, S.C.F.P., (local 1638)⋆

Nature du grief:

M. R.B. conteste une suspension de 10 jours ouvrables que la Ville lui a imposée. Il demande le remboursement de son salaire pour ces journées.

Dans une lettre datée du 25 février 1975, la Ville invoque comme motifs à cette suspension:

1. le refus d'exécuter un travail demandé, le 20 février 1975 et d'avoir ainsi contrevenu à l'article 24.01 du règlement 1586 et à la clause 8.22 de la convention collective

---

⋆ Extrait d'une sentence arbitrale rendue par l'auteur, Service de la recherche, ministère du Travail, Québec, mai 1975.

2. le fait d'avoir abandonné son poste de travail sans autorisation contrevenant ainsi à l'article 3.02 du règlement 1586

3. le fait d'avoir tenu des propos injurieux ou inadmissibles et d'avoir proféré des menaces à l'endroit de ses supérieurs.

LA PREUVE

M. A. B., agent d'administration au service du personnel, est le premier témoin présenté par la partie patronale. De son témoignage, ressortent les affirmations suivantes:

1. M. B. est employé régulier à la ville de Québec, au district no 1 de la voie publique. Son dossier ne comporte pas de restriction médicale.

2. M. B. a déjà reçu un avis disciplinaire pour avoir quitté son travail sans autorisation le 26 janvier 1975. On peut déduire qu'il connaissait le règlement, en particulier l'article 3.02 qui traite de ce sujet.

3. Dans le cas d'un remplacement temporaire, on doit aller chercher des employés dans d'autres services et on doit tenir compte de l'ancienneté. Cependant, en vertu de l'expérience acquise dans l'application de cette clause 8.08, on sait que les plus vieux ne sont pas intéressés à travailler comme boueurs et c'est pourquoi on commence par les plus jeunes en remontant la liste et en tenant compte des restrictions au dossier de l'employé, s'il y a lieu.

M. L., surintendant au district no 1 de la voie publique, est le deuxième témoin produit par la partie patronale. M. L. fait les admissions suivantes:

1. M. B. est un de ses employés. Il devait se présenter au travail à 03h00 puisqu'il l'avait appelé la veille vers 15h00. Avant 03h00 dans la nuit, MM. W. et P. ont appelé à tour de rôle M. B. Ca ne répondait pas...

2. M. B. s'est présenté au travail vers 07h15 pour être assigné à l'incinérateur à la demande de son chef d'équipe. M. B. aurait répondu: "Jamais je n'irai à l'incinérateur."

3. Vers 09h15, M. B. s'est présenté de nouveau, cette fois, à la salle du commis. C'est alors qu'il a "engueulé" M. L., l'a traité de chien... et lui a fait des menaces du genre: "Si tu continues... tu vas finir dans un

coffre d'auto comme Pierre Laporte * ... ou tu vas faire une autre crise cardiaque..." M. L. a arrêté la discussion en se retirant.

4. En contre-interrogatoire, M. L. affirme qu'il n'a pas parlé personnellement à M. B. au cours de l'après-midi précédant l'"engueulade". C'est une autre personne qui devait faire le message. M. L. continue en disant qu'il considère ses relations avec les employés assez bonnes, qu'il a déjà fait des colères, mais qu'il n'en fait plus... Il n'est pas anti-syndical et ça ne l'embarrasse pas trop de suivre la convention. Il admet qu'il a déjà eu des problèmes avec un délégué syndical précédent, mais ne se rappelle pas d'avoir eu des "engueulades". Il ne se rappelle pas d'avoir dit à M. B.: "Moi, je vais t'atteler, t'as pas fini avec moi." Il admet qu'il a suivi des cours où il a été question de bonnes relations entre employeurs et employés, des cours d'ordre général qui s'adressaient à tous les surintendants. Par contre, il ne peut pas dire s'il a changé son comportement à la suite de ces cours.

M. P. est le troisième témoin de la partie patronale. Il décrit la manière dont la décision a été prise d'affecter M. B. à l'incinérateur ce matin-là. Le syndicat admet que la procédure suivie dans ce cas était correcte. Il affirme que M. B. a refusé de travailler à l'incinérateur ce matin-là et il n'avait pas d'autre travail à lui offrir. Lorsque M. B. est revenu vers 09h15, il a "engueulé" M. L. et il a prononcé les mêmes paroles envers lui. Les deux chefs de groupe W. et D. étaient présents. M. P. ajoute que M. B. lui a dit: "Quand ma "gang" sortira d'Orsainville *, on te fera la job..." En contre-interrogation, le témoin affirme que M. B., pour appuyer son refus, aurait invoqué le fait qu'il était délégué syndical. Il ajoute qu'il n'est pas anti-syndical, du moins depuis qu'il a suivi des cours... que M. L. a peut-être eu des problèmes dans le passé, mais qu'il n'a jamais fait de colère noire.

M. W., chef de groupe au district 1, est le quatrième témoin présenté par la partie patronale. Il a eu connaissance, dans la salle des chefs de groupe, de paroles prononcées par M. B. Celui-ci aurait dit: "Quand mes gars sortiront d'Orsainville, je vais te régler ton cas." Il ne sait pas ce qui s'est passé vers 09h15 dans le bureau de M. L. D'après ce témoin, M. P. n'a pas provoqué M. B. Ces faits et dires sont également corroborés par un autre témoin, M. G. D.

M. H. B. est le dernier témoin présenté par la partie patronale. Il affirme qu'il n'y a aucune clause dans la convention collective, ni aucune entente écrite à l'effet qu'un délégué syndical ne peut être assigné à un

---

* M. Pierre Laporte, ex-ministre du Travail, assassiné au cours des événements d'octobre 1970, dans la province de Québec.
* Orsainville: centre de détention.

autre emploi. Au cours des négociations, une demande d'inclusion d'une telle clause a été faite. Cependant, c'est uniquement la clause 8.08 qui est demeurée et qui prévoit que la règle de l'ancienneté doit être suivie dans le cas d'affectation temporaire de plus de 3 jours ouvrables. Dans ce même ordre d'idées, M. B. ajoute qu'au cours de discussions ultérieures, il y a eu une promesse de la Ville à l'effet qu'elle s'efforcerait de ne pas muter les délégués syndicaux dans le cas d'affectation de longue période.

M. R. B., le plaignant, est le seul témoin produit par la partie syndicale. En référant à l'avis disciplinaire reçu une quinzaine de jours après le matin de l'incident relaté plus haut, le témoin fait remarquer qu'il a commencé à travailler à 10h00 cette journée-là, qu'il a quitté son travail vers 18h00, sans réussir à contacter son chef d'équipe.

Le matin de l'incident, il s'est levé vers 06h00. Son frère lui a dit qu'il avait été appelé. Il s'est présenté au travail à 07h15. M. P. lui a dit, à ce moment-là, qu'il était assigné à l'incinérateur et qu'il n'avait pas d'autre travail à lui donner. Il a fait remarquer à M. P. qu'un délégué syndical doit demeurer dans son département. M. P. lui aurait répondu qu'il n'était pas au courant. Il est revenu à 09h15 pour toucher sa paye. Il a alors rencontré M. L. et lui a dit: "Vous êtes contre l'ouvrier..., Laporte l'était aussi... ça devrait vous arriver aussi..." Devant P., il n'a pas fait allusion à Pierre Laporte, mais lui a dit que "lorsque ses amis sortiraient d'Orsainville..." P. est demeuré calme et il n'a pas "engueulé" le plaignant au cours de l'entretien. Le témoin continue en affirmant qu'il a déjà eu des engueulades avec le surintendant L., que ce dernier a déjà "engueulé" les chefs d'équipe.

Argumentation patronale

Après un rappel des principaux faits mis en preuve, le procureur de la partie patronale tente de démontrer que les motifs allégués par la ville constituent une cause juste et suffisante pour imposer une mesure disciplinaire, en l'occurrence, une suspension de 10 jours ouvrables. N'eût été l'exercice d'une certaine clémence de sa part, elle aurait pu imposer un congédiement dans ce cas. L'assignation de M. B. était conforme à la convention collective, en particulier les clauses 8.01 et 8.08 qui se lisent comme suit:

8.01 "L'ancienneté est le facteur déterminant dans les cas de nomination, promotion, affectation temporaire, mutation, mise à pied et rappel; toutefois, dans tous les cas, l'employé doit pouvoir satisfaire aux exigences de l'emploi; néanmoins, le facteur déterminant dans le choix d'un chef de groupe et d'un chef d'équipe est la capacité; à capacité égale, l'ancienneté prime. En cas d'arbitrage, le fardeau de la preuve incombe à l'employeur."

8.08 "Lorsqu'il est nécessaire d'effectuer une affectation temporaire de plus de trois (3) jours ouvrables d'un ou plusieurs employés réguliers dans une autre unité administrative ou dans un autre district de la voie publique ou de l'aqueduc, l'affectation des employés réguliers se fait en tenant compte de leur ancienneté, de leur titularisation et de leurs capacités à satisfaire aux exigences de cette affectation.

L'employé régulier ayant le plus d'ancienneté a le premier choix et ainsi de suite en suivant l'ordre d'ancienneté. Dans le cas de refus, l'employeur choisit le ou les employés réguliers ayant le moins d'ancienneté, compte tenu de leur titularisation et de leurs capacités à satisfaire aux exigences de l'affectation."

Etant donné que M. B. connaissait ces articles de la convention collective, il se devait d'exécuter l'ordre donné et loger un grief par la suite, conformément à la tendance majoritaire en jurisprudence à cet effet. Même si cette jurisprudence a prévu quelques exceptions qui viennent tempérer la rigueur de cette règle, le cas de M. B. ne peut entrer dans l'une ou l'autre de ces exceptions. Pour appuyer son raisonnement, le procureur cite deux sentences arbitrales rendues en 1973: *Le gouvernement du Québec et le Syndicat des fonctionnaires provinciaux du Québec*, S.A.G., (1973), p. 2319, Jean Bérubé, arbitre; *Rolph, Clark & Stone Ltd., et l'Union des travailleurs du carton, section Rolph, Clark & Stone*, S.A.G., (1973), p. 2177, Elphège Marier, arbitre. Dans le sommaire de la sentence rendue par l'arbitre Jean Bérubé, on lit ceci: "Sur les faits de l'espèce, l'arbitre constate que les plaignants, en refusant d'obéir, ont posé en soi un acte d'une gravité exceptionnelle résultant en un "non serviam" qui, suivant les circonstances, peut à l'extrême aller jusqu'à mériter le congédiement. Les seuls motifs pouvant justifier un employé de ne pas obéir à un ordre de ses supérieurs sont: un ordre contraire à l'ordre public; un ordre s'inscrivant à l'encontre des bonnes moeurs; un ordre mettant la santé ou la sécurité en péril".

Le juge Elphège Marier, dans l'affaire de Rolph, Clark & Stone, s'en tient à la tendance majoritaire en jurisprudence et maintient le congédiement devant un cas clair d'insubordination. Dans le sommaire, on lit ceci: "L'orientation jurisprudentielle veut qu'un employé n'ait pas le droit de refuser d'accomplir une tâche qui lui est commandée par son supérieur quitte à produire un grief si le travail requis n'entre pas dans ses attributions".

En refusant d'obéir à l'ordre de ses supérieurs, M. B. allait à l'encontre du règlement de la Ville no 1586, article 24.01, article qui se lit comme suit:

222

24.01 "Les employés doivent accomplir la tâche qui leur est assignée par leur supérieur, sauf si celui-ci exige un travail qui serait à sa face même contraire à la loi ou aux bonnes moeurs. Si un employé croit avoir un motif sérieux de se plaindre de la tâche qui lui est confiée, il doit l'accomplir quand même, quitte à en référer à ses supérieurs par la suite, au directeur du personnel ou à utiliser, le cas échéant, la procédure prévue aux conventions collectives de travail."

Son refus d'obéir le plaçait dans une situation où il se trouvait, par le fait même, absent de son travail. Ce comportement allait à l'encontre de l'article 3.02 du même règlement alors qu'il connaissait ce règlement.

3.02 "Les employés ne peuvent s'absenter de leur poste de travail sans avis et raison justifiée. Dans tous les cas où l'employé prend congé, il doit obtenir l'approbation nécessaire et signer la formule réglementaire à cet effet."

De plus, M. B. a manqué de respect à l'endroit de ses supérieurs qui n'ont fait, dans ce cas, qu'appliquer correctement la convention collective. Des menaces de mort ou des paroles injurieuses à l'endroit des supérieurs sont inadmissibles alors qu'il n'y a aucune provocation de leur part. Ce sont des propos graves puisqu'on s'en prend à l'autorité. Sur ce point, le procureur soumet à mon attention deux sentences rendues: *Dynamics Industries Inc. et Le Syndicat international des travailleurs de l'automobile,* TUM, Local 1044, S.A.G. (1973), p. 1066; *Les Métallurgistes Unis d'Amérique et Wabush Mines,* S.A.G. (1973), p. 1365. Dans l'affaire de Dynamics Industries, l'arbitre soutenait "que même si l'autorité n'est pas toujours exercée de façon appropriée, il n'en demeure pas moins qu'elle est nécessaire comme principe coordonnateur des activités au sein d'une organisation de travail et qu'en ce sens une atteinte au principe de l'autorité comporte une certaine gravité". Le procureur termine en affirmant "que la Ville avait une cause juste et suffisante en imposant cette mesure disciplinaire. De plus, la Ville s'est montrée clémente, mais elle ne pouvait imposer une sanction moins sévère dans ce cas, puisqu'il fallait démontrer aux autres employés qu'il existe un minimum de justice et de discipline".

L'argumentation syndicale

Le procureur syndical rappelle "que l'avertissement du 3 février servi à M. B. pour avoir abandonné son poste est contestable. Pour ne s'être pas présenté à 03h00, le 20 février, le plaignant a déjà fourni les raisons. S'il a refusé d'aller travailler à l'incinérateur, c'est parce qu'il connaissait l'existence d'une entente verbale à l'effet que les délégués syndicaux ne sont pas sensés être transférés. Dans l'entente verbale, il n'était pas question de longue ou de courte période. Le plaignant a rappelé cette entente à son supérieur, M. P., qui a avoué n'être pas au courant. Sur ce point, donc, le plaignant était justifié de ne pas accepter le transfert. Le deuxième motif concernant l'abandon de son poste ne tient pas. Il n'a pas abandonné son poste, puisqu'il n'y était pas. Au moment de venir chercher sa paye, il n'avait pas l'intention d'"engueuler quelqu'un". Affirmer le contraire ne serait pas juste. La description des relations qu'entretiennent les supérieurs avec les subordonnés démontrent que les engueulades, ce n'est pas nouveau".

"Au cours de la discussion, il s'est dit des paroles regrettables, mais il faut penser qu'un délégué syndical se sent sous une pression constante. Par ailleurs, le plaignant possède un bon dossier. Pour toutes ces raisons, la suspension devrait être annulée."

Questions

1) Effectuez une analyse de ce cas en tenant compte de chacun des facteurs suivants:

   a) gravité des actes reprochés

   b) comportement du surintendant (M. L.)

   c) comportement du chef d'équipe (M. P.)

   d) comportement du plaignant (M. B.). A-t-il cherché à se faire justice lui-même?

   e) connaissance des règlements de la part du plaignant

   f) dossier disciplinaire du plaignant

   g) sévérité de la sanction.

2) A la suite de cette analyse des faits et des circonstances et tenant compte de la jurisprudence citée, donneriez-vous raison au plaignant?

OUVRAGES CONSULTES ET CITES

(1) Fédération des travailleurs du Québec, Service de la recherche, *Effectifs de la Fédération des travailleurs du Québec,* mars 1976, Données non publiées.

(2) Voir à ce sujet:
CHARPENTIER, Alfred, *Les mémoires d'Alfred Charpentier,* Presses universitaires Laval, 1971.

(3) DELORME, F. et LASSONDE, C.
Taux de syndicalisme au Québec, Direction générale de la recherche, ministère du Travail, Québec, novembre 1977, p. 5.

(4) Idem, p. 5.

(5) DION, Gérard
Dictionnaire des relations de travail, Presses universitaires Laval, 1976, p. 341.

(6) N.I.C.B. (National Industrial Conference Board Record)
Preparing for Collective Bargaining, I-II. Studies in personnel policies, nos 172 et 182, New York, 1959 et 1961, p. 45.

(7) Revue de la négociation collective, ministère du Travail, Ottawa, Canada, publication mensuelle.

(8) MORIN, F. et BLOUIN, R.
L'arbitrage des griefs au Québec, Coll. Relations du travail, no 9, département des Relations industrielles, Université Laval, 1975, p. 45.

LECTURES ADDITIONNELLES EN FRANCAIS

BELANGER, Laurent, *Evolution du patronat et ses répercussions sur les attitudes et pratiques patronales dans la province de Québec,* Bureau du Conseil privé, Ottawa, Etude no 14, 1970.

BERNIER, Jean, "La législation québécoise en matière de relations de travail: 1968-1976", *Relations industrielles,* Québec, vol. 31, no 4, 1976, pp. 617-725.

BLOUIN, R., "Congédiement pour activité syndicale et autorisation préalable de congédier", *Relations industrielles,* Québec, vol. 32, no 3, 1977, pp. 340-377.

BRAMBLETT, E.R., "Comment maintenir la discipline", dans Pigors P., Myers C.A. et F.T. Malm, *La gestion des ressources humaines,* Editions Hommes et Techniques, Suresne, France, 1977, ch. 35.

DION, Gérard, "Les conflits sont là pour rester — il faut vivre avec eux", *La Gazette du Travail,* Ottawa, vol. 76, no 10, 1976, pp. 541-543.

DOFNY, J. et P. BERNARD, *Le syndicalisme au Québec: structure et mouvement,* Bureau du Conseil privé, Ottawa, Etude no 9, 1968, 117 p.

D'AOUST, C., DELORME, F. et A. ROUSSEAU, "Le degré de preuves requis devant l'arbitre des griefs", tiré à part no 14, Ecole des relations industrielles, Université de Montréal, 1976, 91 p.

FLANDERS, Allan, "Eléments pour une théorie de la négociation collective", *Sociologie du Travail,* no 1, 1968.

HARBISON, F.H. et J.R. COLEMAN, *"La négociation collective: objectifs et tactiques",* traduction de Roger Chartier, Les Presses de l'Université Laval, 1952, 208p.

LAFLAMME, Gilles, *La négociation collective et les limites du négociable,* département des Relations industrielles, Université Laval, Coll. Relations du travail, no 8, 99 p.

LAPERRIERE, René, "Les fonctions de la négociation collective et du droit dans les relations de travail au Québec", *Les Relations de Travail,* UQAM, no 14, janvier 1974, pp. 13-15, février 1974, no 15, pp. 12-15.

ROBACK, Léo, "Les foyers de conflit au Québec", *La Gazette du Travail*, Ottawa. vol. 76, no 10, pp. 539-541.

ROCHER, Guy, "Les conflits de travail dans les sociétés industrielles avancées", *La Gazette du Travail*, Ottawa, vol. 76, no 10, oct. 1976, pp. 534-539.

LECTURES ADDITIONNELLES EN ANGLAIS

AMIS, R. Lewis, "Due Process in Disciplinary Procedures", *Labour Law Journal*, Vol. 27, no 2, Feb. 1976, pp. 94-98.

ANDERSON, J.C. et T.A. KOCHAN, "Collection Bargaining in the Public Service of Canada", *Relations industrielles*, Vol. 32, no 3, pp. 234-248.

BOOKER, G.S., "Behaviorial Aspects of Disciplinary Action", *Personnel Journal*, Vol. 48, no 7, July 1969, pp. 525-529.

BOWERS, M. H., *Contract Administration in the Public Sector*, I.P.M.A., Chicago Illinois, 1976, 89 p.

CHAMBERLAIN, N.W., *The Union Challenge to Management Control*, N.Y., Harper and Row Pub., 1948.

DAVEY, H.W., *Contemporary Collection Bargaining*, 3rd Edition, Printice-Hall, Englewood Cliffs, 1972, pp. 89-115.

GANDZ, Jeffrey, "Grievance Arbitration, a Model for the Study of Policy Change", *Relations industrielles*, Québec, Vol. 31, no 4, 1976, pp. 631-652.

HANDSAKER, Momson, "Arbitration of Discipline Cases", *Personnel Journal*, Vol. 46, no 3, March 1967, pp. 153b et 175.

HUBERMAN, John, "Discipline without Punishment", *Harvard Business Review*, Vol. 42, no 4, July-August 1967, pp. 62-68.

MABRY, Bevards D., *Labor Relations and Collective Bargaining*, The Ronald Press Co., no 4, 1966, 475 p.

MARSHALL, H.D. et N.S. MARSHALL, *Collective Bargaining*, Random House Inc., 1971, 357 p.

McLEOD, W.E., "Five Points in Handling Disciplinary Interviews", Canadian Business, no 46, July 1973, pp. 54-57.

SEIDMAN, Joel, *A Guide to Discipline in the Public Sector*, Industrial Relations Center, University of Hawaii, 1977, 116 p.

SENTES, Roy, "Labor Arbitration and the Refusal to Perform Hazardous Work", *Relations industrielles*, Québec, Vol. 32, no 1, 1977, pp. 139-145.

VAN HORNE, Dick, "Discipline: Purpose and Effect", *Personnel Journal*, Vol. 48, no 9, Sept. 1969, pp. 728-738.

WALTON, R.E. et R.B. McKENZIE, *A Behavioral Theory of Labor Negociations*, N.Y. McGraw-Hill Book Co., 1965, 433 p.

WHEELER, H.N., "Punishment Theory and Industrial Discipline", *Industrial Relations*, California, Vol. 15, no 2, 1976, p. 235.

WOHLKING, Wallace, "Effective Discipline in Employee Relations", *Personnel Journal*, Santa Monica, California, Vol. 54, no 9, Sept. 1975, pp. 489-494.

Exercice portant sur la dimension administrative
de la gestion des ressources humaines

CORBEILLE D'ENTREE (IN BASKET)

INTRODUCTION

Le "in basket" est une série de documents (lettres, exhibits, notes de service, appels téléphoniques) reflétant assez bien les actions qu'un directeur du personnel accomplit ou le type de problèmes qu'il solutionne au cours d'une journée normale de travail. En plus d'indiquer le type d'action qu'il entend prendre pour corriger telle ou telle situation, l'étudiant(e) doit également ranger par ordre d'importance les documents en prenant soin, dès le début, d'expliciter les critères utilisés.

A la fin de l'exercice, l'étudiant(e) doit avoir démontré qu'il possède l'une ou l'autre des habiletés suivantes:

Habilité à diriger

Capacité de faire exécuter un travail par d'autres en vue de l'atteinte des objectifs.

Jugement

Capacité de diagnostiquer une situation, de dégager des possibilités de solutions et d'évaluer ces possibilités en fonction des exigences de la situation.

Sens de la planification

Capacité d'établir des principes, de définir des objectifs d'action à court, moyen et long terme.

Sens de l'organisation

Capacité d'affecter des ressources (financières, humaines et techniques), à l'atteinte d'objectifs déterminés.

Prise de décision

Capacité d'effectuer un choix entre plusieurs solutions et prendre action.

Communication écrite

Capacité de transmettre, par écrit, des messages de manière à être compris.

Leadership

Capacité de solutionner des conflits interpersonnels et de mobiliser les énergies des membres d'un groupe vers la réalisation des objectifs communs.

Sens du contrôle

Capacité d'assurer un suivi des différentes décisions prises en développant et en appliquant des méthodes d'évaluation et de mesure de résultats en fonction des objectifs fixés.

Capacité d'aider

Capacité d'aider les personnes à prendre conscience de leurs propres besoins et à les solutionner par elles-mêmes.

Capacité de conseil

Capacité d'aider les personnes à prendre conscience de leurs responsabilités et à dégager par elles-mêmes les moyens de les assumer adéquatement.

LES PAPIERS FINS DU QUEBEC INC.

L'usine de papier de Lachute fait partie d'un complexe de huit (8) usines, propriété de la compagnie Les Papiers Fins du Québec dont le siège social est à Montréal. Une partie de la production est écoulée au Canada (environ 20%) et l'autre aux Etats-Unis. L'usine de Lachute emploie 825 personnes qui se répartissent comme suit:

— le personnel de gérance, les techniciens, les professionnels   10%

— le personnel de bureau   20%

— les ouvriers de production et d'entretien   70%

Les ouvriers sont syndiqués. Leur local syndical est affilié à la Fédération de la pulpe et du papier (CSN). Comme l'usine opère depuis plusieurs années, l'équipement et la machinerie ne sont pas des plus modernes. Pour le moment, l'usine recoupe facilement ses coûts d'opération, mais le taux de rentabilité globale sur les investissements n'est pas celui qu'elle a connu au cours de la dernière décade.

Vous êtes Robert (Bob) Beaupré, nommé tout récemment au poste de gérant des ressources humaines. Vous entrez en fonction le 1er avril. Vous étiez auparavant préposé aux relations de travail, au département du personnel de l'usine de Trois-Rivières. Pour occuper votre nouvelle fonction, vous devez déménager votre famille à Lachute et, pour ce faire, vous avez réservé l'après-midi du 1er avril pour effectuer les derniers préparatifs à votre maison de Lachute. Vous voulez vous occuper du déménagement les 2, 3 et 4 avril. Au bureau de Lachute, pour vous seconder dans votre travail, vous avez trois collaborateurs.

— M. Roland Pettigrew, âgé de 44 ans, qui travaille pour la compagnie depuis 20 ans. Il s'occupe surtout de la sécurité et de l'hygiène.

— Mme Pierrette Lefrançois (30 ans, 8 ans d'ancienneté), s'occupe de tous les dossiers du personnel (employés de bureau et ouvriers); elle s'occupe également de l'embauche et de la préparation des bordereaux pour le service de la comptabilité.

— M. Roland Desgagné, 65 ans (30 ans de service) doit prendre sa retraite sous peu. Ce sont surtout les problèmes d'assignation de main-d'oeuvre qui l'occupent pour le moment:

  — prévoir les remplacements (vacances-congés)

  — recruter la main-d'oeuvre et donner une formation initiale

  — fournir des conseils en matière de discipline, promotion, répartition du surtemps, mise à pied

  — accueil et entraînement initial.

Le 1er avril au matin, vous entrez au bureau à 09h00 pour travailler jusqu'à 12h00. Vous trouvez une correspondance qui vous est adressée parce que le personnel du bureau-chef et de l'usine était au courant que vous entriez en fonction le 1er avril, votre prédécesseur ayant quitté la compagnie depuis deux semaines. Votre secrétaire vous remet un panier contenant la correspondance accumulée. Vous y trouvez également un calendrier du mois d'avril et un organigramme simplifié de la compagnie. Sur chacun des documents, vous devez indiquer la ou les décisions que vous prenez et les motifs.

CALENDRIER:

AVRIL						
D	**L**	**M**	**M**	**J**	**V**	**S**
	1	2	3	4	5	6
7	8	9	10	11	12	13
14	15	16	17	18	19	20
21	22	23	24	25	26	27
28	29	30				

Organigramme simplifié

PAPIERS FINS DU QUEBEC INC.

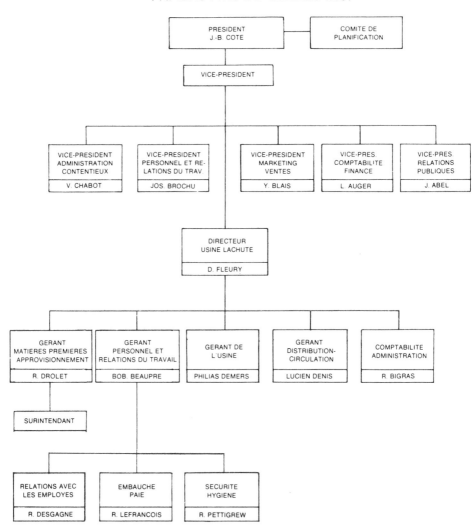

230

Document no 1

PAPIERS FINS DU QUEBEC INC.

Siège social Montréal

27 mars 19..

Monsieur Robert Beaupré
Gérant, personnel et relations de travail
Usine de Lachute

Bob, salut!

Depuis quelque temps, nos directeurs d'usine se plaignent du comportement de certains de nos contremaîtres. Sur ce point, l'usine de Lachute ne constitue pas un cas particulier. Les plaintes ne mettent pas en cause leur compétence technique (c'est le critère le plus important qui a présidé à leur choix). C'est au plan de l'exercice du commandement que nos contremaîtres accusent quelques faiblesses.

La formation du personnel d'encadrement ne relève pas, pour le moment, du service du personnel des usines.

J'attends tes suggestions sur les deux points suivants:

a) Doit-on confier à chacune des usines la responsabilité de la formation des supérieurs de premier palier?

b) Quelles seraient les grandes lignes d'un programme de formation qui permettrait de corriger les faiblesses constatées?

Jos. Brochu
vice-président
personnel - relations de travail

Décision(s):

Document no 2

PAPIERS FINS DU QUEBEC INC.

Usine Lachute

19 mars 19..

Monsieur Bob Beaupré
Gérant - personnel et relations
de travail

Objet: Grief du syndicat - 2e étape
Délai de réponse, conformément à la convention
(15 jours)

Cher monsieur,

Nous contestons la nomination de M. Paul Petit au poste de conducteur de machine (machine no 2). Cette promotion aurait dû être accordée au plus ancien sur la machine, M. Pierre Dugas, puisque la clause 14.2 (c) stipule que l'employeur doit accorder une juste considération à l'ancienneté.

Je considère ce grief à la deuxième étape puisque le contremaître m'a signalé par écrit qu'il ne reviendrait pas sur sa décision.

En attendant votre réponse, je vous félicite pour votre nouvelle nomination.

Régis Léveillé
président de l'exécutif syndical

Décision(s):

Document no 3

PAPIERS FINS DU QUEBEC INC.

Usine Lachute

18 mars 19..

Monsieur Bob Beaupré
Gérant - personnel et relations
de travail

Cher monsieur,

Le président du local syndical conteste notre décision de nommer M. Paul Petit au poste de conducteur de la machine à papier no 2. Petit a cinq ans d'ancienneté de moins que Dugas, mais il est de beaucoup le plus compétent puisqu'il sait se faire écouter des hommes.

Le fait d'accorder une juste considération à l'ancienneté comme le veut la clause du contrat ne signifie pas pour autant qu'on doit ignorer la compétence. C'est l'unique raison qui m'amène à maintenir ma décision.

Bien à vous,

Paul Dagenais
contremaître

Décision(s):

233

Document no 4

PAPIERS FINS DU QUEBEC INC.

Usine Lachute

29 mars 19..

Monsieur Robert Beaupré
Gérant - personnel et relations
de travail
Lachute

Bob,

Je reçois une lettre de la Commission des accidents de travail qui m'annonce que le paiement de nos primes sera augmenté au cours de la prochaine année.

Après vérification de nos propres données, je constate malheureusement que l'usine de Lachute a des taux de fréquence et de gravité des accidents les plus élevés à l'intérieur de la compagnie.

Peux-tu me dire, avant deux semaines, ce que tu comptes faire pour remédier à la situation?

D. Fleury
directeur usine Lachute

Décision(s):

Document no 5

PAPIERS FINS DU QUEBEC INC.

Usine Lachute

26 mars 19..

Monsieur Bob Beaupré
Gérant - personnel et relations de
travail

Cher monsieur,

    Malgré tous les efforts que je fais, je me rends compte d'une augmentation des accidents dans l'usine. Les contremaîtres et les ouvriers ne semblent pas préoccupés par la sécurité. Ils cherchent plutôt à accroître leur production hebdomadaire et cela, admettons-le, avec un équipement passablement vieillot.

    J'ai l'intention de modifier complètement le programme d'affichage (les gens s'habituent à nos affiches et ne les voient plus). Je crois que notre budget nous le permet.

    Si vous êtes d'accord, je me propose d'offrir un bonus trimestriel de $50 pour la section qui montrera le taux d'accidents le plus bas d'ici à la fin de juin. Elle pourra utiliser cette somme pour organiser une soirée.

    Je vais contacter le surintenant des relations publiques pour qu'il annonce cette initiative dans la prochaine livraison de notre bulletin-maison.

R. Pettigrew

Décision(s):

235

Document no 6

PAPIERS FINS DU QUEBEC INC.

Siège social

19 mars 19..

Monsieur Bob Beaupré
Gérant - personnel et relations
de travail
Lachute

Bob, salut!

Permets-moi de te féliciter pour ta nouvelle nomination à l'usine de Lachute.

Au moment où tu t'occupais de la formation à l'usine de Trois-Rivières, je t'ai mentionné que nous songions à prévoir le remplacement de nos contremaîtres et surintendants, sur une période d'au moins cinq ans. Nous souhaitons adopter la même démarche dans toutes nos usines.

Peux-tu me décrire brièvement celle que tu entends utiliser. Rappelle-toi qu'en courte période, avant d'offrir à un contremaître un poste de surintendant, il faut s'assurer au préalable qu'il donne un excellent rendement comme contremaître.

Jos. Brochu
vice-président
personnel -relations de travail

Décision(s):

236

CHAMBRE DE COMMERCE DE LACHUTE

21 mars 19..

Monsieur Bob Beaupré
Gérant - personnel et relations
de travail
Lachute

Cher monsieur,

Félicitations pour votre récente nomination. Nous avons appris par les journaux que la compagnie Les Papiers Fins du Québec songeait à fermer son usine de Lachute.

Imaginez le désarroi au sein de notre localité si cette rumeur s'avérait fondée.

Vous nous obligeriez beaucoup en nous fournissant une information plus fiable, ou encore en nous référant à un responsable de service avec qui nous pourrions communiquer.

Bien à vous,

Pierre Paradis
Chambre de Commerce de Lachute

Décision(s):

Document no 8

SECRETARIAT REVUE RELATIONS INDUSTRIELLES

Université Laval
Ste-Foy, G1K 7P4

Québec, le 23 mars 19..

Monsieur D. Fleury
Directeur
Les Papiers Fins du Québec Inc.
Lachute

Monsieur,

A la suite d'une enquête récente, nous avons constaté que la grande majorité des hommes d'affaires reçoivent déjà notre revue trimestrielle "Relations Industrielles".

Cette revue publie de très bons articles traitant des sujets aussi variés que l'emploi, le chômage, la législation du travail, la gestion des ressources humaines. Je me permets de vous signaler quelques articles publiés récemment sur la politique de main-d'oeuvre et la planification de la main-d'oeuvre.

L'abonnement est de $12 par an et vous trouverez ci-joint un formulaire de souscription.

Micheline Trottier
secrétaire

Bob, je crois que cette offre t'intéresse; c'est pourquoi je te la transmets. D.F.

Décision(s):

Document no 9

PAPIERS FINS DU QUEBEC INC.

Usine Lachute

Québec, le 27 mars 19..

Monsieur Robert Beaupré
Gérant - personnel et relations
de travail
Usine Lachute

Cher monsieur,

Vous n'êtes pas sans savoir que je dois prendre ma retraite cette année. J'ai en main les dossiers de deux candidats qui me semblent posséder beaucoup d'aptitudes pour me remplacer.

Je dois également vous dire que la description des responsabilités inhérentes à mon poste m'incitent à l'éparpillement... Chaque suggestion que je fais concernant les remplacements, la discipline, l'affectation des hommes en surtemps ont des incidences sur le contrat de travail dont l'administration n'est pas de mon ressort.

Mes responsabilités sont tellement diversifiées que j'ai l'impression de jouer au pompier. Heureusement, je quitte cet emploi sous peu.

Bien à vous,

R. Desgagné

Décision(s):

Document no 10

BUREAU DU DEPUTE-MAIRE

28 mars 19..

Monsieur D. Fleury
Usine Lachute

Cher monsieur,

Mon cousin, Richard Laframboise, me fait part qu'une ouverture se présente dans votre service des ressources humaines à l'usine de Lachute. Il a déjà travaillé dans votre établissement comme remplaçant de vacances. Il termine actuellement son cours en relations industrielles. Il est jeune et sérieux; il possède beaucoup d'entregent. Il ne boit pas et ne fume pas.

Je vous le recommande fortement, sachant bien que vous apporterez toute la considération à cette demande.

Bien à vous,

Joseph Laframboise
député-maire

Bob, as-tu effectivement un poste disponible dans ton service? Si oui, doit-on considérer cette recommandation faite par notre député-maire? D.F.

Décision(s):

240

Document no 11

PAPIERS FINS DU QUEBEC INC.

Siège social

DATE: Le 22 mars 19..

MEMO INTERDEPARTEMENTAL

DE: JOS BROCHU
A: BOB Beaupré
RE: Absentéisme

Bob,

Je constate, dans un dernier relevé, que le taux d'absentéisme du personnel de bureau et du personnel ouvrier est de beaucoup plus élevé à l'usine de Lachute lorsqu'on le compare à celui de chacune des autres usines.

Dis-moi qu'est-ce que tu entends faire pour corriger cette situation? Tu me feras part de ta réponse et de ton échéancier au cours de la réunion de tous nos gérants de personnel le 8 avril à 09h00, au siège social.

J.B.

Décision(s):

Document no 12

PAPIERS FINS DU QUEBEC INC.

Siège Social

DATE: Le 25 mars 19..

DE: D. Fleury, directeur
A: Robert Beaupré
RE: Contrôle des absences

L'absentéisme devient un problème qui prend trop d'ampleur. Ce serait une bonne chose de se rencontrer à ce sujet. J'ai également contacté Demers, Denis et Drolet. Nous tiendrons une réunion le 5 avril à 15h30 dans notre salle habituelle.

Peux-tu apporter quelques dossiers sur ce sujet et indiquer également à Denis, Drolet et Demers le type d'information qu'ils doivent recueillir au préalable.

Bien à toi,

D. Fleury, directeur

Décision(s):

Document no 13

PAPIERS FINS DU QUEBEC INC.

Usine Lachute

DATE: Le 25 mars 19..

DE: D. Fleury
A: Bob Beaupré
RE: Journal d'usine

Bob,

Ne devrait-on pas mettre sur pied un journal d'usine? Ce qui est actuellement publié par notre bureau-chef ne semble pas intéresser tellement nos employés.

Penses-y, nous en discuterons au cours d'une prochaine réunion, probablement le 5 avril au matin.

D. Fleury, directeur

Décision(s):

Document no 14

20 mars 19..

Monsieur Robert Beaupré
Gérant - personnel et relations
de travail
Lachute

Objet: Grief syndical, 2e étape
(délai: 15 jours, calendrier)

Cher monsieur,

Nous réclamons le paiement de 20 heures de travail à taux simple pour les deux personnes suivantes: monsieur Poirier et monsieur Fraser dont les noms apparaissent sur la liste de rappel établie par M. R. Desgagné.

A la suite d'une tempête de neige, au cours de la semaine du 4 au 8 mars, le contremaître de la cour à bois a engagé deux manoeuvres, alors que la clause 21.2 de la convention stipule que l'employeur doit épuiser la liste de rappel en suivant l'ordre d'ancienneté avant de recourir aux services de personnes extérieures.

Bien à vous,

Régis Léveillé
président de l'exécutif du syndicat

Décision(s):

Document no 15

BUREAU — LACHUTE

22 mars 19..

Monsieur Robert Beaupré
Gérant - personnel et relations
de travail
Usine Lachute

Monsieur,

Le 22 mars au soir, à la sortie du bureau, j'ai tenté d'appliquer les freins mais le stationnement était glacé et j'ai tamponné la voiture de ma compagne.

Le montant de la réparation est de $600. Je tiens la compagnie responsable de cet accident, puisqu'elle a toujours l'habitude d'épandre du sel sur la chaussée.

Cette journée-là, c'était glacé et mes compagnes peuvent témoigner qu'il n'y avait pas de sel. Je réclame le montant indiqué plus haut.

Pierrette Sansfaçon
secrétaire à la comptabilité

Décision(s):

Document no 16

BUREAU LACHUTE

29 mars 19..

MEMO
DE: R. Bigras
A: Robert Beaupré

SUJET: Formation du personnel d'encadrement

J'ai appris que ton service se propose de mener une action dans le secteur de la formation du personnel de supervision. Si c'est juste, veux-tu me faire parvenir tes estimés budgétaires pour ce programme au cours de la prochaine année.

Remets-moi également les grandes lignes de ce programme pour appuyer ce budget.

La prochaine réunion du comité du budget aura lieu à Montréal le 3 avril et j'aurais besoin de cette information.

R. Bigras
comptable

Décision(s):

Document no 17

USINE LACHUTE

23 mars 19..

R. Beaupré
Gérant - personnel et relations
de travail
Lachute

Monsieur,

Le contremaître m'a demandé d'effectuer un deuxième "quart" après mes huit heures consécutives, le 21 mars. Mon confrère n'est pas entré à 08h00, parce qu'il avait bu un peu trop. J'ai dû le remplacer.

J'ai chargé sur mon bordereau "temps et demi" exactement comme le dit la clause de la convention collective. Cependant, le contremaître n'approuve pas la dépense de $4 pour un repas que j'ai commandé et avalé sur ma machine.

Je crois que la convention ne couvre pas toutes les situations et je vous demande de le faire payer; sinon, je remplis un formulaire de grief.

Marc Legrand
opérateur (5e main, machine 2)

c.c. Régis Léveillé
président du local syndical

Décision(s):

Document no 18

GROUPE DE CONSULTANTS EN GESTION DU QUEBEC

1, Place Ville-Marie, Montréal

(circulaire)

Cher monsieur,

Depuis dix ans déjà, nous sommes au service des entreprises dans le domaine de la gestion des ressources humaines. Nous disposons de spécialistes dans tous les secteurs de la G.R.H. et nos taux se comparent bien avec d'autres groupes de conseillers en gestion. Nous venons de mettre au point une méthode de gestion prévisionnelle des effectifs et une démarche très simple dans l'élaboration des plans de formation. Nous serions empressés de vous fournir plus de détails sur le genre d'interventions que nous effectuons, si vous le désirez.

Groupe de consultants en gestion

Décision(s):

Document no 19

MEMO: 21 mars 19..

DE: R. Desgagné
A: M. Robert Beaupré

Les employées de bureau se plaignent que la nourriture est infecte à la cafétéria. J'ai pu constater par moi-même que ce n'est pas très propre. J'ai toujours répondu que la cafétéria ne relevait pas de notre service. Par contre, Madame Lefrançois est déjà intervenue à quelques reprises pour demander au responsable de corriger la situation. Beaucoup d'employées m'ont dit qu'elles quitteraient la compagnie plutôt que d'aller manger là.

Doit-on faire quelque chose?

R. Desgagné

Décision(s):

Document no 20

USINE LACHUTE

DATE: 18 mars 19..

MEMO
DE: R. Drolet
A: Bob Beaupré

Bob, j'ai déjà signalé à ton prédécesseur que mes contremaîtres se plaignaient parfois de la manière dont le service procède pour assurer les remplacements à la cour à bois. Il faudrait éviter à l'avenir de leur passer par-dessus la tête lorsqu'il s'agit d'embaucher définitivement une personne.

R.D.

Décision(s):

Document no 21

USINE — LACHUTE

26 mars 19..

MEMO
DE: R. Pettigrew
A: Robert Beaupré
SUJET: Semaine de vacances

Bob, à tous les ans, j'ai l'habitude de prendre une semaine de vacances au cours du mois d'avril, pour faire un peu de ski de printemps. Cette année, ce serait du 7 au 14 avril. Cependant, une lettre du Service d'inspection du ministère du Travail m'annonce la visite d'un inspecteur à la sécurité, le 10 avril à 9h30. R. Desgagné serait prêt à l'accompagner.

R.P.

Décision(s):

Document no 22

BUREAU — LACHUTE

DATE: 27 mars 19..

MEMO
DE: Lyne Joly, secrétaire
     personnel - relations de travail
A: M. Robert Beaupré

     Pour souligner votre entrée en fonction, les employés de bureau m'ont demandé d'organiser un petit "party". Le moment idéal serait vendredi le 5 avril à 16h30.

Une surprise vous attend!

Votre secrétaire
Lyne Joly

Décision(s):

—————————

DIMENSION ENERGETIQUE
DE LA
GESTION DES RESSOURCES HUMAINES

Partie II

Dimension énergétique de la gestion des ressources humaines

INTRODUCTION

Au cours d'un premier exposé, nous avons procédé à une reformulation de la gestion des ressources humaines en délimitant deux grandes catégories d'activités: celles reliées à la dimension administrative et celles reliées à la création et au maintien d'un milieu de travail satisfaisant et valorisant *(dimension énergétique)*. Nous avons établi cette distinction pour fins de conceptualisation et d'analyse, sachant bien que dans la réalité toutes les activités sont interdépendantes et se conjuguent pour déboucher sur la création de *possibilités de satisfaction* pour les individus et de *conditions de maintien* de leur contribution. Une activité de formation, par exemple, qui consiste en l'acquisition de connaissances et d'habileté permettant aux individus d'assumer avec plus de compétence les tâches qu'on leur confie ou celles qu'on veut leur confier dans l'avenir, peut créer en même temps une possibilité de satisfaction chez ces individus s'ils manifestent un désir de développement personnel ou de progrès dans leur carrière.

Au cours des exposés suivants, nous essaierons de mettre en relief la dimension énergétique en décrivant la nature d'un milieu de travail qui serait à la fois satisfaisant et valorisant, les problèmes humains qui sont reliés à l'établissement d'un tel milieu et les solutions relativement nouvelles mises de l'avant pour améliorer la qualité de la vie au travail.

L'expression "dimension énergétique" réfère bien entendu à l'aspect motivationnel de la gestion des ressources humaines, c'est-à-dire au déclenchement d'une énergie latente ou à "l'activation" d'un potentiel.

Les raisons qui nous incitent à traiter plus particulièrement de cet aspect sont multiples.

A. Satisfaction et motivation au travail sont deux phénomènes distincts dont l'appariement n'est pas nécessairement ''automatique''.

La croyance est très répandue à l'effet que la création et le maintien de possibilités de satisfaction au travail entraîneraient en même temps le déclenchement et le maintien d'un effort dans la réalisation des objectifs de productivité et de rentabilité de l'organisation: ce n'est pas toujours cette situation qui prévaut.

La montée du syndicalisme, le changement de mentalité chez les dirigeants, le développement de la législation du travail et l'accroissement du niveau de vie sont quelques facteurs qui peuvent expliquer l'amélioration continue des conditions physiques et monétaires de travail. Cependant, en dépit de ces améliorations qui nous éloignent passablement de l'époque d'une économie de subsistance qui prévalait au début de la révolution industrielle, nous sommes obligés de constater chez une certaine proportion de la main-d'oeuvre (incluant le personnel de cadre) le peu d'enthousiasme qu'on met à la réalisation des objectifs organisationnels.

En d'autres termes, dans beaucoup d'organisations de travail, des salariés et des cadres ont accepté comme ''leitmotiv'' de faire le strict minimum exigé pour afficher une performance acceptable et garder un accès aux rétributions sous forme d'argent ou de sécurité d'emploi. On assiste à une désaffection ou à un désengagement à l'endroit du travail chez une certaine proportion de la population active, proportion qu'il nous est actuellement impossible d'évaluer faute de données sur l'intensité de la motivation des individus au travail. Devant cette situation, les directions d'entreprises et les préposés à la gestion des ressources humaines avouent candidement ''qu'ils font face à un problème apparemment insoluble, celui de l'absence apparente de motivation''.

Des études sur la satisfaction au travail effectuées au Canada[1, 2] démontrent que les gens dans toutes les catégories socioprofessionnelles accordent une certaine valeur au travail. ''Des considérations comme la rénumération, la sécurité d'emploi et les possibilités de carrière sont

---

(1) BURSTEIN, M., TIENHAARA, N., HAWSON, P. et WARRANDER, B., *Les Canadiens et le travail*. Conclusions d'une étude sur l'éthique au travail et d'une étude sur la satisfaction professionnelle, Ministère de la Main-d'oeuvre et de l'Immigration, Ottawa, Information Canada, 1975.

(2) GARTRELL, John W., et WILLIAM, David R., ''Employer work attitudes and work behavior in Canadian business''. Coll. Documents no 51, Conseil Economique du Canada, 1976.

habituellement de toute première importance dans la recherche et l'acceptation d'un emploi. Mais, une fois au travail, ces bénéfices sont considérés comme acquis et l'on passe à d'autres considérations, notamment l'intérêt des tâches, une information et une autonomie suffisantes pour pouvoir accomplir le travail convenablement, la cordialité des collègues et des supérieurs hiérarchiques et la satisfaction du travail bien fait"(3). Ces observations viennent qualifier celles que nous faisions plus haut en montrant que pour les canadiens, le travail n'est pas uniquement une source de satisfactions matérielles; il est également une source de satisfactions personnelles permettant l'assouvissement d'un besoin d'autonomie et de réalisation de soi.

Il existerait donc chez une bonne proportion de la population une motivation profonde à l'endroit du travail. Malheureusement, on ne sait pas comment s'y prendre pour l'activer ou y donner suite, puisque la majorité des gens interviewés au cours de ces études affirment qu'ils sont assignés à des emplois qui ne leur permettent pas d'utiliser pleinement leurs capacités; "l'insuffisance de possibilités d'avancement représentant le principal élément d'insatisfaction"(4). A la suite de ces observations, et sans y mettre toutes les nuances qu'il faudrait, on peut conclure que le travail demeure une source de satisfaction d'ordre matériel et personnel, et qu'il existe une motivation profonde et latente à l'égard du travail que des satisfactions matérielles anticipées ne réussissent pas à "activer".

B. L'apport des sciences du comportement: la psychologie organisationnelle.

Les développements récents en psychologie organisationnelle viennent apporter un éclairage nouveau sur 1) les besoins et les aspirations des individus au travail, sur 2) les sources de satisfaction ou de mécontentement, sur 3) le processus même de la motivation, c'est-à-dire le jeu des variables qui peut expliquer "l'activation" et le maintien d'une dépense d'énergie dans la réalisation d'un objectif.

A un schéma d'explication du comportement tiré d'une pensée linéaire-causale, tendent à se substituer d'autres schémas mettant en relief la complexité du jeu des facteurs qui peuvent expliquer le comportement.

_____

(3) "Des travailleurs et des emplois", une étude du marché du travail au Canada, Conseil Economique du Canada, 1976, p. 191.

(4) BURSTEIN, M., et Alii, Opus cit., p. 191.

L'explication la plus simple du comportement repose sur la notion de linéarité ou d'automaticité: à un stimulus donné correspond un comportement donné, s'il est suivi d'un renforcement approprié (récompenses ou sanctions). Cependant, une foule de facteurs que nous décrivons plus loin viennent s'intercaler entre un besoin ressenti et un geste à poser pour le satisfaire; ces facteurs ou variables sont les perceptions et les attitudes des individus et ils rendent complexe l'explication du comportement.

C) L'apport des sciences du comportement: la psycho-sociologie et la sociologie du travail.

La mécanisation et l'automatisation des moyens de production ont contribué à accroître le niveau de vie et à atténuer passablement le caractère pénible du travail en réduisant la dépense d'effort physique. Cependant, la mécanisation et l'automatisation ont conféré à la machine un rôle dominant dans l'effort de production des biens et des services, en faisant de l'homme une addition à la machine, en imprimant au travail un caractère parcellaire et répétitif.

Plusieurs observateurs de la scène industrielle, en particulier les sociologues au travail, ont déjà conclu à l'échec du taylorisme sur le plan humain. Milton Friedman(5, 6) fut l'un des premiers à dénoncer les méfaits de la simplification du travail dans des ouvrages célèbres.

Parallèlement au mouvement écologique qui s'intéresse à la protection de l'environnement et à la qualité de la vie, s'est développé un autre mouvement, l'anti-taylorisme, qui s'intéresse à tous les aspects de la vie au travail et qui vise à humaniser les conditions du travail.

---

(5) FRIEDMAN, Milton, *Problèmes humains du machiniste industriel*, Gallimard, Paris, 1946, p. 387.

(6) Idem, *Le travail en miettes*, Gallimard, Paris, 1972, p. 374.

Expose no 9

CLIMAT ORGANISATIONNEL: SATISFACTION ET MOTIVATION AU TRAVAIL

Pour assumer des fonctions d'assistance et de conseil dans la création et le maintien d'un milieu de travail satisfaisant et valorisant, les préposés à la gestion des ressources humaines doivent être en mesure de se donner un cadre d'analyse et des instruments qui leur permettent d'évaluer l'état de satisfaction au travail qui règne dans leur propre organisation. Dans ce but, nous présentons:

— la notion de climat organisationnel et les dimensions de ce phénomène

— le lien entre les composantes du climat organisationnel et la satisfaction au travail

— la place de la motivation dans la création d'un climat organisationnel

— un instrument de mesure du climat organisationnel.

9.1. Notion de climat organisationnel

Lorsqu'on compare une classe de 300 étudiants à une autre de 15, on peut immédiatement constater qu'il s'agit de deux situations d'apprentissage nettement différentes, et partant, de deux "climats" différents. L'anonymat ou la dépersonnalisation des relations règnent dans la première; la communication, la collaboration entre les étudiants et les échanges avec le professeur caractérisent la deuxième. Le nombre d'étudiants, c'est-à-dire la taille de la classe, devient important et influence les perceptions et les attentes professeurs-étudiants. Les organisations de travail présentent également des caractéristiques qui leur sont propres et qui les différencient les unes des autres. Les objectifs poursuivis, la taille, la structure de l'autorité, la philosophie de gestion, la rémunération et les groupes de travail sont autant de variables qui peuvent se conjuguer avec les perceptions et les attitudes des membres et influencer le comportement de ces derniers (rendement, assiduité, stabilité).

Pour traduire cette multitude de relations entre variables individuelles et variables organisationnelles, nous retenons le modèle d'explication du comportement de K. Lewin[1] qui propose une explication très simple à l'effet que tout comportement est fonction de l'interrelation entre des facteurs de personnalité et des variables d'environnement. Puisque nous avons distingué, au cours d'un premier exposé entre environnement interne et externe, nous reprenons, en l'adaptant, l'équation qui est à la base du modèle "behavioral" de Lewin.

$$C = £ \ (P, E_{int.}, E_{ext.})$$

P = Variables de personnalité.

C = Comportement.

$E_{int.}$ = Variables d'environnement interne, c'est-à-dire l'ensemble des facteurs qui caractérisent l'organisation et qui peuvent servir à l'explication du comportement.

$E_{ext.}$ = Variables d'environnement externe, c'est-à-dire le contexte économique, politique et culturel dans lequel baigne l'organisation.

9.1.1 Variables de personnalité qui sont reliées à la compréhension du comportement des individus au travail.

a) Les besoins:

Pour décrire et expliquer le rôle que jouent les besoins humains comme forces motivationnelles profondes, la plupart des auteurs réfèrent encore à la théorie de Maslow[2] élaborée à la suite d'observations cliniques. Puisque cette théorie a déjà fait l'objet d'une large diffusion, nous n'en rappelons ici que les éléments principaux. Maslow distingue d'abord cinq catégories de besoins:

— besoins physiologiques

— besoins de sécurité

— besoins sociaux (d'appartenance)

— besoins d'estime de soi et des autres

— besoins d'actualisation de soi.

Maslow postule ensuite l'existence d'une hiérarchie de ces besoins, c'est-à-dire que leur apparition ou l'intensité avec laquelle ils sont ressentis répond à un ordre hiérarchique: les besoins de niveau supérieur agissent lorsque d'autres besoins à un niveau inférieur sont relativement satisfaits. A la suite de nombreuses critiques, Maslow procède en 1968, à une reformulation beaucoup plus simple de sa théorie qui comprend maintenant deux grandes catégories. "D'une part, il y a les besoins associés aux carences de l'organisme qui poussent l'individu à combler les déficits organiques et physiologiques. D'autre part, il y a les besoins reliés à la croissance de l'organisme qui incitent l'individu à se réaliser pleinement"(³). On retrouve donc la typologie et la hiérarchie suivante:

BESOINS DE CROISSANCE

BESOINS DE PRESERVATION

b) Les perceptions

L'image qu'un individu se fait d'un milieu de travail agit sur son comportement beaucoup plus que la réalité dite objective de ce milieu. La perception est un processus d'appréhension des phénomènes et des liens qui existent entre ces phénomènes permettant à l'individu de formuler ses attentes à l'endroit d'une situation de travail.

C) Les attitudes

La variable attitude est étroitement reliée à la perception: elle consiste en une tendance assez stable à évaluer favorablement ou défavorablement l'une ou l'autre ou l'ensemble des caractéristiques de la situation de travail.

d) Les habiletés

Nous avons vu au cours des exposés sur la sélection et la formation, que les habiletés intellectuelles ou manuelles diffèrent chez les individus. Par conséquent, elles peuvent expliquer des différences au plan du rendement et au plan de la satisfaction qu'un individu peut retirer de son emploi.

9.1.2 Variables d'environnement interne
       ou contexte organisationnel

A la lumière d'une multitude de recherches, on peut établir une liste de variables organisationnelles ou d'environnement interne qui entretiennent des relations plus ou moins accentuées avec

— soit uniquement la performance

— soit uniquement la satisfaction

— soit la performance et la satisfaction au travail.

a) La structure de l'organisation

La grande organisation, pour beaucoup d'individus, est synonyme de dépersonnalisation des rapports sociaux, due à la présence d'une multitude de niveaux d'autorité et de barrières au plan des communications internes. Par contre, elle offrirait une stabilité d'emploi et des possibilités d'avancement qu'on retrouve à un degré moindre dans la petite et moyenne entreprise.

b) Les objectifs de l'organisation *de rentabilité influence* Ⅰ

Les organisations du secteur public et celles de type philanthropique poursuivent des buts différents des entreprises du secteur privé qui doivent répondre à des impératifs de rentabilité pour assurer leur survie. La poursuite d'un but de rentabilité à l'exclusion d'autres objectifs reliés aux attentes de la communauté ou de la société peut exercer une influence sur les perceptions, les attitudes et le comportement des individus.

c) La nature du travail en lui-même

S'agit-il d'un travail parcellaire, monotone, répétitif, ne comportant aucune responsabilité réelle et conçu en fonction d'une utilisation intensive de la ligne de montage et d'assemblage au niveau des ateliers? Ou s'agit-il d'un travail comportant des responsabilités réelles, faisant appel à une pleine utilisation des capacités de l'individu, comportant une certaine latitude dans la prise de décision et l'exercice de l'autonomie individuelle?

d) Les possibilités d'avancement

La répartition des tâches et des responsabilités prévoit-elle des cheminements qui permettraient aux individus de formuler des projets de carrière et de les réaliser? Les possibilités d'avancement sont-elles réservées à des catégories socioprofessionnelles particulières comme le personnel d'encadrement, le personnel de la haute direction, etc...?

e) La qualité de la supervision et l'appréciation des subordonnés

Les supérieurs hiérarchiques sont-ils en mesure d'utiliser un style de management qui répond aux attentes de leurs subordonnés immédiats? Sont-ils capables de reconnaître et d'apprécier une performance que leurs subordonnés immédiats considèrent comme excellente ou supérieure à la moyenne? Sont-ils capables de déterminer avec précision ce qu'ils attendent de leurs subordonnés en termes de rendement et de comportement général au travail?

f) L'identification au groupe de travail

Le degré de cohésion qui existe au sein des groupes de travail et les relations intergroupes (coopération ou conflit) permet ou non l'éclosion d'un sentiment d'appartenance au groupe qui s'exprime par une loyauté à l'endroit du groupe et une adhésion aux objectifs poursuivis par ce groupe.

g) Les salaires et les avantages sociaux

L'organisation prévoit-elle des rétributions différenciées pour des performances différentes? Prévoit-elle une rémunération (salaires et avantages sociaux) attachée au poste, sans relation aucune avec l'effort ou le rendement fourni? Le régime de rémunération est-il jugé équitable par ceux qui y sont assujettis?

h) Les conditions physiques de travail

Les conditions matérielles qui entourent l'exécution du travail exercent une certaine influence sur le comportement des individus au travail. Parmi ces conditions, mentionnons l'éclairage, le bruit, la propreté des lieux, la circulation de l'air, les horaires de travail, les cadences ou rythmes de travail, l'aménagement physique des espaces.

9.1.3   Les variables d'environnement externe

Certaines variables d'environnement externe comme le niveau de vie, le niveau de scolarité et la culture exercent une influence dans la formation des attitudes et des perceptions. D'autres variables, en particulier la technologie, le marché du travail et la législation entretiennent des relations avec la structure de l'organisation, la nature des emplois, le niveau de rémunération et les conditions physiques de travail.

Pour saisir les liens généraux d'interdépendance qui existent entre ces trois grandes catégories de variables, nous présentons le schéma (9.1).

Figure 9.1

Liens d'interdépendance entre les catégories de variables qui peuvent expliquer le comportement des individus au sein d'une organisation de travail.

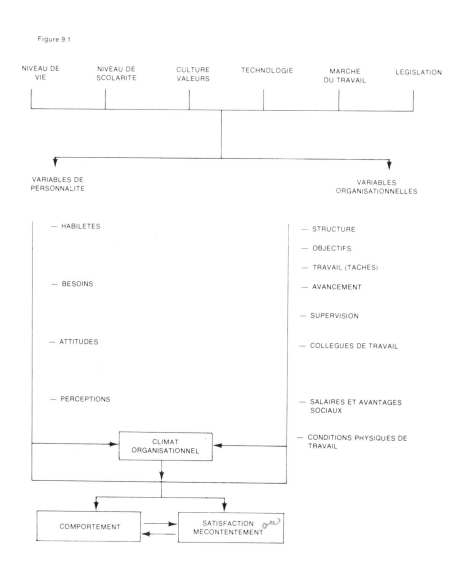

Figure 9.1

Dans ce schéma, la notion de climat organisationnel est une variable qui intervient dans le jeu des interrelations entre les variables de personnalité et d'organisation. Elle se définit comme *l'ensemble des caractéristiques organisationnelles telles que perçues par les individus dans leur situation de travail.*

9.2 Climat organisationnel et satisfaction au travail

Dans ce même schéma, la satisfaction au travail apparaît comme une résultante. La définition de ce terme correspond à celle élaborée par V. Larouche et F. Delorme:

"...Une résultante affective du travailleur à l'égard des rôles de travail qu'il détient, résultante issue de l'interaction dynamique de deux ensembles de coordonnées, nommément les besoins humains et les incitations de l'emploi"(5).

Cette résultante affective s'obtient par le biais des perceptions que l'individu se fait des possibilités de satisfaction offertes par l'organisation (incitations de l'emploi) et de la conscience d'un ou plusieurs besoins à satisfaire. La connaissance du degré de satisfaction se fait donc par l'étude des perceptions de l'individu à l'endroit de sa situation de travail, et les instruments pour en établir le profil sont élaborés en conséquence.

Ce schéma repose sur le postulat que les variables organisationnelles (incitations de l'emploi) mentionnées peuvent être aussi bien sources de satisfaction que de mécontentement. Cette position s'inscrit dans le courant de la théorie traditionnelle sur la satisfaction au travail. Cependant, des études effectuées par F. Herzberg tentent de démontrer que les facteurs qui engendrent le mécontentement au travail constituent une catégorie distincte de ceux qui sont sources de satisfaction et de motivation. Une première catégorie (facteurs hygiéniques) englobe l'ensemble des incitations extrinsèques ou externes à la tâche dont la présence permettrait de réduire le mécontentement sans nécessairement accroître la satisfaction. Une deuxième catégorie (facteurs motivationnels) comprend un ensemble d'incitations inhérentes à la tâche elle-même. Nous reproduisons ici la liste de ces facteurs en tenant compte de leur catégorie respective:

1. Facteurs d'hygiène
   — Politique de personnel
   — Compétence technique de la supervision
   — Relations avec les supérieurs
   — Relations avec les subordonnés

— Relations dans les groupes
— Salaires et avantages sociaux
— Conditions physiques de travail
— Statut de l'individu dans l'organisation.

2. Facteurs motivationnels

— Le travail en lui-même
— Les chances d'avancement (promotion)
— Possibilités d'accomplissement de soi
— Responsabilités réelles
— Possibilités de se sentir apprécié (considération).

Des études subséquentes faites par M.G. Wolf[7] et H.M. Soliman[8] viennent apporter un appui empirique à la théorie traditionnelle sans nécessairement infirmer la théorie des deux facteurs de Herzberg. Wolf prétend que les mêmes éléments (variables organisationnelles) peuvent être aussi bien sources de satisfaction ou de mécontentement; cependant les éléments de contenu (facteurs motivationnels) constituent des sources de satisfaction beaucoup plus puissantes que les éléments de contexte. Soliman soutient également que les ''motivations sont des sources puissantes de satisfaction, c'est-à-dire que la satisfaction augmente au fur et à mesure que davantage de besoins correspondants (besoins de croissance) sont satisfaits par l'organisation;[alors que] ... les éléments d'hygiène sont des sources moins importantes de satisfaction, c'est-à-dire qu'au fur et à mesure que l'organisation satisfait davantage de besoins de ce type (besoins de préservation) la satisfaction augmente peu et tend à plafonner''[9].

Lorsque nous parlons de création et de maintien *d'un milieu de travail satisfaisant et valorisant,* nous référons alors à un ensemble d'activités qui assurent la présence de facteurs d'hygiène susceptibles de réduire le mécontentement. Nous référons également à la présence d'incitations ou de facteurs inhérentes à la tâche susceptibles de créer chez les individus une véritable satisfaction personnelle et une motivation à maintenir leur contribution à la réalisation des objectifs organisationnels.

9.3 Climat organisationnel et motivation au travail

La notion de ''climat organisationnel'' que nous avons présentée laisse entrevoir les principaux éléments qui constituent les déterminants de la motivation en termes de besoins et de possibilités de satisfaction, sans pour autant expliciter les interrelations qui existent entre eux. Pour ce faire, nous présentons un modèle développé par Porter et Lawler[10] auquel nous apportons quelques modifications pour tenir compte des apports de Maslow et de Herzberg.

266

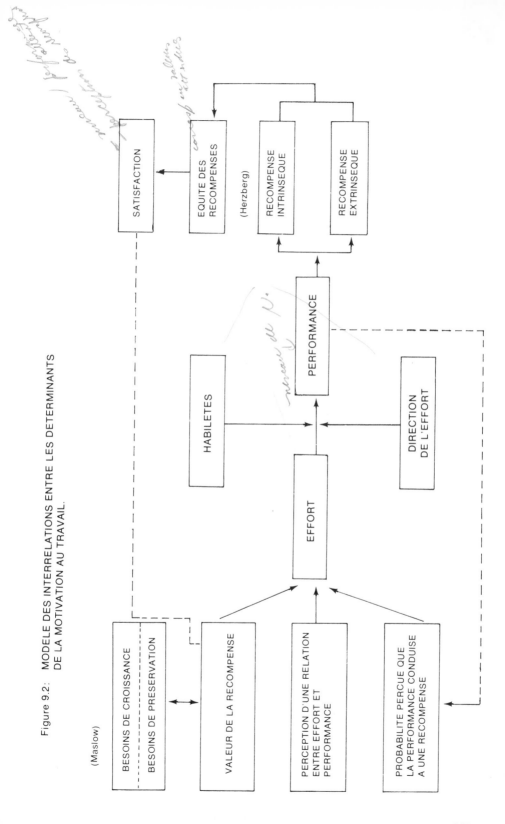

Figure 9.2: MODELE DES INTERRELATIONS ENTRE LES DETERMINANTS DE LA MOTIVATION AU TRAVAIL.

(Maslow)

BESOINS DE CROISSANCE

BESOINS DE PRESERVATION

VALEUR DE LA RECOMPENSE

PERCEPTION D'UNE RELATION ENTRE EFFORT ET PERFORMANCE

PROBABILITE PERCUE QUE LA PERFORMANCE CONDUISE A UNE RECOMPENSE

EFFORT

HABILETES

DIRECTION DE L'EFFORT

PERFORMANCE

SATISFACTION

EQUITE DES RECOMPENSES

(Herzberg)

RECOMPENSE INTRINSEQUE

RECOMPENSE EXTRINSEQUE

9.3.1 Processus motivationnel

Sans faire état de tous les antécédents théoriques qui sous-tendent ce modèle[11], il est quand même possible, à l'aide de raisonnements simples, d'appréhender la nature du processus motivationnel au sein des organisations. Le modèle repose sur les trois postulats suivants: il faut...

a) que l'individu perçoive une certaine relation entre l'effort à fournir et la performance

b) que l'individu puisse établir une certaine relation entre les récompenses offertes (incitations de l'emploi) et la performance. Si les incitations ne varient pas en fonction d'une performance démontrée, il n'y a pas de motivation à fournir un plus grand effort pour atteindre tel ou tel niveau de performance.

c) que l'individu attribue une certaine valeur aux récompenses ou incitations offertes.

9.3.2 Interrelations entre les variables du modèle

La présence de ces postulats nous permet d'articuler les principales interrelations qui existent entre les variables de ce modèle.

a) La motivation à fournir un effort qui peut se traduire par tel ou tel niveau de performance dépend des perceptions qu'un individu se fait de l'ensemble des incitations offertes en fonction...

— de l'importance qu'il accorde aux récompenses: est-ce que les récompenses représentent pour lui des possibilités de satisfaire l'un ou l'autre de ses besoins?

— de l'importance de tel ou tel niveau de performance comme moyen privilégié de se procurer les récompenses offertes

— de l'importance du lien qui peut exister entre l'effort à fournir et la performance.

b) Le niveau de performance qu'un individu veut atteindre ne dépend pas uniquement de sa volonté de fournir un effort, mais dépend également des habiletés qu'il possède et de la direction qu'il veut donner à son effort.

c) Le maintien d'une dépense d'énergie et d'effort ou le maintien de tel ou tel niveau de rendement dépend en partie du degré d'équité qu'un individu attribue aux récompenses effectivement offertes. Si, après un effort ou une performance, un individu réalise que les récompenses effectivement offertes sont inéquitables, c'est-à-dire plus faibles que celles qu'il avait anticipées au départ, il sera incité à réduire son effort ou sa performance, ou encore réduire le niveau de ses attentes.

d) Dans ce modèle, la satisfaction au travail devient une variable qui dépend à la fois du niveau de performance atteint (accès aux rétributions) et du jugement que porte l'individu sur l'ensemble des rétributions ou incitations effectivement offertes.

Ce sont là quelques propositions générales qui permettent d'appréhender le processus motivationnel des individus en situation de travail. Elles mériteraient d'être qualifiées par une multitude de propositions particulières déjà soumises à la recherche empirique.

9.4 Climat organisationnel et instrument de mesure

9.4.1 Un instrument privilégié: le sondage d'opinion

Pour établir un profil des perceptions (favorables ou défavorables) que les individus se font de leur situation de travail au sein d'une organisation, l'enquête psycho-sociologique ou enquête d'attitudes demeure l'instrument privilégié de cueillette de l'information. L'enquête psycho-sociologique consiste en la préparation et l'administration d'un questionnaire de façon à recueillir les perceptions que les répondants se font des composantes du climat organisationnel qui prévaut à un moment donné dans l'organisation.

Avant la publication des travaux de Herzberg, de Porter et de Lawler, le questionnaire d'attitudes qu'on utilisait demeurait assez simple. Il comprenait une liste d'énoncés s'accompagnant d'une échelle graduée (échelle de type Likert) permettant aux répondants d'indiquer dans quelle mesure ils étaient d'accord ou non. Par exemple, l'affirmation suivante: "les salaires payés par la compagnie se comparent assez bien avec ceux payés dans d'autres entreprises du même secteur" était suivie d'une échelle graduée. Le répondant encerclait le chiffre qui indiquait le degré de son accord ou désaccord avec l'énoncé. Le calcul de la moyenne des points sur chacun des énoncés et pour l'ensemble des énoncés donnait un profil moyen des perceptions des individus à l'endroit de leur milieu de travail. Cet instrument, malheureusement, comportait certaines faiblesses puisqu'il n'indiquait pas explicitement les attentes des répondants à l'endroit de leur situation de travail et l'importance qu'ils attachaient à l'un ou l'autre des aspects de leur situation de travail.

Des questionnaires plus élaborés furent conçus par la suite de façon à permettre aux répondants d'indiquer...

a) dans quelle mesure tel ou tel énoncé décrit bien la situation de travail

b) dans quelle mesure tel ou tel énoncé devrait s'appliquer à la situation de travail, ce qui permet au répondant de souligner l'importance qu'il attache à tel ou tel élément de sa situation de travail ou encore d'indiquer, par voie de comparaisons appariées et successives, dans quelle mesure l'un ou l'autre des énoncés l'affecte le plus[12].

Pour fins de validation croisée des réponses fournies, on peut également regrouper à l'intérieur d'un bloc approprié, les énoncés qui traitent d'un même aspect et demander aux répondants d'indiquer les deux ou trois énoncés qui se rapprochent le plus de leurs attentes immédiates[13].

9.4.2 Les étapes de l'enquête psycho-sociologique

a) La préparation

Le préposé à la gestion des ressources humaines, secondé par un conseiller de l'extérieur, se charge de la préparation de l'enquête. Pour ce faire, il prend soin d'expliciter et de faire approuver les objectifs de l'enquête qui s'énoncent généralement comme suit:

— donner aux différentes catégories de personnel l'occasion de s'exprimer sur des aspects de leur situation de travail

— fournir des données à la direction lui permettant de réviser ses politiques et programmes d'action en matière de gestion des ressources humaines

— connaître l'impact de décisions prises dans le passé sur la motivation et la satisfaction du personnel.

Une fois les objectifs clarifiés, le préposé aux ressources humaines procède à une série d'entrevues-pilote avec des personnes-clef pour circonscrire les aspects de la situation de travail qui font l'objet de préoccupation chez l'une ou l'autre des catégories professionnelles. Par la suite, il choisit et met au point l'instrument de cueillette d'information qu'il juge approprié; il détermine la clientèle qui sera appelée à répondre au questionnaire.

b) L'administration de l'instrument d'enquête

Avant d'expédier le questionnaire par la poste ou avant de réunir les répondants dans un local à cet effet, le préposé aura pris soin de bien expliquer à tout le personnel les objectifs de l'enquête, son caractère de confidentialité et l'usage que la direction entend faire des données ainsi recueillies. Si l'entreprise est régie par une convention collective, il serait souhaitable d'obtenir au moins l'assentiment des représentants syndicaux, si ce n'est leur collaboration, avant d'annoncer l'opération à l'ensemble du personnel. Si l'enquête constitue un instrument de diagnostic s'insérant à l'intérieur d'une action globale de développement de l'organisation, le responsable de la gestion des ressources humaines ou les conseillers membres de l'équipe d'agents de changement annonceront alors que les données seront retournées à tous les intéressés dans leurs divisions ou départements respectifs pour qu'ils puissent en faire l'analyse et dégager des suggestions concernant les actions à prendre.

Les questionnaires sont ensuite distribués et remplis, de préférence sur les lieux mêmes du travail: les répondants sont alors en contact direct avec l'un ou l'autre des aspects de la situation de travail qui les préoccupent effectivement.

c) Le traitement des données

On procède ensuite à une compilation des données de façon à établir un profil général pour l'ensemble de l'organisation et des profils particuliers soit pour chacune des divisions et chacun des départements, soit pour chacune des catégories professionnelles si le caractère de confidentialité qu'on s'est engagé à respecter le permet. Cette présentation des données par profil général et par profils particuliers donne la possibilité de procéder à des comparaisons inter-divisions, inter-services et inter-catégories qui font ressortir les points forts et les points faibles du climat qui règne dans l'organisation.

d) Les actions à prendre

L'analyse des données ainsi présentées permet de dégager les actions à prendre par ordre de priorité. Cette tâche revient à un responsable de la gestion des ressources humaines lorsque les données sont conservées par le service. Si les données sont retournées à des groupes constitués à l'intérieur des différents services ou départements, le responsable désigné au sein du service des ressources humaines (ou "l'agent de changement" s'il s'agit d'un programme de "développement organisationnel") se charge d'organiser et d'animer les réunions de travail qui tenteront, après un examen des données, de dégager les actions susceptibles de rendre le milieu de travail plus satisfaisant et valorisant.

e) La décision concernant les actions
à entreprendre et le suivi

Les suggestions élaborées par le service de ressources humaines ou par les groupes constitués sont remises à la direction qui décide alors des actions à entreprendre, en tenant compte des dispositions de la convention collective si l'entreprise est syndiquée. Pour que l'enquête psycho-sociologique devienne un instrument valable de gestion des ressources humaines, et non un outil de diversion ou une soupape au mécontentement, la direction d'une entreprise qui approuve et supporte une opération de ce genre doit s'engager à prendre les mesures concrètes nécessaires à l'amélioration du climat organisationnel. Elle doit également s'assurer que les décisions prises en courte et en longue période répondent aux attentes du personnel et débouchent sur des changements importants et réels.

9.5 Questions

1) Etablissez une différence entre "climat organisationnel" et "satisfaction au travail".

2) Les facteurs qui peuvent expliquer le niveau de performance d'un employé sont-ils les mêmes que ceux qui peuvent expliquer son niveau de satisfaction?

3) Des employés fortement motivés au travail peuvent être également mécontents à l'endroit de leur situation de travail. Commentez cette affirmation en faisant une application à votre propre travail, s'il y a lieu.

4) Comment expliquez-vous les lignes de rétroaction (feedback) dans le graphique 9.2?

5) L'enquête psycho-sociologique n'est pas le seul moyen d'analyser le climat d'une organisation. Décrivez d'autres instruments de cueillette d'information en prenant soin d'expliciter leurs limites.

6) Si l'enquête psycho-sociologique est une occasion donnée aux employés de s'exprimer et de participer à l'élaboration des décisions qui les concernent, elle peut également se transformer en un instrument de manipulation. Commentez cette affirmation.

7) Choisissez une variable d'environnement externe et montrez l'impact qu'elle peut avoir sur le comportement et la satisfaction des individus au travail.

8) Est-ce que l'intensité des besoins diffère chez les individus au cours des diverses phases de leur vie active?

9) Est-ce que la catégorie socio-professionnelle (ouvriers, employés de bureau, techniciens, cadres) à laquelle un individu appartient, exerce une influence sur ses besoins et ses attentes?

10) Si tous les individus ont des besoins à satisfaire, on peut en conclure qu'ils sont motivés. Dans ce cas, que signifie l'expression "motiver les gens à travailler"?

9.6 Travaux pratiques

9.6.1 Exercice: Forces et faiblesses d'un instrument d'enquête psycho-sociologique.

Nous reproduisons ici une version simplifiée d'un questionnaire d'attitudes. Les énoncés sont extraits de questionnaires actuellement utilisés. Ces énoncés permettent à des répondants d'exprimer leurs réactions à l'endroit de leur travail et des caractéristiques de la situation de travail.

Tâche:

— Individuellement ou en groupe, essayez de retracer le cadre de référence théorique qui sous-tend cet instrument.

— Dans un deuxième temps, identifiez les forces et les faiblesses de cet instrument.

— Enfin, indiquez de quelle manière cet instrument peut être amélioré pour qu'on puisse connaître le degré d'importance attaché à l'une ou l'autre des variables de climat organisationnel.

ENQUETE
SUR
LES ATTITUDES DES EMPLOYES

N.B.: Indiquez en encerclant le chiffre approprié, votre satisfaction ou votre mécontentement à l'endroit de votre situation de travail.

1- TRES MECONTENT
2- PEU MECONTENT
3- NI SATISFAIT, NI MECONTENT
4- ASSEZ SATISFAIT
5- TRES SATISFAIT

ELEMENTS DE LA SITUATION DE TRAVAIL	MECONTENTEMENT SATISFACTION				
1. Vos horaires de travail	1	2	3	4	5
2. Votre dernière augmentation de salaire comparée à celle obtenue antérieurement	1	2	3	4	5
3. Votre rémunération actuelle	1	2	3	4	5
4. Le genre de travail que vous faites	1	2	3	4	5
5. Les critères de promotion	1	2	3	4	5
6. Vos chances de promotion	1	2	3	4	5
7. La coopération au sein de votre équipe de travail	1	2	3	4	5
8. Le nombre de congés payés	1	2	3	4	5
9. La manière dont les décisions sont prises à votre niveau	1	2	3	4	5
10. La discipline dans votre département	1	2	3	4	5
11. L'information qu'on vous fournit sur le fonctionnement de l'entreprise	1	2	3	4	5
12. Les explications que vous donne votre supérieur concernant le travail à faire	1	2	3	4	5
13. Le régime de vacances annuelles	1	2	3	4	5

14. La prévention des accidents	1	2	3	4	5
15. L'aménagement des espaces physiques	1	2	3	4	5
16. L'attention que porte la direction au bien-être des individus	1	2	3	4	5
17. La formation initiale que vous avez reçue	1	2	3	4	5
18. La compétence technique de votre supérieur	1	2	3	4	5
19. La collaboration entre les services	1	2	3	4	5
20. La manière dont les changements sont effectués	1	2	3	4	5
21. L'appréciation que vous recevez de votre supérieur hiérarchique	1	2	3	4	5
22. La possibilité d'utiliser pleinement vos capacités	1	2	3	4	5

9.6.2 Exercice: Votre opinion au sujet de la motivation des individus au travail.

A ★ Les énoncés suivants comportent sept réponses possibles

Fortement d'accord	D'accord	Légèrement d'accord	Ne sait pas	Légèrement en désaccord	Désaccord	Fortement en désaccord
+ 3	+ 2	+ 1	0	− 1	− 2	− 3

A la fin de chaque énoncé, encerclez le chiffre qui reflète le plus fidèlement votre opinion. Par exemple, si vous êtes entièrement d'accord avec l'énoncé, encerclez + 3.

1. Des augmentations spéciales de salaire devraient être accordées aux employés qui excellent dans leur travail   +3 +2 +1 0 −1 −2 −3

---

* Reproduit de: John E. Jones and J. William, The 1973 Annual Handbook for Group Facilitators, University Associates, 1973. Autorisation de reproduire en français, obtenue de University Associates Publishers.

2. Pour que les employés sachent exactement ce qu'on attend d'eux, il serait préférable d'avoir de meilleures descriptions de fonction $+3+2+10-1-2-3$

3. On doit rappeler aux employés que leur emploi dépend de la capacité de l'organisation de soutenir la concurrence $+3+2+10-1-2-3$

4. Un surveillant doit accorder beaucoup d'attention aux conditions physiques de travail de ses employés $+3+2+10-1-2-3$

5. Un surveillant doit "travailler dur" en vue de développer un climat de travail où règne l'amitié entre ses employés $+3+2+10-1-2-3$

6. Une reconnaissance individuelle pour un rendement au-delà de la norme comporte beaucoup de "signification" pour les employés $+3+2+10-1-2-3$

7. Une supervision indifférente peut souvent froisser les sentiments $+3+2+10-1-2-3$

8. Les employés aiment réaliser que leurs habiletés et leurs capacités sont pleinement utilisées dans leur travail $+3+2+10-1-2-3$

9. Les plans de pension et les programmes d'achat d'actions offerts par l'entreprise incitent fortement les individus à demeurer dans leur emploi $+3+2+10-1-2-3$

10. Tout poste de travail peut être structuré de façon attrayante et présenter un défi $+3+2+10-1-2-3$

11. Beaucoup d'employés sont prêts à donner le meilleur d'eux-mêmes dans tout ce qu'ils font $+3+2+10-1-2-3$

12. La direction devrait démontrer plus d'intérêt à l'endroit des employés en organisant des rencontres sociales après les heures de travail $+3+2+10-1-2-3$

13. La fierté qu'on éprouve à l'endroit de son travail constitue actuellement une récompense importante $+3+2+10-1-2-3$

14. Les employés aiment se croire "les meilleurs" à
    à faire le type de travail qu'on leur confie   +3+2+10−1−2−3

15. La qualité des rapports sociaux au sein des grou-
    pes de travail est un élément important   +3+2+10−1−2−3

16. Des incitations sous forme de boni améliorent le
    rendement des employés   +3+2+10−1−2−3

17. Il est important pour les employés de connaître
    les membres de la haute direction   +3+2+10−1−2−3

18. Les employés aiment généralement établir leurs
    horaires de travail et prendre des décisions re-
    liées à leur travail en s'accommodant d'un mini-
    mum de supervision   +3+2+10−1−2−3

19. La sécurité d'emploi constitue un élément impor-
    tant pour les employés   +3+2+10−1−2−3

20. Un équipement adéquat et en bon ordre est un
    élément important pour les employés   +3+2+10−1−2−3

B. Calcul des notes et interprétation

     1. Transposez dans les espaces appropriés les chiffres que vous
venez d'encercler.

ENONCE	NOTE	ENONCE	NOTE	ENONCE	NOTE
10	————	2	————	6	————
11	————	3	————	8	————
13	————	9	————	14	————
18	————	19	————	17	————
TOTAL:	————	TOTAL:	————	TOTAL:	————

| (Besoins d'actualisation de soi) | (Besoins de sécurité) | (Besoins d'estime de soi) |

ENONCE	NOTE		ENONCE	NOTE
5	_____		1	_____
7	_____		14	_____
12	_____		16	_____
15	_____		20	_____
TOTAL:	_____		TOTAL:	_____

(Besoins d'appartenance)   (Besoins de base)

2. Reportez vos notes totales dans la grille suivante en plaçant un "X" dans la rangée qui se rapproche le plus de la somme de vos notes totales pour chacune des catégories de besoins.

	−12	−10	−8	−6	−4	−2	0	+2	+4	+6	+8	+10	+12
ACTUALISATION													
ESTIME													
APPARTENANCE													
SECURITE													
BESOINS DE BASE													

USAGE   USAGE
FAIBLE   ELEVE

C. Guide d'interprétation

En reliant les "X" par une ligne, vous obtenez un profil de ce que vous pensez de la motivation des gens au travail. Il n'y a pas de bonnes ni de mauvaises réponses. Vous faites ou vous ferez appel à l'une ou l'autre de ces catégories de besoins. Cependant, les "experts" prétendent qu'il faut faire appel aux besoins d'estime et d'actualisation de soi si l'on veut motiver les gens.

9.6.3 Etude de cas:

LE CIMENTERIE EXCELSIOR INC.*

Cette petite usine se situe dans la paroisse d'Excelsior. Elle répond d'une population de 1,500 habitants et emploie 70% de la main-d'oeuvre active de cette paroisse, soit environ 100 personnes. Le reste de la population active se répartit entre les entreprises environnantes de taille plus ou moins importante.

L'usine en elle-même est plutôt vieille. Elle a été fondée il y a 40 ans par M. J.-B. Côté, encore aujourd'hui directeur de l'entreprise. Monsieur Côté a décidé d'ouvrir cette usine à l'aide de son père à l'âge de 24 ans. A ses débuts, l'entreprise comptait 8 employés dont 5 travaillent encore à l'usine comme journaliers ou contremaîtres. Parmi ces cinq employés, ceux que l'on retrouve au poste de contremaître sont: Monsieur Trudel, contremaître à l'entretien; monsieur Lapierre, contremaître à la production et monsieur Ruel, contremaître aux transports. Il y a deux autres contremaîtres à la production, soit MM. Trottier et Savard.

L'état général des bâtiments principaux reflète bien l'âge de l'usine. Quelques rénovations sont effectuées à l'occasion... L'air ambiant de l'usine est plutôt malsain à cause de l'épaisse poussière provenant de la fabrication du ciment. Rien n'a été planifié par le propriétaire pour essayer d'enrayer cette poussière, sous prétexte que cela pourrait nuire à la production. Monsieur Côté s'est plutôt attardé à agrandir les bâtiments déjà existants afin de mieux répondre à la demande sans cesse croissante du marché.

En ce qui concerne la façon de partager le travail à l'usine de ciment, il existe trois équipes qui font la rotation chaque semaine. Cette rotation ne s'effectue que dans le département de la production. Chaque équipe est composée de vingt (20) hommes et d'un contremaître. Durant une semaine, une équipe travaille de 00h00 à 08h00; la semaine suivante, elle travaille de 08h00 à 16h00 et durant une troisième semaine, de 16h00 à 00h00; il en est ainsi pour les deux autres équipes. Il est à noter que les employés du département d'entretien et du département des transports ne travaillent que le jour.

---

* Ce cas a été préparé par des étudiants en Sciences de l'Administration, Université Laval, Cours M.N.G.: 11887, M. Alain Laroque, professeur. Tous les noms sont fictifs.

Depuis quelque temps, il règne un climat inhabituel au sein de 2 des 3 équipes de production à cause de l'embauche d'une main-d'oeuvre de plus en plus jeune qui diminue la moyenne d'âge. Les contremaîtres qui sont depuis longtemps à l'emploi de la cimenterie, éprouvent une certaine difficulté à s'adapter à la mentalité des jeunes employés. Cet état de choses est surtout remarquable chez les trois contremaîtres affectés à la production.

Monsieur Savard a 20 ans d'ancienneté à son actif. Il connaît son métier et résout ses problèmes lui-même, se référant à son expérience plutôt qu'au personnel cadre. D'humeur joviale, il est bien considéré autant par ses supérieurs que par ses subordonnés. La nomination au poste de responsable de la production de Monsieur Louis Côté, fils unique de monsieur J.-B. Côté, a été bien vue de sa part. De plus, il est heureux que l'entreprise reste sous la direction de la famille Côté.

En effet, depuis quelques années déjà, monsieur Côté (père), âgé de 64 ans, songeait à sa retraite et à son successeur. Il a profité du poste laissé vacant par la mort subite du responsable à la production, monsieur Rouleau, pour permettre à son fils de prendre part graduellement aux affaires de la compagnie.

Louis Côté est un jeune diplômé en sciences de l'Université Laval; il est âgé de 29 ans. Louis a travaillé durant cinq ans, après l'obtention de son baccalauréat, pour une autre cimenterie réputée pour ses méthodes avant-gardistes dans le domaine de la production. Il a ainsi acquis une expérience pertinente de même que des connaissances techniques nouvelles.

Monsieur Trottier, âgé de 53 ans, travaille pour la compagnie depuis 17 ans. Il est contremaître depuis 6 ans seulement. Il était sous les ordres de monsieur Lapierre avant d'atteindre ce poste. Il est plutôt autoritaire vis-à-vis ses employés, car il a pour son dire que les jeunes ne lui en apprendront pas.

Monsieur Lapierre, le plus âgé des contremaîtres de production, est à l'emploi de la compagnie depuis le début de l'exploitation. Il regrette le fait que la main-d'oeuvre soit jeune. Déjà, nombre de conflits de générations ont éclaté. Celui-ci convoitait le poste de responsable de la production pour la simple raison que la poussière abondante l'incommode. Il va sans dire que la nomination du fils Côté lui a déplu, car il ne peut concevoir que cette tâche soit remplie par une personne plus jeune que lui et qui n'a pas participé à l'évolution de la firme qu'il a connue depuis le tout début.

Les ouvriers, en majorité des jeunes, acceptent la nomination de Louis au poste de responsable de la production. Ces jeunes travailleurs espèrent que cette situation amènera des changements favorables quant aux conditions de travail et que leurs revendications seront prises en considération. Les deux principaux points qui reviennent le plus souvent sont d'une part la mise en place d'un système d'aération efficace, et d'autre part la nomination de certains contremaîtres de production plus jeunes que ceux déjà en place, plus précisément Trottier et Lapierre. Ces revendications sont la cause directe du fort taux d'absentéisme parmi les jeunes employés.

Depuis que le jeune Louis occupe son poste, les relations informelles à l'intérieur des groupes de travail sont plus fréquentes et regroupent les employés d'âge semblable. Les conversations vont bon train à l'effet que les plus âgés sont réfractaires aux changements techniques et que les jeunes les préconisent d'une façon trop osée.

Louis Côté a pris connaissance des principales revendications des employés de production et en arrive à la conclusion que des changements s'imposent afin de motiver les employés. Comme première tentative de règlement, il considère qu'il est nécessaire de suppléer en premier lieu au manque de ventilation pour diminuer la poussière. D'après un estimé d'une compagnie indépendante, il en coûterait environ $50,000 pour faire cette installation. Selon les résultats financiers antérieurs, cette dépense serait facilement absorbable, considérant le fait que cela amènerait une plus grande productivité et une diminution de l'absence au travail de la part des employés.

Le remplacement des deux contremaîtres en place, MM. Trottier et Lapierre, demeure un problème épineux. Après une première rencontre avec ces derniers, Louis n'a pu trouver de solution. Les deux contremaîtres lui ont tout simplement répondu qu'ils s'étaient toujours montrés justes envers les employés et qu'ils ne changeraient pas leurs méthodes de contrôle uniquement pour satisfaire les plus jeunes employés.

Suite à cette situation de fait, Louis préfère s'en remettre à son père qu'il considère mieux placé pour régler ce problème. Il l'informe que la poussière crée une situation insupportable au département de la production et que d'après lui, il faudrait installer un système de ventilation adéquat. De plus, il pense que certains contremaîtres n'accomplissent pas bien leurs tâches car, selon lui, c'est à eux de s'apercevoir de ce qui ne va pas et d'aviser. Mais ce n'est pas ce qu'ils font puisque les employés ont cru bon de se nommer un médiateur pour en discuter.

M. J.-B. Côté lui explique que si cette situation persiste depuis 40 ans, c'est parce que la cimenterie d'Excelsior représente à peu près la seule source de travail dans la région et que les hommes peuvent sûrement supporter des situations déplaisantes, si on considère que les offres d'emplois sont plutôt rares dans les environs. Voici quelques extraits de la conversation du patron avec son fils:

Louis: Ecoute un peu, depuis quelque temps la productivité diminue. Les ouvriers sont très mécontents de la situation qui prévaut actuellement. Il faut faire quelque chose.

J.-B.:   J'ai aussi remarqué une baisse de production et j'avoue que je serais d'accord pour mettre en place un système d'aération si celui-ci devait contribuer à faire augmenter la productivité des employés.

Louis: J'ai aussi constaté de fréquents conflits qui surviennent au département de production, causés en grande partie par la différence d'âge entre les contremaîtres et les ouvriers; je vise particulièrement Lapierre et Trottier.

J.-B.:   Mais de quel genre de conflits s'agit-il?

Louis: Trottier et Lapierre sont trop autoritaires envers leurs employés. Ils veulent leur imposer leurs propres méthodes de travail. Ceci n'amène aucun échange valable entre les deux parties et la productivité s'en ressent. A mon avis, il faudrait penser sérieusement à les remplacer par deux plus jeunes et plus aptes à faire face à la jeune génération.

J.-B.:   Pourtant, ces deux contremaîtres sont très compétents. Ils sont avec nous depuis très longtemps. Ils ont toujours su voir à ce que la production soit à son maximum.
           N'ayant pu s'entendre sur cette question, ils décidèrent de corriger le problème de ventilation et d'attendre les résultats sur la production.

QUESTIONS

1. A la lumière des faits décrits dans ce cas, que pensez-vous de la nature du climat organisationnel qui règne actuellement dans cette entreprise? Justifiez votre appréciation.

2. A la suite de l'installation d'un nouveau système de ventilation, croyez-vous que la productivité des employés affectés à la production...

   — va augmenter? Pourquoi?

   — va demeurer inchangée? Pourquoi?

LISTE DES OUVRAGES CONSULTES

(1) LEWIN, Kurt, *The Conceptual Representation and the Measurement of Psychological Forces*, Durhan D.C., Duke University Press, 1938.

(2) MASLOW, A.H., A theory of human motivation *Psychological Review*, vol. 50, no 3, 1943, pp. 370-396.

(3) Pour une présentation plus élaborée de cette théorie, voir entre autres, LAROUCHE, V et F. Delorme, Satisfaction au travail: Reformulation théorique, *Relations industrielles* , Québec, vol. 27, no 4, 1972, pp. 567-599.

(4) IBIDEM, p. 583.

(5) IBIDEM, p. 595.

(6) HERZBERG, F., *Work and the nature of Man*, Cleveland World Press, 1966, (traduit en français).

(7) WOLF, M.G., Need Gratification theory: A theoritical Reformulation of Job Satisfaction Dissatisfaction and Job Motivation, *Journal of Applied Psychology*, vol. 54, no 5, 1970, pp. 87-94.

(8) SOLIMAN, H.M., Motivation - Hygiene Theory of Job Attitudes, *Journal of Applied Psychology*, vol. 54, no 5, 1970, pp. 452-461.

(9) BREMOND, J., Où en est la mesure du Moral? Revue critique, *Revue de Psychologie Appliquée*, vol. 21, no 4, 1971, p. 264.

(10) PORTER, L.W., et E.E. LAWLER., *Managerial Attitudes and Performance*, Homewood, ILL., Irwin Dorsey, 1968.

(11) Voir à ce sujet l'excellent article de Campbell J.P. et R.D. PRITCHARD, "Motivation theory in Industrial and Organizational Psychology", dans Marvin Dunnette (Ed.) *Handbook of Industrial and Organizational Psychology*, Rand McNally Pub. C., Chicago, 1976, pp. 63-130.

(12) BELZILE, Bertrand et V., LAROUCHE, Taux d'activité des parents de familles à faible revenu et régimes publics de sécurité du revenu, Tome II, Coll.: Relations du travail, Département des Relations Industrielles, Université Laval, 1972.

(13) SIRARD, R., "Elaboration d'un questionnaire de recherche", Essai, Programme de maîtrise, Département des Relations Industrielles, Université Laval, 1977, (Document non publié).

LECTURES ADDITIONNELLES EN FRANCAIS

BAUD, Francis, *Motivation et comportements individuels dans l'entreprise*, Entreprise moderne d'édition, Paris, 1972, 176 p.

BREMOND, J., "Où en est la mesure du moral? Revue critique, *Revue de psychologie appliquée*, 4e Trim., 1971, vol. 21, no 4, pp. 237-270.

CHANLAT, Alain, "La motivation au travail: un problème très complexe", Recueil de textes, Hautes Etudes Commerciales, 1977.

CHEDAUX, Irène, "La motivation: Taylor est mort", *Les Informations*, 11 mai 1970, no 1304, pp. 23-34.

DEVAUX, Louis, "Les problèmes humains dans l'organisation interne des entreprises modernes", Bulletin de l'A.C.A.D.I., no 206, 1965.

DIESBACH, S., "Les voies nouvelles de la motivation du personnel", *Travail et Méthodes*, no 273, janv. 1972, pp. 35-40.

JOHNSTON, Ruth, "Rémunération et satisfaction dans le travail", Quelques résultats d'enquêtes, Revue internationale du travail, vol III, no 5, mai 1975, p. 483.

LEFEBVRE, H., "La motivation des travailleurs", *Travail et Méthodes*, mai 1974, no 301, pp. 49-57.

LEYGUES, Michel, *La motivation des hommes dans le management*, Chotard et Ass. (Ed.) Paris, 1976, 211 p.

LEVINSON, Harry, *Les motivations de l'homme au travail*, Editions de l'organisation, Paris, 1974, 221 pp. (En anglais: The Great Jackass Fallacy).

LEVY-LEBOYER, Claude, "Les satisfactions professionnelles", dans *Psychologie des organisations*, Presses Universitaires de France, Paris, 1974, pp. 85-114. (Voir aussi chapitre V: La motivation au travail, pp. 115-151).

MULLER, P. et P., SILBERER, *L'homme en situation industrielle*, Paris, Payot, 1968.

POSTEL, G., "La motivation du personnel", *Management-France*, mars 1970, pp. 39-41.

RIBET, M. et E., BOCHET, L'enquête d'opinion: Instrument de gestion participative, *Management-France*, oct. 1971, pp. 37-41.

LECTURES ADDITIONNELLES EN ANGLAIS

BOCKMAN, Valérie, M., "The Herzberg Controversy", *Personnel Psychology*, vol. 24, no 2, Summer 1971, pp. 155-190.

GUEST, David, "Motivation after Maslow", *Personnel Management*, March 1976, vol. 8, no 3, pp. 29-33.

GUION, R.M., "A Note on Organizational Climate", *Organizational Behavior and Human Performance*, no 9, 1973, pp. 12-125.

HALL, D.T., et K.E., NOUGAIN, "An examination of Maslow's Need Hierarchy in an Organizational Setting", *Organizational Behavior and Human Performance*, vol. 3, no 1, 1968, pp. 12-35.

HELLRIEGEL, D., et J.W., SLOCUM, "Organizational climate: measures, research and contingencies", *Academy of Management Journal*, vol. 17, 1974, pp. 223-279.

HERZBERG, F.E., "New Perspectives on the Will to Work", *Personnel Administrator*, July-Aug. 1974, pp. 21-25.

JAMES, R.L. et A.P., JONES, "Organizational Climate: A Review of Theory and Research", *Psychological Bulletin*, vol. 81, no 12, 1974, pp. 1096-1112.

MINER, J.P. et DACHLER, P.H., "Personnel Attitudes and Motivation", *Annual Review of Psychology*, vol. 24, 1973, pp. 379-402.

PORTER, L.W., LAWLER, E.E. et J.P., HACKMAN, *Behavior in Organizations,* McGraw-Hill Book Co., Toronto, 1975, 561 p.

PORTER, L.W. et E.E., LAWLER, "What Job Attitudes Tell about Motivation", *Harvard Business Review,* Jan.-Feb. 1968, pp. 118-126.

SCHWAB, D.P. et L.L., CUMMINGS, "Theories of Performance and Satisfaction: A Review", *Industrial Relations,* California, vol. 9, no 3, oct. 1970, pp. 408-430.

SLOCUM, J.W., "Performance and Satisfaction: An Analysis", *Industrial Relations,* California, vol. 9, no 4, oct. 1970, pp. 431-436.

STEERS, R.M. et L.W., PORTER, *Motivation and Work Behavior,* McGraw-Hill - Book Co., 1975, 585 pp.

TAGUIRI, R. et G., LITWIN, *Organization Climate: Explorations of a Concept,* Boston, Harvard University, Research Division, 1968.

Problèmes humains reliés à la création et au maintien d'un climat de travail satisfaisant et valorisant: roulement — absentéisme — sécurité au travail.

Les données recueillies au cours d'une enquête sur la satisfaction et le mécontentement permettent d'établir un profil de la nature et de l'ampleur des problèmes reliés à la création et au maintien d'un climat organisationnel sain. A la suite de telles enquêtes, des faiblesses apparaissent soit au plan de l'intérêt pour le travail, soit au plan de la compétence de la supervision, soit au plan des politiques de promotion, de rémunération et de conditions physiques de travail. Si elles nous permettent de saisir l'ampleur des problèmes humains reliés au travail et ses conditions d'exécution, de telles enquêtes nous renseignent peu ou pas du tout sur les conséquences ou les effets d'un climat organisationnel satisfaisant ou non. Ces conséquences se manifestent ouvertement soit par un roulement élevé des effectifs ou un taux d'absentéisme jugé excessif, ou encore par un accroissement des accidents du travail.

C'est donc par le biais de l'étude systématique de ces phénomènes ou symptômes qui serviront d'indicateurs d'un climat organisationnel détérioré ou satisfaisant que l'on pourra se faire une plus juste idée de la situation de travail dans une organisation à un moment donné ou au cours d'une période donnée. Cependant, les taux de roulement, d'absentéisme et d'accidents demeurent des "indicateurs" ou signaux lumineux qu'il faut interpréter avec beaucoup de discernement. Ces phénomènes ou manifestations de comportement ne peuvent être expliqués uniquement par le recours à des facteurs d'ordre psycho-sociologique. Par exemple, un taux de roulement élevé peut être attribué en grande partie au caractère saisonnier des opérations, ce qui est le cas dans le secteur de la construction ou des mines.

Dans cet exposé, nous essaierons d'établir différentes mesures de ces phénomènes, de préciser les facteurs et les causes fondamentales qui peuvent les expliquer et de faire une revue rapide des principaux correctifs à apporter.

10.1 Le roulement des effectifs *(labor turnover)*

10.1.1 Définition:

Le roulement des effectifs comprend les mouvements d'entrées et de sorties du personnel d'un établissement au cours d'une période donnée, généralement une année.

10.1.2 Mesures:

a) Une première mesure est celle du roulement brut. Le taux de roulement brut est la proportion des travailleurs qui quittent un établissement au cours d'une période donnée par rapport à la main-d'oeuvre moyenne à l'emploi de cet établissement au cours de cette même période.

Ce taux s'exprime de la manière suivante:

$$\text{Taux de séparation:} \quad \frac{S}{\frac{M_{0t_0} + M_{0t_1}}{2}} \times 100 = X\%$$

S = Nombre de départs

M_0 = Main-d'oeuvre

t_0 = Début de la période

t_1 = Fin de la période

C'est une mesure facile de compréhension et de calcul simple: il s'agit de tenir à jour les dossiers du personnel et d'établir le nombre de ceux qui laissent l'établissement au cours d'une période donnée. Pour une meilleure utilisation, les données doivent être distribuées, lorsque c'est possible, selon l'âge, l'ancienneté, le sexe, la catégorie professionnelle et même le département.

Même si le taux de roulement brut est la formule la plus utilisée en Amérique du Nord (c'est celle du Bureau fédéral de la statistique des Etats-Unis), elle comporte certaines faiblesses:

— Elle ne tient pas compte d'un facteur important, l'ancienneté. Puisque les jeunes travailleurs ont un taux de roulement plus élevé que les travailleurs âgés, cette formule reflète surtout le taux de roulement des jeunes.

— Elle n'est pas précise ('): un taux de 100% peut indiquer que tous les effectifs ont quitté l'établissement au cours de la période pour être remplacés, ou qu'une proportion de 25% ont laissé l'établissement quatre fois au cours de la même période. Elle n'indique donc pas quelle catégorie de personnel a tendance à se retirer de l'établissement plus qu'une autre, ou encore quel secteur de l'entreprise affiche le plus haut taux de roulement.

288

b) Une deuxième mesure est celle du taux d'accès, c'est-à-dire la proportion des nouveaux membres qui se sont ajoutés à la main-d'oeuvre existante ou qui sont venus remplacer ceux qui ont quitté l'établissement au cours de la période. Elle s'exprime de la manière suivante:

Taux d'accès: *(accession rate)*

$$\frac{A}{\dfrac{M_{ot0} + M_{ot1}}{2}} \times 100 = X\%$$

A = Nombre de personnes qui sont entrées au service de l'employeur (établissement)

M_{ot0} = Main-d'oeuvre au début de la période

M_{ot1} = Main-d'oeuvre à la fin de la période

Cette mesure est simple au plan de la compréhension et du calcul. Elle permet à l'employeur d'établir d'une manière assez précise le volume d'embauche et les coûts de remplacement de la main-d'oeuvre au cours d'une période: coûts de recrutement et de sélection, coûts de formation initiale et de formation professionnelle. Par contre, elle comporte les mêmes inconvénients que la formule précédente, puisqu'elle fournit peu d'informations sur les caractéristiques des membres qui ont quitté l'établissement.

c) Une troisième mesure est celle des taux de survie ou taux de perte ([2]). Elle permet d'évaluer la proportion des membres nouvellement engagés qui sont demeurés à l'emploi de l'organisation ou la proportion des membres nouvellement engagés mais qui ont laissé l'établissement. Par analogie au calcul d'espérance de vie en démographie, cette mesure sert à juger de ''l'espérance d'emploi'' d'un nouvel embauché, c'est-à-dire la probabilité de persévérance ou de durée dans un emploi. Elle s'exprime de la manière suivante:

Taux de survie:

$$\frac{\text{Nombre de nouveaux membres qui demeurent au cours d'une période } (t_2)}{\text{Nombre de nouveaux membres engagés au cours d'une période } (t_1)} \times 100 = \%$$

Taux de perte:

$$\frac{\text{Nombre de nouveaux membres qui ont laissé l'établissement au cours de la période } (t_2)}{\text{Nombre de membres nouvellement embauchés au cours de la période } (t_1)} \times 100 = \%$$

289

Ces mesures utilisent une période de références (t_1) qui permet d'établir un registre de personnes nouvellement embauchées par âge, par catégorie, par service, etc. A la fin de la période suivante (t_2), on effectue le calcul du nombre de ceux qui sont demeurés ou qui ont laissé l'établissement, parmi ceux qu'on avait embauchés au cours de la période de référence. Un taux de survie faible ou un taux de perte élevé peut inciter le gestionnaire des ressources humaines à réviser les politiques d'embauche, de formation, de promotion, de rémunération, etc.

d) Une quatrième et dernière mesure que nous présentons* ici consiste en une modification du taux de roulement brut, de façon à obtenir un ''indicateur'' d'un milieu de travail satisfaisant et valorisant. Pour ce faire, il faut d'abord regrouper en catégories les individus qui quittent un employeur au cours d'une période donnée.

— Les licenciements: Ceux qui sont remerciés de leurs services au moment d'une réduction d'effectifs à l'échelle de l'établissement ou d'un secteur de l'établissement.

— Les congédiements: Ceux qui sont renvoyés pour des raisons disciplinaires ou à cause d'un rendement inacceptable.

— Les départs involontaires: Ceux qui quittent l'établissement pour des raisons personnelles qui ne sont pas directement reliées à leur emploi, par exemple, un décès, une incapacité totale permanente, le déménagement d'un conjoint ou la retraite.

— Les départs volontaires: Ceux qui quittent parce qu'ils sont insatisfaits de leur emploi ou de leur situation de travail en général.

Pour obtenir une mesure qui traduit assez bien un degré d'insatisfaction ou de mécontentement, nous retranchons du nombre total des départs, ceux qui sont survenus à la suite d'un licenciement et à la suite d'événements qui échappent au contrôle de l'employeur ou de l'employé.

---

* Il faut rappeler qu'il existe au moins une vingtaine de mesures du taux de roulement. A ce sujet, voir: Gaudet, F.J., *Labor turnover*, Research Study, no 39, American Management Association, New York, 1960, pp. 13-36.

Nous obtenons la formule suivante:

Taux de roulement exprimant une insatisfaction:

$$\frac{S - (L + D.\ inv.)}{\dfrac{Mot_1 + Mot_2}{2}} \times 100 = X\%$$

S   = Nombre total des départs

L   = Licenciement

D. inv.   = Départs involontaires

Nous incluons les congédiements parce qu'ils constituent des départs qui peuvent être évités par une meilleure administration de la discipline ou par la création de conditions de travail incitant les membres de l'organisation à adopter des comportements acceptables.

Le calcul d'un taux de roulement utilisant une telle formule présente certaines difficultés qui ne sont pas insurmontables. Il s'agit non seulement de tenir un registre du nombre d'individus qui quittent l'établissement au cours d'une période, mais il faut encore indiquer les raisons réelles du départ. Pour cela, on peut procéder par entrevues auprès des supérieurs hiérarchiques immédiats ou auprès des employés qui quittent (entrevue de départ) ([3]).

10.1.3   Facteurs qui font varier le taux de roulement, à la hausse ou à la baisse:

Nous distinguons ici entre les facteurs objectifs du roulement et les causes plus profondes reliées directement à la situation de travail.

— L'âge et l'ancienneté   *jeunes moins de stabilité*

C'est surtout au cours des premières années de leur vie de travail que les individus (en majorité des jeunes) présentent un taux d'instabilité élevé. Une étude effectuée par le Conseil économique du Canada, à l'aide de données du Régime de pensions du Canada, démontre qu'en Ontario "plus de 50% des jeunes travailleurs masculins avaient quitté leur employeur au cours de la première année de l'enquête et 16% seulement avaient conservé le même employeur durant les cinq années de l'enquête" ([4]). Les chercheurs du Conseil économique du Canada ont demandé à des cadres d'entreprises les raisons d'une telle instabilité. Ces derniers reconnaissent chez les jeunes une grande ouverture face aux changements, le désir "d'accepter des responsabilités et de progresser à un rythme plus rapide que leurs prédécesseurs d'il y a dix ans''. Le facteur âge recouvre donc d'autres éléments beaucoup plus fondamentaux reliés au roulement, à savoir un progrès rapide au plan de la rémunération et de la promotion et des tâches comportant plus de responsabilités.

Avec l'avancement en âge et avec le cumul des années de services auprès d'un employeur, les travailleurs deviennent plus familiers avec les tâches et leur milieu de travail. Ils bénéficient des avantages plus nombreux que leur procurent certaines dispositions des conventions collectives.

A cela s'ajoute l'acceptation de responsabilités familiales, ce qui incite les travailleurs moins jeunes à valoriser la sécurité d'emploi qu'offre un employeur et les avantages qui s'y rattachent. Ces quelques raisons peuvent expliquer un taux de roulement plus faible chez les travailleurs âgés.

— Le sexe

Dans la même étude du Conseil économique du Canada, les données révèlent un taux de roulement deux fois plus élevé chez les femmes que chez les hommes en 1973: environ 34% chez les femmes et 17% chez les hommes. Les raisons sont déjà connues: dans l'ensemble, les femmes occupent encore des emplois moins rémunérateurs que les hommes. Au moment de l'enquête, les femmes interviewées déclarent ''ne pas être disposées à occuper un emploi permanent'' et un grand nombre ne sont pas intéressées à une carrière. Le travail rémunéré prend pour elles un caractère d'appoint. Par ailleurs, elles préfèrent ne pas travailler plutôt que d'accepter un emploi ''sans intérêt'' (5).

— La catégorie socioprofessionnelle

Les cols bleus et les employés de bureau présentent également un taux de roulement deux fois plus élevé que le personnel professionnel, administratif et technique. On note en effet chez les cols bleus et le personnel de bureau semi-spécialisé et non spécialisé, une désaffection à l'endroit d'un travail parcellaire et répétitif, une aversion à prendre des responsabilités plus grandes et un manque d'intérêt pour l'avancement. D'autres facteurs tels que la nationalité, le fait d'être propriétaire ou locataire, le statut marital et la taille des établissements peuvent influencer les taux de roulement. Cependant, la majorité des facteurs que nous venons de mentionner masquent des causes qui sont beaucoup plus profondes et qui sont directement reliées aux caractéristiques du milieu de travail.

10.1.4 Causes profondes du roulement

On peut répartir ces causes en deux grandes catégories: celles qui ont trait à la création et au maintien d'un climat de travail valorisant, c'est-à-dire celles qui sont reliées aux facteurs motivationnels de Herzberg, et celles qui ont trait au maintien d'un milieu de travail satisfaisant (facteurs de réduction du mécontentement ou facteurs hygiéniques).

a. Causes profondes qui ont trait à la motivation

Porter et Steers, dans une publication récente ([6]), ont effectué une revue d'un nombre important de travaux de recherches sur les causes du roulement et de l'absentéisme.

— Le contenu de la tâche

Nous venons de voir que certaines catégories socio-professionnelles présentent des taux de roulement beaucoup plus faibles que d'autres: ce fait peut être attribué en partie à la nature intrinsèque des tâches. En gravissant les échelons de la pyramide sociale, les tâches semblent offrir plus d'intérêt et plus de possibilités de satisfaction des besoins (reconnaissance, actualisation de soi). Par conséquent, le taux de roulement chez des individus qui occupent des emplois qu'ils considèrent conformes à leur propre image ou à leurs capacités sera plus faible que chez d'autres éprouvant des sentiments contraires. A ce sujet, Porter et Steers rapportent huit corrélations négatives sur neuf entre la satisfaction générale à l'endroit du contenu de la tâche et le taux de roulement: plus la satisfaction à l'endroit du contenu de la tâche est faible, plus le taux de roulement dans ces emplois est élevé. Cette constatation vaut également pour des dimensions spécifiques du contenu de la tâche:

— Tâche répétitive et roulement élevé: quatre corrélations positives dans cinq études.

— Autonomie et responsabilité et taux de roulement élevé: quatre corrélations négatives dans quatre études.

— Clarification des responsabilités et taux de roulement: la variable "clarification des responsabilités" réfère d'une part à une définition claire des attentes de l'employeur à l'endroit de l'individu récemment promu ou embauché, et d'autre part à un effort de précision de la part de l'employé à l'endroit de ses propres attentes touchant la rémunération, l'avancement, etc. Si les attentes réciproques* s'avèrent incompatibles par la suite, l'individu éprouvera un sentiment de frustration qui l'incitera à quitter l'organisation. Par conséquent, moins les attentes sont clarifiées ou précisées de part et d'autre, plus élevé sera le taux de roulement. Porter et Steers rapportent quatre corrélations négatives dans quatre études qui traitent de ce sujet.

— La rémunération, les chances d'avancement et de promotion

La revue des études empiriques effectuées par Porter et Steers placent ces deux variables sur un même pied. Puisque la théorie des deux facteurs de Herzberg n'établit pas clairement si la rémunération est un facteur hygiénique ou un facteur motivationnel, les auteurs seraient justifiés de la considérer comme un facteur motivationnel. La perception d'une rémunération équitable en relation avec l'effort ou le rendement fourni, la perception d'une compatibilité entre la rémunération souhaitée et la rémunération effectivement reçue seraient accompagnées d'un faible taux de roulement. La présence de possibilités de promotion peut également s'accompagner d'un faible taux de roulement. Sur ce point, Porter et Steers notent quatre corrélations négatives dans quatre études effectuées sur la relation entre le taux de roulement et la satisfaction à l'endroit de la rémunération et des chances d'avancement impliquant une rémunération plus élevée. Par contre, on ne doit pas s'attendre à une telle relation entre ces variables dans le cas des travailleurs affectés à la fabrication. Telly, French et Scott [7] ont établi des comparaisons entre des ateliers de fabrication où le taux de roulement était élevé et d'autres ateliers à faible taux de roulement. Ils n'ont pu déceler de relation entre les taux de roulement d'une part et la perception d'iniquités au plan de la rémunération et des possibilités de promotion d'autre part.

b. Causes profondes qui sont reliées à des facteurs hygiéniques ou facteurs de mécontentement

— La supervision

Dans cette même étude, Telly, French et Scott constatent un taux de roulement élevé dans les ateliers où les travailleurs ressentent l'absence d'un traitement équitable de la part de leur supérieur hiérarchique et de leur chef d'équipe. Le manque de compréhension et de disponibilité des supérieurs hiérarchiques, l'absence de considération, la rigidité, un

---

* L'idée d'attentes réciproques réfère ici à la notion de contrat psychologique élaborée par Edgar Shein: *Psychologie et organisation*, Paris, Editions Hommes et Techniques, 1967.

jugement discutable, l'incapacité de solutionner les conflits, une application erratique des mesures disciplinaires sont autant d'aspects de la supervision incitant les travailleurs à fuir leur milieu de travail.

Porter et Steers abondent dans le même sens en effectuant un relevé de dix études dont les résultats permettent de conclure à une corrélation négative entre la satisfaction à l'endroit de la supervision reçue et le taux de roulement.

Fleishman et Harris (⁸), auteurs d'une étude déjà répertoriée par Porter et Steers, découvrent qu'une supervision de type autoritaire s'accompagne d'un taux de roulement plus élevé qu'une supervision de type "permissif".

— Les groupes de travail

La possibilité pour un individu de se percevoir comme membre d'un groupe de travail et de développer ainsi des relations interpersonnelles significatives dans un contexte de travail peut exercer une influence sur son intention de demeurer dans un emploi. On se souvient que les pionniers de l'Ecole des Relations Humaines faisaient de l'appartenance ou de l'identification à un groupe de travail un facteur important de satisfaction au travail et de rendement. Telly, French et Scott (⁹) découvrent une corrélation positive entre un taux élevé de roulement et l'absence d'esprit d'équipe au sein des ateliers, l'absence de fierté à l'endroit des ateliers, l'absence de relations humaines significatives. Porter et Steers (¹⁰) rapportent six études, dont quatre concluent à une relation négative entre la satisfaction à l'endroit du groupe de travail et le roulement. Ils constatent l'absence d'une telle relation dans deux autres études et attribuent ces divergences, au plan des conclusions, soit à un faible besoin d'affiliation chez certains individus, soit à un milieu physique et un contexte technologique qui empêchent les travailleurs d'entrer dans un réseau restreint de contacts sociaux.

— Les conditions physiques de travail

La propreté, le bruit, l'éclairage et la température sont autant de facteurs d'ambiance qui peuvent rendre un milieu de travail plus ou moins tolérable. C'est surtout au niveau de la catégorie ouvrière que ces facteurs peuvent jouer. Les études de Telly, French et Scott démontrent l'existence d'un taux élevé de roulement chez les travailleurs qui se plaignent des conditions de travail avec des outils inadéquats, le bruit intolérable, les couleurs non attrayantes, des horaires de travail qui viennent en conflit avec des activités de loisir ou la vie familiale, le non-respect des normes de sécurité, etc.

D'autres causes, cette fois externes à l'organisation, peuvent également expliquer un taux plus ou moins élevé de roulement. Une conjoncture économique et un marché du travail favorables peuvent inciter le travailleur à s'engager dans la recherche d'un autre emploi plus rémunérateur et plus conforme à ses capacités, même s'il est relativement satisfait de l'emploi qu'il occupe actuellement.

10.1.5 Le contrôle du taux de roulement

Les études que nous avons mentionnées laissent entrevoir une relation entre la satisfaction au travail considérée globalement et le roulement. Cependant, ce lien complexe entre satisfaction et roulement échappe encore à toute tentative de généralisation.

Les individus insatisfaits ont tendance à quitter leur employeur dans une proportion plus élevée que ceux pour qui le milieu de travail est considéré comme satisfaisant ou même valorisant. Nous constatons également que les causes profondes d'un roulement élevé sont reliées à des situations sur lesquelles les directions d'entreprises peuvent exercer un certain contrôle. Il n'est pas nécessaire d'élaborer ici une longue liste des actions que peuvent prendre les directions d'entreprises intéressées à réduire un taux de roulement qu'ils jugent trop élevé. L'étude des causes possibles suggère de façon immédiate les actions à prendre. Nous nous contentons donc d'établir ici les jalons d'un contrôle qui peut être exercé.

1. Effectuer une étude de la situation qui prévaut dans l'établissement, de manière à mesurer l'ampleur des taux de roulement pour l'ensemble de l'établissement et par catégorie d'âge, d'ancienneté, de sexe, de service et de profession.

2. Identifier par des entrevues de départ ou par des entrevues avec les supérieurs immédiats les raisons qui ont amené les employés à quitter l'établissement. Parmi toutes ces raisons, choisir par ordre de priorité celles qui laissent entrevoir des situations que l'employeur peut modifier.

3. Entreprendre et réaliser un programme de changements susceptibles de créer un milieu de travail satisfaisant et valorisant. Ces changements, selon la nature des insatisfactions, peuvent porter sur une révision des politiques de gestion des ressources humaines, l'implantation d'un système de gestion, l'introduction de nouvelles formes d'aménagement des temps de travail, une révision des rémunérations, une modification des styles de supervision, une amélioration des conditions physiques de travail, une considération particulière

296

pour les jeunes qui occupent un premier emploi. Dans un exposé subséquent, nous verrons que l'enrichissement des tâches et l'implantation d'équipes semi-autonomes constituent actuellement deux moyens privilégiés pour revaloriser un milieu de travail.

10.2 L'absentéisme

Tout comme le taux de roulement, l'absentéisme constitue un "indicateur" du degré de satisfaction ou de mécontentement en milieu de travail. La décision de s'absenter ne comporte pas les mêmes conséquences qu'un abandon d'emploi et les raisons qui sous-tendent cette décision ne sont pas en tout point identiques à celles qui peuvent expliquer un départ. Comme le signalait Dimitri Weiss, dans un article de la revue Production et Gestion, "l'absentéisme apparaît aux yeux de certains observateurs comme une situation intermédiaire entre l'intégration dans l'entreprise et l'abandon de cette dernière. Autrement dit, la petite décision de s'absenter serait une version miniature de la décision importante de l'abandonner".

10.2.1 Définition du phénomène et mesures

Parmi les nombreuses définitions que l'on retrouve chez les auteurs, nous retenons celle du Département du Travail des Etats-Unis:

*L'absentéisme, c'est le fait de ne pas se présenter au travail lorsqu'on est sensé le faire, que ce geste soit motivé ou non.**

Il va de soi qu'on exclut de ce vocable les journées perdues à cause d'une grève ou d'une journée d'études, puisque ce sont des phénomènes qui relèvent de comportements collectifs; la décision de s'absenter est plutôt individuelle. Il faut exclure également les périodes de vacances, les congés fériés, les journées consacrées à un stage de perfectionnement.

La formule la plus utilisée pour effectuer un calcul du taux d'absentéisme est celle du Département du Travail des Etats-Unis, qui s'exprime comme suit:

Taux d'absentéisme:

$$\frac{\text{Nombre de jours perdus pour absences au cours d'une période}}{\text{(Nombre de jours ouvrables) x (nombre moyen d'employés au cours de la période)}} \times 100 = X\%$$

---

* En anglais: *The failure of employees to report for the job when they are scheduled to work, wether or not such failure to report is excused.*

Cette formule permet d'évaluer la gravité de l'absentéisme à l'échelle d'une entreprise, d'un établissement ou d'un département. Cette mesure ne fait pas de distinction entre absences justifiées ou injustifiées, entre absences pour maladie ou non. Pour tenir compte de ces distinctions, il faut lui apporter des modifications. On obtient ainsi les mesures suivantes:

a) Absentéisme maladie:

$$\frac{\text{Nombre de jours perdus pour absences-maladies au cours d'une période}}{(\text{Nombre de jours ouvrables}) \times (\text{Nombre moyen d'employés})} \times 100 = X\%$$

Encore là, cette formule permet un calcul dont les résultats se rapprochent de la première, puisque tous les employés essaient d'une façon ou d'une autre de fournir des raisons qui ont trait à la maladie et qui justifient l'autorisation de s'absenter. Les jours d'absences qui ne seraient pas inclus dans cette formule seraient reliés aux événements suivants: la naissance d'un enfant, le mariage, le décès d'un parent, les visites au médecin, au dentiste ou d'autres raisons de commodités ou de convenance personnelle prévues à la convention collective. Etant donné que certaines conventions collectives accordent un minimum de trois (3) jours de congés-maladie consécutifs payés sans qu'il soit nécessaire d'en fournir les raisons et que parfois ces congés ne sont pas "remboursables" lorsqu'ils ne sont pas utilisés, les employés peuvent être incités à s'absenter sans être "vraiment" malades. Est-ce à dire qu'ils peuvent décider plus facilement de s'accorder un petit congé? Dans ce cas, il faut utiliser une formule qui tient compte de la fréquence et de la durée des absences, en se basant sur l'hypothèse que les absences de trois (3) jours ou moins seraient, en partie, injustifiées et indiqueraient un désir chez les employés de fuir momentanément leur lieu de travail. La formule serait alors la suivante:

b) Absentéisme de courte durée:

$$\frac{\text{Nombre de personnes qui s'absentent durant 3 jours ou moins}}{\text{Main-d'oeuvre moyenne à l'emploi de l'établissement au cours d'une période}} \times 100 = X\%$$

A ce sujet, une étude effectuée par l'Hydro-Québec en 1973 et rapportée par Dimitri Weiss([1]) "a montré que l'absence de courte durée, trois jours ou moins, était la plus étendue, représentant 91% des cas d'absences".

10.2.2 Les facteurs qui peuvent faire varier le taux d'absentéisme

Il faut distinguer ici entre des facteurs reliés aux caractéristiques personnelles des individus et des facteurs externes à l'organisation de travail.

a. Facteurs personnels

— L'état de santé des individus

La maladie et l'état d'incapacité physique à la suite d'accidents du travail et de la circulation routière constituent les deux raisons qui servent à justifier la majorité des absences. Même si les absences ne peuvent pas toutes être ainsi justifiées, il n'en demeure pas moins que les affections du système respiratoire, du système sanguin et du système digestif constituent, surtout au Canada à cause de la rudesse de la saison d'hiver, des raisons réelles de s'absenter. Malheureusement, nous ne disposons pas pour le moment de données assez fiables pour effectuer une répartition des taux d'absentéisme selon les types de maladies invoqués.

— L'âge et l'ancienneté

La plupart des études effectuées sur ce sujet démontrent que le taux d'absentéisme diminue avec l'accroissement de l'âge et le cumul des années de services chez un employeur. Le rapport de l'Hydro-Québec mentionne "qu'avant quatre ans de services, les employés qui s'absentent le font pour de courtes périodes et leurs absences sont un peu plus fréquentes que la moyenne" [13].

— Le degré de scolarité

Ce facteur accompagne le précédent, puisque les jeunes récemment embauchés éprouvent, semble-t-il, plus de difficultés à s'adapter au contexte de l'usine et des ateliers, surtout s'ils sont assignés à des tâches répétitives.

— Le sexe

On constate également un taux d'absentéisme plus élevé chez les femmes que chez les hommes, soit à cause de la présence des jeunes enfants, soit à cause de l'absence de garderie sur les lieux du travail. Cependant, Madame Pierrette Sartin, en s'appuyant sur une enquête faite par l'INSEE (France), note que "l'absentéisme atteint son maximum entre 25 et 35 ans, qui correspond à l'âge où la femme a des enfants qui ne sont pas encore autonomes, pour redescendre progressivement et se rapprocher de l'absentéisme masculin" [14].

— Le niveau de qualifications et le secteur industriel

Dans la revue "Le Québec industriel", Robert Henry ([15]) reproduit des données extraites d'une étude du Conference Board des Etats-Unis qui démontrent des taux d'absentéisme plus élevés chez les manoeuvres et les ouvriers d'usine que chez les employés de bureau et les cadres. Dans les secteurs industriels, comme la construction et les mines, les taux d'absentéisme sont plus élevés que dans les secteurs de la finance, des assurances et du commerce. Le niveau de qualifications, en particulier, cache des causes plus fondamentales qui sont reliées à l'état de satisfaction à l'endroit de la tâche et des conditions de travail.

— L'inaptitude à accomplir un travail

Il peut arriver qu'une mauvaise sélection ou l'absence de possibilités de formation professionnelle initiale ou subséquente amènent l'employé à prendre conscience de son inaptitude à accomplir un travail. Dans ce cas, il sera incité soit à quitter son emploi ou encore à choisir l'alternative de fuir momentanément son travail. Une telle fuite se présente alors comme une possibilité de réduire une tension trop forte dont l'origine se situe dans une inaptitude perçue à assumer adéquatement des responsabilités.

b. Les facteurs externes à l'organisation

Cette catégorie comprend les facilités ou moyens de transport du lieu de résidence au lieu de travail, les responsabilités familiales, le soin des enfants, les difficultés maritales, etc.

10.2.3 Les causes profondes de l'absentéisme

Ces causes sont reliées plus directement soit à l'organisation du travail, soit aux perceptions que les individus se font des conditions monétaires ou physiques de travail qui leurs sont offertes.

Avec la diffusion intense des travaux des pionniers de l'Ecole des Relations Humaines, l'on s'est habitué à reconnaître un lien étroit entre l'état d'insatisfaction ou de mécontentement au travail et un absentéisme élevé. Un relevé de quelques études plus récentes, effectuées par Vroom ([16]), apporte un certain appui à cette vision coutumière. Cependant, si la majorité de ces études présentent une corrélation négative entre la satisfaction au travail et le taux d'absentéisme, ces corrélations demeurent faibles; par conséquent, les résultats obtenus, comme l'a souligné Vroom, ne sont pas toujours fiables compte tenu des disparités au plan de la méthodologie utilisée, de l'échantillon retenu et des dimensions du phénomène envisagé. Cette observation constitue en elle-même une sorte de "caveat" ou de mise en garde. Il est impossible pour le moment de dégager deb conclusions "généralisables" sur le lien qui peut exister entre le niveau de satisfaction et le taux d'absentéisme.

Parmi les causes profondes reliées à l'organisation du travail et à ses conditions d'exécution, nous retenons les suivantes:

— La nature même du travail effectué

Avec l'application des processus de production de masse et l'application intensive des processus automatisés de gestion et de production, on assiste à une certaine déqualification du travail; c'est là une constatation faite par de nombreux sociologues. Cette déqualification expliquerait en grande partie le taux plus élevé d'absentéisme chez les catégories d'ouvriers et d'employés de bureau. Pierre Dubois, dans un article sur l'absentéisme ouvrier dans l'industrie ([17]), considère ce phénomène comme "l'expression d'un rejet de la situation de travail". Dimitri Weiss, en s'appuyant sur des études faites à l'Hydro-Québec et au Centre de recherches sociologiques de la société Olivetti, constate une "nette association entre le taux d'absentéisme et la présence dans le travail accompli, de certaines caractéristiques: travail répétitif, parcellisation, réduction au minimum du temps requis pour apprendre la tâche, fréquence d'interaction insuffisante" ([18]).

— La taille de l'entreprise et des groupes de travail

Une entreprise dont le nombre d'employés dépasse cinq cents (500) aura probablement des taux d'absentéisme beaucoup plus élevés que ceux qu'on observe dans la petite et moyenne entreprise. Cependant, les groupes de travail qui présentent un fort degré de cohésion sociale et qui créent des possibilités d'interaction entre les individus, viennent tempérer l'influence que peut exercer la taille de l'entreprise.

— La rémunération

Lorsqu'on demande aux directions d'entreprises américaines les raisons d'un taux d'absentéisme élevé, elles répondent que la satisfaction à l'endroit de la rémunération joue un rôle important. Elles rangent ensuite par ordre d'importance les chances de promotion, la qualité de la supervision et les conditions physiques de travail ([19]). Par contre, on se rend compte que ce n'est pas le mécontentement à l'endroit des taux de rémunération comme tel qui influence l'absentéisme; c'est plutôt, chez les ouvriers, le fait d'anticiper un niveau de revenu pour la semaine, la quinzaine ou le mois et de travailler le moins nombre d'heures possibles pour l'atteindre. Dans ce cas, les travailleurs préfèrent accumuler des heures supplémentaires payées à un taux majoré et s'accorder une journée ou deux au cours de la période régulière. C'est la conclusion qui ressort d'une étude effectuée par Mikalachki et Chapple [20]. Ces deux auteurs ont réussi à isoler un certain nombre de facteurs organisationnels, individuels et d'environnement pour dédouvrir que la possibilité de faire des heures supplémentaires devenait le facteur déterminant.

— La rigidité des horaires de travail

Des horaires trop rigides peuvent également inciter les employés à ne pas se présenter au travail, de peur de se voir dans l'obligation de déclarer un retard et de subir des coupures de traitement. A la suite de l'implantation de nouveaux horaires [21] variables ou personnalisés, on a constaté dans certains établissements une réduction très prononcée du taux d'absentéisme. Une réduction de la semaine de travail de cinq a quatre jours s'accompagne également d'une réduction du taux d'absentéisme.

— Les conditions physiques du travail

Il semble évident que des locaux mal éclairés, mal aménagés et mal entretenus, qu'un niveau de bruit difficilement tolérable et un rythme de travail infernal au niveau des ateliers peuvent inciter les travailleurs à ne pas se présenter momentanément au travail. En s'accordant un congé qu'ils considèrent bien mérité, ils essaient de réduire une tension accumulée en tentant de récupérer une forme physique qui s'est détériorée.

Les facteurs et les causes profondes qui peuvent influencer le taux d'absentéisme sont extrêmement complexes. Leur interdépendance diffère d'une catégorie professionnelle à l'autre, d'un milieu de travail à l'autre, de sorte qu'il faut exercer encore beaucoup de prudence et de jugement lorsqu'on tente d'expliquer les attitudes et les comportements des individus en regard de l'absentéisme.

10.2.4   Le contrôle de l'absentéisme

Les directions d'entreprises se préoccupent peu de recueillir des données sur l'ampleur du phénomène et sur la nature des causes possibles. Elles préfèrent plutôt recourir à l'administration d'une discipline progressive en confiant au supérieur hiérarchique la responsabilité de sévir lorsque des absences répétées lui apparaissent injustifiées.

L'exercice de la discipline suit alors la progression des mesures que nous avons décrites plus haut: avertissement oral, avertissement écrit, démotion, suspension et congédiement. Cependant, l'acceptation d'une telle responsabilité de la part des supérieurs hiérarchiques peut nuire à l'établissement d'un climat de coopération et de collaboration avec leurs subordonnés: les supérieurs apparaissant aux yeux de leurs subordonnés comme des "préfets de discipline". De plus, ces mesures s'avèrent insuffisantes devant l'accroissement actuel des taux d'absentéisme dans les pays fortement industrialisés.

Nous tenterons de formuler ici quelques jalons d'un programme visant à réduire le taux d'absentéisme.

1. Recueillir des données sur l'ampleur de l'absentéisme au niveau de l'établissement, de façon à établir des histogrammes de taux (fréquence et durée) par âge, sexe, catégorie professionnelle, département, etc.

2. Chercher à connaître les causes réelles de l'absentéisme par des entrevues auprès des supérieurs hiérarchiques, par des entrevues avec le médecin ou l'infirmière de l'établissement, là où la législation, bien entendu, autorise l'employeur à faire effectuer une contre-vérification par le médecin désigné.

3. Une fois les causes réelles connues, évidemment, les remèdes sourdent d'eux-mêmes. La direction de l'entreprise, assistée des préposés à la gestion des ressources humaines, pourra alors effectuer l'une ou l'autre des améliorations suivantes:

— Créer des possibilités de regroupement des employés à l'intérieur d'unités de travail permettant l'exercice d'une plus grande autonomie ou l'acceptation de responsabilités plus importantes (création de groupes autonomes ou semi-autonomes)

— Repenser le travail de façon à enrichir les tâches

— Améliorer la qualité de la supervision

— Planifier les opérations de manière à réduire le temps supplémentaire

— Réviser les politiques de sélection et de formation

— Implanter des horaires de travail qui permettent aux employés d'exercer plus de latitude dans l'utilisation de leur temps

— Changer les conditions physiques de travail.

4. Sans chercher à approfondir les raisons qui incitent les employés à s'absenter, la direction de l'entreprise peut introduire différents

systèmes de renforcement positifs associés à l'assiduité. Ces systèmes découlent d'une application des principes du "conditionnement opérant" et des principes de modification du comportement.

Mikalachki et Chapple ([22]), dans un article cité plus haut, font état de trois expériences d'encouragement à l'assiduité qui sont une application de ces principes:

a) Le système de loterie

Tous les employés qui ont un dossier parfait d'assiduité et de ponctualité courent la chance au moment d'un tirage, de recevoir cent dollars ($100). Dans l'entreprise où ce système a été utilisé, l'absentéisme a baissé de 30% en moins d'un an.

b) La partie de poker

Chaque employé d'un service choisit une carte dans un paquet pour chaque jour de la semaine où il n'accuse aucun retard. Celui qui possède la meilleure main dans chaque service obtient vingt dollars ($20). Le taux d'absentéisme a baissé de 3.01% à 2.31% en trois mois dans les organisations qui en ont fait l'expérience.

c) Le truc du chapeau

On tire les noms des employés de tous les services, à la fin de chaque semaine. Le tirage continue jusqu'à ce que l'on tombe sur le nom d'un employé dont le dossier d'assiduité est parfait. Il reçoit alors cent dollars ($100). En quelques mois, l'absentéisme a diminué de moitié.

Ces systèmes utilisent des "cédules de renforcement" fixes: à des montants d'argent déterminés, correspondent des nombres de jours d'assiduité ou de ponctualité fixes ([23]). On peut également recourir à des rapports variables (performance/renforcement), voire même utiliser des intervalles de temps qui varient. Ces systèmes fonctionnent bien si l'on sait choisir le renforcement et l'intervalle de temps qui conviennent à la nature des opérations de fabrication d'un produit ou de prestation d'un service.

10.3 La sécurité au travail

La sécurité au travail est un élément important dans la création et le maintien d'un milieu de travail satisfaisant et valorisant, lorsqu'on songe aux conséquences qu'entraînent des accidents graves et fréquents. Pour le travailleur, un accident grave est une atteinte à son intégrité physique, qui occasionne la perte possible de l'usage complet de l'un ou l'autre de ses membres. Même si une compensation financière est prévue, un accident peut entraîner une perte de revenus. Des accidents fréquents créent également un climat d'incertitude, de tension et de malaise au sein du groupe de travail qui devient un signal d'insatisfaction ou de mécontentement.

Pour l'employeur, il est évident que les accidents du travail représentent des coûts additionnels au plan de la prévention et de la compensation. Les accidents eux-mêmes impliquent une perte de production, des pertes de temps, des frais pour remplacer les travailleurs par d'autres qui, souvent, ne sont pas formés de façon à répondre aux exigences des tâches.

A l'échelle d'une société, les accidents du travail constituent une perte de ressources productives qu'elle a indirectement contribué à former. On calcule que le nombre de jours ouvrables perdus à cause des accidents du travail est deux à trois fois plus élevé que le nombre de jours perdus à cause des grèves.

10.3.1 Définition et mesures des taux d'accidents

— Définition

Un accident de travail est un événement "qui résulte d'une erreur opérationnelle. Cette dernière se produit chaque fois qu'un résultat imprévu et indésirable éclot d'un acte ou d'une décision, d'un manquement à agir ou à décider" ([24]). Cette définition laisse entrevoir que les accidents du travail ne peuvent être imputés uniquement à des actions dangereuses de la part des travailleurs; la supervision et la direction sont également impliquées par leurs décisions ou l'absence de décisions concernant l'établissement de conditions sécuritaires.

— Taux de fréquence et de gravité des accidents

On distingue ici deux mesures pour juger de l'ampleur du phénomène des accidents au travail. Le taux de fréquence réfère au nombre d'accidents au cours d'une période donnée par millions d'heures de travail.

Fréquence:

$$\frac{\text{Nombre d'accidents avec perte de temps x 1,000,000}}{\text{Nombre d'heures travaillées}} =$$

Le taux de gravité réfère au nombre de jours indemnisés et standards perdus à cause d'accidents du travail au cours d'une période donnée par rapport au nombre d'heures de travail.

Gravité:

$$\frac{\text{Nombre de jours indemnisés et standards x 1,000,000}}{\text{Nombre d'heures de travail effectuées}} =$$

Il faut souligner que les jours indemnisés représentent le nombre total de jours de travail pendant lesquels la C.A.T. (Commission des accidents de travail — Québec) a remis des compensations à des travailleurs. "Les jours standards font référence à une norme établie par les statistiques, de façon à inclure dans le calcul de la gravité des accidents le pourcentage d'invalidité et les cas de décès: une incapacité totale permanente équivalant à 6,000 jours standards" [25].

10.3.2 Les causes des accidents de travail

L'on s'est habitué depuis bien des années à attribuer les causes des accidents de travail à des actions dangereuses commises par les travailleurs. Les conclusions de l'étude de Heinrich en 1950 abondent dans ce sens en évaluant à 88% la part du facteur humain dans l'explication des accidents [26]. Une étude du professeur Simonin établit les causes d'accidents selon les proportions suivantes:

— 72.5% dus à la maladresse, à l'inattention ou à l'imprudence

— 5.8% dus à l'absence ou à l'insuffisance de moyens de protection

— 1.9% dus à l'insuffisance de protection de la machine

— 16.2% dus à une mauvaise organisation du travail

— 2.0% dus à un mauvais état du matériel [27].

Par contre, Bernard Boucher, à la suite d'enquêtes faites par le ministère du Travail (Québec), soutient une position tout à fait opposée: "Sur 241 enquêtes d'accidents, dont 104 mortels, les causes se répartissent comme suit:

— 51% — conditions dangereuses

— 10% — méthodes de travail dangereuses

— 39% — actions dangereuses

Si l'on s'en tient à ces données, il faut admettre que les causes d'accidents relèvent beaucoup plus de conditions techniques dangereuses que d'actions dangereuses de la part des travailleurs.

a) Les causes liées au facteur humain

Ces facteurs sont nombreux, mais ceux qui sont mentionnés le plus souvent sont les suivants:

— Manque d'habilité dû à une connaissance insuffisante du travail

— Ignorance des consignes de sécurité

— Négligence dans l'emploi des moyens de protection

— Pressions exercées par la supervision dans le sens d'un rendement toujours plus élevé, sans égard aux conditions sécuritaires

— Défaut de communication

— Manque de collaboration

— L'appât du gain

— Mécontentement à l'endroit des conditions de travail

— Prédisposition aux accidents

— Problèmes familiaux.

b) Les causes techniques

La fréquence et la gravité des accidents peuvent être attribués à l'une ou l'autre ou à l'ensemble des conditions techniques suivantes:

— Des installations inadéquates (installations électriques, de chauffage, d'aération, d'éclairage, d'emplacement des machines)

— Des équipements sans dispositif de protection adéquate

— Des techniques opératoires dangereuses

— Des outils et accessoires défectueux

— Une mauvaise répartition du travail entre les services ou départements à l'intérieur des usines.

Ce n'est pas un facteur en particulier qui permet d'expliquer l'avénement d'un accident, mais bien le jeu complexe de plusieurs facteurs. J. Carpentier ([28]) a essayé d'établir l'ordre d'importance relative de chaque groupe de facteurs: la cause plus rapprochée de l'accident tient au facteur humain. Celle qui vient en deuxième, tient au facteur technique (installations, machines). L'incident critique qui perturbe l'opération se situe en troisième place: cet incident critique constitue le risque d'accidents. Enfin, la cause la plus éloignée de l'accident, et qui est en même temps la cause principale, est attribuable aux facteurs organisationnels: attitudes de la direction à l'endroit de la sécurité, ensemble de directives et de mesures touchant la sécurité, répartition du travail, coordination entre les services ([29]).

10.3.3 Le contrôle des accidents de travail: la prévention

Une politique de prévention des accidents commence par définir des objectifs en matière de sécurité, et elle procède à la détermination des activités ainsi qu'à l'allocation des ressources nécessaires. Le schéma suivant donne une représentation visuelle des éléments d'une politique globale de prévention.

Figure 10.1   Une politique de prévention selon une approche-système.

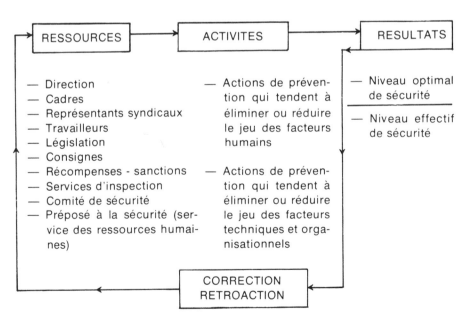

a) Les résultats recherchés en matière de prévention

Ces résultats peuvent être exprimés en terme d'un rapport entre un niveau optimal de sécurité visé ([30]) et le niveau effectif atteint. L'utilisation de taux de gravité et de taux de fréquence servent dans ce cas de mesures de niveau de sécurité. L'on jugera de l'efficacité de l'implantation et de l'application d'une politique de sécurité au travail dans la mesure où les taux effectifs se rapprocheront des taux optimaux.

b) Les activités

On définit la prévention comme étant l'ensemble des actions ou "des mesures prises pour diminuer, éloigner ou éliminer les risques d'accidents" ([31]). En commentant cette définition, Gérard Hébert fait remarquer que la prévention ainsi définie "vise la cause plutôt que l'accident lui-même" ([32]).

— Actions reliées au facteur humain

L'éventail des actions possibles qui visent à réduire ou à éliminer les risques d'accidents reliés aux facteurs humains concernent la création d'un esprit de sécurité ou encore le déclenchement d'une motivation à adopter des comportements "sécuritaires".

Une première action consiste à effectuer un diagnostic de l'état de sécurité qui existe à un moment donné dans l'établissement. Ce diagnostic fera ressortir l'ampleur et la gravité des accidents, de même que les causes immédiates et éloignées qui peuvent fournir des explications valables.

Une fois les causes connues, il est possible de dresser la liste des interventions sur le plan humain et technique qui viendront soit diminuer, soit éliminer les risques d'accidents.

La plupart des programmes d'intervention en matière de sécurité au niveau du facteur humain comprennent les actions suivantes:

— Des campagnes ponctuelles de sécurité diffuseront l'information sur les consignes de sécurité existantes ou nouvelles, sur les avantages que les travailleurs retireront en adoptant des comportements plus "sécuritaires". Ces campagnes s'appuient sur des moyens audio-visuels et se veulent un effort d'éducation et de formation à l'endroit de la sécurité.

— Une révision des politiques et des instruments de sélection pour écarter les travailleurs dont les temps de réaction sont trop lents. "Des insuffisances sensorielles, motrices, intellectuelles et certains traits de personnalité peuvent être plus ou moins incompatibles avec tel ou tel type de travail mettant en jeu la sécurité de l'agent ou d'autres opérateurs (³³).

— L'aménagement de pauses au cours de la journée, pour réduire la fatigue.

b) Actions reliées au facteur technique et organisationnel

Une campagne de sécurité, si bien orchestrée soit-elle, ne réussira pas à inciter les travailleurs à adopter en tout temps des comportements sécuritaires. Mieux vaut chercher à modifier le contexte technique et organisationnel de façon à créer un milieu de travail sécuritaire. Les actions possibles étant nombreuses, nous nous contenterons de donner quelques exemples:

— Les actions qui découlent d'une application correcte des lois en matière d'hygiène et de sécurité au travail concernant les établissements industriels et commerciaux; les règlements concernant la salubrité et la sécurité du travail dans les mines et les carrières; la réglementation relative à la qualité du milieu de travail; la loi des accidents de travail au Québec; le Code de sécurité pour les travaux de construction.
— La mise sur pied d'un comité de sécurité

L'arrêté en conseil 3787 du 13 décembre 1972 (Québec) oblige les employeurs à se doter de comités de sécurité dans les établissements de 20 travailleurs et plus, et dont le taux de fréquence des accidents est de plus de 25 accidents par million d'heures de travail.

D'autres actions concernent l'incorporation des dispositifs de sécurité aux machines au moment de leur conception et de leur fabrication; la signalisation adéquate des dangers d'accidents; l'élaboration de consignes à suivre au cours de l'utilisation des équipements et des outils; la conception des bâtiments prévoyant assez d'espace pour assurer une circulation convenable des individus et des matériaux.

c) Les ressources mises à la disposition d'un programme de sécurité

— *La direction de l'établissement:* Elle doit apporter son support au moment d'une intervention visant à éliminer ou réduire les risques d'accidents. Elle n'hésitera pas à investir dans la création de conditions techniques sécuritaires, même si la rentabilité de tels investissements n'est pas assurée par une réduction importante des taux d'accidents.
— *Les cadres:* ils doivent être sensibilisés à la sécurité et ils doivent accepter de prendre des responsabilités dans ce domaine.

— Les services d'inspection créés en vertu des lois citées plus haut peuvent être utilisés par les établissements pour effectuer des études sur les causes des accidents et proposer des actions à prendre.

— Les représentants syndicaux qui siègent sur les comités de sécurité peuvent aussi apporter leur contribution.

— Les travailleurs eux-mêmes doivent accepter une certaine responsabilité à l'endroit de comportements à adopter pour eux-mêmes et pour les autres.

— Enfin, le préposé à la sécurité apporte son assistance au moment de la préparation et l'administration des programmes de sécurité.

Une politique de sécurité s'accompagne également d'une politique d'hygiène de travail. C'est là un sujet très complexe et qui prend de plus en plus d'importance chez ceux qui s'intéressent à la qualité de la vie au travail.

10.4 Questions

1) Décrivez une situation où le taux de séparation serait identique au taux d'accès.

2) A quoi servent les mesures des phénomènes suivants:

   — taux de roulement?

   — taux d'absentéisme?

   — taux de fréquence et de gravité des accidents au travail?

3) Les taux de survie (ou les taux de perte) peuvent-ils servir à préciser le volume d'embauche pour une période future? Si oui, quel usage peut-on en faire?

4) Faites-vous une distinction entre les termes licenciement et congédiement? Si oui, laquelle?

5) Les facteurs et les causes fondamentales qui peuvent expliquer un taux de roulement sont-ils tous d'ordre psycho-sociologique?

6) Quelles sont les causes communes du roulement et de l'absentéisme?

7) Etablissez un parallèle entre la théorie des deux facteurs de Herzberg et les causes profondes d'un taux de roulement élevé.

8) En quoi consiste une entrevue de départ? A quoi peut-elle servir?

9) "La maladie est la cause principale d'un taux d'absentéisme élevé". Nuancez cette affirmation.

10) Le recours intensif aux mesures disciplinaires suffit-il pour enrayer un taux d'absentéisme jugé trop élevé?

11) Les taux d'accidents du travail sont-ils de bons "indicateurs" d'un climat organisationnel satisfaisant et valorisant?

12) La mesure du taux de gravité des accidents présentée dans cet exposé tient-elle compte du degré d'invalidité ou d'incapacité physique à la suite d'un accident?

13) Les causes "immédiates" d'un accident du travail sont ce qu'il est convenu d'appeler, les causes "principales" d'un accident. Commentez.

14) Comment une meilleure sélection du personnel peut-elle contribuer à réduire:

— le taux de roulement?

— le taux d'absentéisme?

10.5 Travaux pratiques

10.5.1 Exercice : Etude du roulement

TACHE 1: Effectuez, à l'aide des données fournies, un calcul du taux de roulement qui serait un bon indicateur du degré de mécontentement des employés.

TACHE 2: Interprétez ces données à l'aide de la théorie des deux facteurs de Herzberg.

L'une des banques les plus prospères du quartier des affaires de Montréal éprouve de nombreuses difficultés à retenir son personnel. A l'aide d'entrevues de départ effectuées au cours du dernier exercice financier, le service du personnel établit un taux de roulement annuel de 37%, alors que les taux de roulement dans le secteur bancaire, pour cette même année, varient entre 10 et 15%. Bon nombre d'employés quittent parce qu'ils sont congédiés; d'autres quittent pour des raisons personnelles. La ventilation du taux de roulement, selon les raisons fournies, s'établit comme suit:

— Travail trop routinier	7.8%
— Mauvaise santé	2.1%
— Mortalité, accouchement, mutation	2.7%
— Faibles chances d'avancement	2.0%
— Manque de considération de la part des chefs de service	2.5%
— Mise à pied due à l'automatisation d'un service	2.2%
— Meilleurs salaires ailleurs	6.0%
— Raisons personnelles	8.3%
— Congédiement	3.4%
TOTAL:	**37.0%**

10.5.2 Exercice: Calcul des taux d'accidents du travail.

TACHE:

a) A l'aide des données fournies, effectuez le calcul des taux de fréquence et des taux de gravité des accidents du travail et reportez vos réponses dans les colonnes appropriées.

b) Cherchez les raisons qui peuvent expliquer les écarts entre les différents taux de roulement que vous venez de calculer.

SECTEURS	Heures travaillées ('000)	Nombre d'accidents	Jours indemnisés et standards	Fréquence	Gravité
Mines d'or, d'argent et de cuivre	19,420	619	220,728		
Forages de puits miniers	280	53	10,531		
Clubs de hockey et de baseball	880	59	1,719		
Abattoirs	23,660	2,740	100,005		
Hôpitaux	297,690	4,382	167,846		
Tous les secteurs*	3,512,440	101,643	6,947, 977		

* Il s'agit de tous les secteurs de l'activité économique.

SOURCE   Statistiques de la Commission des accidents de travail, 1973.

10.5.3 Etude de cas:

LES ETABLISSEMENTS GREGOIRE *

TACHE:

Après avoir lu attentivement le texte qui décrit le climat qui règne aux Etablissements Grégoire, dégagez les facteurs et les causes profondes qui peuvent expliquer les taux de roulement.

---

* Le cas des Etablissements Grégoire a été écrit par Christian AUBERT, du Centre d'études et de perfectionnement à la direction et à la gestion (CEPI), 551, rue Albert-Bailly, 597000 MARCQ-EN-BAROEUL, France. La reproduction à partir de cet ouvrage en vue d'une utilisation dans un séminaire ou dans un cours en est interdite. La diffusion de ce cas est assurée par la Centrale de cas, 108, boulevard Malesherbes, 75017 PARIS, France.

Reproduit avec autorisation spéciale de la Centrale de cas, Paris.

LES ETS GREGOIRE

Jean DIFFERDING dirigeait l'usine des ETS GREGOIRE, firme Sarthoise d'environ 300 personnes, spécialisée dans la fabrication d'articles d'induction plastique de haute qualité (voir annexe 1).

Du fait de la présence dans l'atelier K de machines très coûteuses, la Direction générale, aiguillonnée par une concurrence pressante, avait en 1969 décidé le passage en triple équipe de ce secteur de production. L'ensemble du personnel comportant un fort pourcentage d'éléments anciens; il ne pouvait être question d'envisager une rotation des équipes et Jean DIFFERDING dut donc monter de toutes pièces une 3e équipe qui, le volume de production s'accroissant au fil des ans, comptait en 1976, 16 hommes.

Ceux-ci pouvaient être classés en deux catégories bien distinctes: les 8 spécialistes de machines, hautement qualifiés et dûment formés, qu'aidaient 8 manoeuvres pour les manutentions et tâches diverses de moindre importance. Un contremaître chevronné, Marcel DUMAT, les encadrait.

En mai 1976, Emile THOIRAIN, responsable de l'atelier K, vint trouver M. DIFFERDING, démarche qui ne manque pas de surprendre ce dernier car elle s'avérait des plus inhabituelles. E. THOIRAIN, fort de son expérience de vieux routier de l'entreprise et de la sagesse de ses 60 ans, réglait le plus souvent seul les problèmes de son secteur. Il semblait très préoccupé. "Diriger du personnel devient de moins en moins une sinécure", dit-il sans autre préambule. "Je n'y arrive plus, il faut que vous preniez la question en main. L'équipe de nuit se distingue encore. Déjà, en 1970, vous vous le rappelez, lors de la grève générale de tout le personnel de l'usine, l'équipe de nuit s'était arrêtée 3 jours après tous les autres pour ne reprendre le travail que 8 jours après eux, ayant pour cela exigé et obtenu des négociations particulières avec la Direction. Vous avez pu constater qu'en 1975 j'ai eu grand-peine à maintenir le niveau de productivité. Depuis le début de l'année, ce n'est plus possible: en équipe de nuit, un absentéisme de 25%, des gars qui s'en vont sans arrêt, qu'il faut remplacer, avec le cycle infernal embauche - formation, etc... Il faut faire quelque chose! Je viens de découvrir, ce matin même, en arrivant dans mon bureau, une note de DUMAT m'apprenant le départ de 3 de ses manoeuvres... Nous revoilà encore en culottes courtes la nuit."

Jean DIFFERDING, impressionné par le découragement qu'exprimait brusquement cet homme justement réputé pour son calme et sa pondération, lui promit en termes chaleureux de prendre en main le problème.

Ce qu'il fit aussitôt en se faisant communiquer quelques chiffres par le service de la paie qui gérait le fichier personnel. Ils confirmèrent bientôt ce que disait THOIRAIN. En 1974 et 1975, les statistiques pour l'atelier K indiquaient les relevés suivants:

			1974	1975
Absentéisme équipes - jour	manoeuvres	19%	20%
	machinistes	12%	11%
équipe - nuit	manoeuvres	30%	35%
	machinistes	12%	15%
Départs équipes - jour	manoeuvres	7%	8%
	machinistes	2%	1%
équipe - nuit	manoeuvres	32	48
	machinistes	0	1

Il demanda alors que lui soit adressé l'ensemble des fiches des manoeuvres de nuit ayant quitté l'entreprise en 74 et 75, et fit aussitôt dresser quelques tableaux synoptiques (voir annexe 2), puis il fit convoquer séparément Marcel DUMAT et les trois ouvriers démissionnaires de son équipe.

Dès les premiers mots de son entretien avec DUMAT, J. DIFFERDING se sentit mal à l'aise. Il connaissait en fait très peu Marcel DUMAT, et n'avait guère avec lui de contacts familiers comme il pouvait en avoir avec les autres contremaîtres. DUMAT lui paraissait distant, froid, prudent, et ne parlait que par courtes phrases quand ce n'était pas par monosyllabes.

"Je ne sais pas... Ils trouvent peut-être le travail trop dur... Et puis, pour un oui, pour un non, ils partent... à la moindre réflexion! Les machinistes, eux au moins, sont sérieux... D'ailleurs, ils sont bien plus âgés, plus courageux. La preuve, beaucoup font deux métiers! Je ne devrais pas le dire, mais ils bossent à la ferme ou font du travail d'auxiliaire. Voyez TROHEL qui travaille pour les P et T. Il rentre chez lui à 5 heures, fait 15 km de vélo et repart de 8 heures à midi faire une tournée de facteur dans sa campagne. Les anciens, eux, sont vraiment d'une autre trempe. D'ailleurs, vous devez bien le voir... le travail doit être bien meilleur que celui des équipes de jour... Et puis, il y a un esprit de camaraderie, une solidarité quoi, que je n'ai pas connu en équipe de jour! Avec les machinistes, on se retrouve souvent le dimanche, on prend un pot, on va pêcher ou on va au foot! Ils se regroupent souvent pour venir travailler en voiture... D'ailleurs, la qualité du boulot s'en ressent. C'est normal qu'on soit jalousé par les gars du jour. On se tient les coudes et on se défend chaque fois qu'on essaie de faire retomber sur nous un loup de fabrication. Et puis, on gagne plus. Et pourtant, vous savez, 20% en plus, c'est pas énorme quand on voit le boulot qui est fait la nuit... Mais les manoeuvres, eux, c'est pas pareil, je ne sais pas, je peux pas très bien expliquer, mais c'est pas pareil!''

DIFFERDING reçut ensuite Souleymane DIALLO, un Sénégalais de 20 ans, qui consentit de bonne grâce à lui expliquer les raisons de son départ: ''Tu sais, j'ai essayé de rentrer chez CHAUSSON'', dit-il dans un sourire éclatant, ''mais j'ai pas pu, ils n'embauchaient plus. Un copain m'a dit qu'ici, on embauchait pour la nuit, c'est comme ça que je suis rentré, mais tu comprends, hein, si j'avais pu trouver autre chose... Maintenant, j'ai trouvé autre chose, dans un petit restaurant... Je préfère! Ici, on bourre, on bourre, et puis les vieux, ils sont pas sympas, distants, pas racistes, non c'est pas ça, mais ils causent entre eux...''

TOTA, 21 ans, de son côté expliqua nerveusement: ''Je peux plus! Je suis deux heures ou trois heures avant de dormir. J'arrive pas à me reposer vraiment. C'est bien plus fatigant que le jour. Même si j'arrive à bien dormir, c'est pas pareil, le jour il y a des bruits... Et puis, les week-ends, les congés, faut changer de rythme, c'est tuant... Je suis célibataire moi, alors j'aime bien le bal du samedi soir, mais je tiens plus le coup. Alors vous savez, pour un salaire de misère je préfère foutre le camp. Non, j'ai rien en vue, mais... Bof! je trouverai bien...''

Ilian PETKOVIC, jeune Yougoslave de 24 ans, fut lui aussi très disert: ''Si je n'arrête pas, ma femme s'en va. On a deux enfants, je ne les vois plus que le samedi et le dimanche. Avec ma femme, on a d'autres problèmes... vous voyez ce que je veux dire. De toutes façons, on a plus de vie de famille, je prends pour ainsi dire un repas normal par jour, c'est pas la prime de panier qui peut compenser. Au début, je me disais: ''Terrible! j'ai ma journée...'' mais même le bricolage, j'ai plus le coeur à ça, je me dis qu'il va falloir repartir le soir. Et pour quel travail: on est à part, la nuit, des anormaux quoi! Et puis, même l'ambiance n'y est pas! Y a pas d'avantages à travailler la nuit, c'est sûr.''

J. DIFFERDING tint ensuite à rencontrer quelques manoeuvres partis dans les derniers mois de 1975 et s'efforça donc de trouver, en compulsant le fichier personnel, des adresses. Il fut frappé, au cours de ses recherches, par une constatation: bon nombre de fiches des jeunes manoeuvres démissionnaires, portaient la mention ''cas sociaux'' qu'expliquaient des raisons diverses (parents divorcés, alcooliques, délinquants, etc...). Il se rendit ensuite aux domiciles présumés de ceux qu'il avait retenus... pour n'en rencontrer aucun. L'un était au service militaire, un second était parti ''voir du pays'', avait-il déclaré à ses parents, un troisième s'était marié et avait déménagé, un quatrième habitait toujours ''là'' mais travaillait maintenant à la sécurité sociale, les autres avaient quitté leur ancien domicile sans laisser d'adresse précise.

Faute de pouvoir rencontrer un représentant de l'équipe de nuit, celle-ci ne comprenant aucun délégué ou représentant au Comité d'entreprise, Jean DIFFERDING profita d'une sortie familiale, et après avoir déposé son épouse, se rendit à l'usine. Il était près de deux heures du matin lorsqu'il pénétra dans l'atelier K.

Il fut aussitôt frappé, comme chaque fois qu'il y passait dans de telles occasions, par le climat feutré, ouaté, l'ambiance spéciale qui y régnait et qui contrastait tant avec l'atmosphère bruyante de ce même atelier le jour. Le silence ambiant des autres ateliers, vides et inoccupés, ne faisait qu'accentuer cette sensation de dépaysement.

TROHEL l'accueillit gaiement: "C'est gentil de venir nous voir, qu'est-ce qui se passe? Les chefs, la nuit, ils préfèrent dormir dans leur lit..." Jean DIFFERDING réunit les anciens autour d'une table dans le vestiaire. "Pourquoi les manoeuvres ne restent-ils pas, voilà bien ce qui me préoccupe!"

"Ben, nous aussi" lui fut-il répondu, "on préférerait que les gars restent. On s'en ressent dans notre boulot. Mais, vous savez, ce n'est pas facile de comprendre ces gars-là! On se demande s'ils savent ce qu'ils veulent. Ils ne veulent pas être commandés, ils ne veulent en faire qu'à leur tête. Les jeunes, ils ne veulent pas rester. C'est pas comme nous, ils se posent d'autres problèmes..."

"Nous, on s'y est fait au boulot! On est rentré, bien souvent pour des questions financières. D'ailleurs, ils nous les reprochent, les 60% d'écart entre leurs salaires et le nôtre, mais nous, on s'est accroché, on a appris, et puis pour nous aussi c'est dur le travail de nuit. Bien sûr, si on pouvait, on préférerait l'équipe de jour... D'ailleurs, vous savez bien que LE LAMER et FORMICI ont demandé à repasser en journée..."

"Mais, dans l'ensemble, on a fini par y trouver des avantages. Le jour, on peut rester à la maison, bricoler, discuter, on peut aller faire des courses avec la femme, faire un tour quand il fait beau, chasser ou pêcher quand c'est la saison. Et puis, on s'entend bien; notre contremaître, c'est pareil, il ne nous tarabuste pas, il sent bien qu'on forme une équipe à part, une espèce de famille quoi!"

"Mais les jeunes, c'est pas pareil. Evidemment, ils ont du mal à s'adapter. Souvent ils lâchent dans les 15 premiers jours, on sent qu'ils ont du mal à s'y faire. On les voit qui piquent du nez, qui craquent, ils ne dorment plus, ils ne mangent plus, ils sont comme perdus... Mais c'est pas une raison pour partir à l'aveuglette, il faut réfléchir quand on a un boulot. Ca vaut mieux que le chômage... Bien sûr, on devrait gagner plus, mais ça on peut le dire sans foutre le camp..."

Emile THOIRAIN, silencieux comme d'habitude, venait d'entendre, les sourcils froncés, la mine sombre, le résumé des démarches de ''son chef''.

''Mon petit vieux'' lui dit celui-ci ''je suis, croyez-le, aussi embêté que vous. Et pourtant, il faut fichtre bien que nous fassions quelque chose. Nous n'allons quand même pas renoncer à faire tourner vos machines 24 heures sur 24!''

Annexe 1

LA PRODUCTION DE L'ATELIER K

L'atelier K fabrique, à partir de rouleaux de PVC produits dans les ateliers précédents, des recouvrements de sièges plastiques pour ameublement et voiture. Il utilise pour cela huit machines très coûteuses où le jersey et le PVC sont réunis en continu pour être collés et grainés avant d'être enroulés pour stockage.

- Le PVC, en 2 rouleaux de 50 cm de diamètre sur 150 cm de large, se déroule pour passage sur un bac de colle, avant de rejoindre le jersey, lui aussi préparé en 2 rouleaux de 75 cm de diamètre sur 160 cm de large.

- Jersey et PVC superposés passent ensuite sur un cylindre chauffant maintenu à une température de 160°, puis dans une presse qui assure l'adhérence et donne le grain voulu au tissu définitif qui se trouve enfin enroulé en 2 rouleaux parallèles (les doubles postes de déroulement et enroulement permettent le travail en continu).

Le machiniste assure un travail essentiel:

— il contrôle la régularité du dépôt de colle

— il vérifie la tension du jersey en largeur et par là même le bon fonctionnement du déroulement assisté de celui-ci

— il surveille le guidage du jersey et du PVC l'un par rapport à l'autre pour obtenir des lisières de jersey égales de chaque côté

— il contrôle les températures et pressions

— il contrôle les produits finis en procédant à 3 tests:

- implantation du grain par comparaison avec échantillon type
- adhérence avec un pantographe, sorte de dynamomètre simplifié
- allongement par tension d'un poids sur un échantillon découpé en languette de 10 cm x 20 cm

— enfin, il relève les compteurs d'enroulement du produit fini pour noter les longueurs sur le cahier de production.

Il est assisté par un manoeuvre qui:

— nettoie la machine

— approvisionne les rouleaux PVC et jersey à l'aide d'un palan qui circule sur un rail aérien entourant la machine

— met en place, seul, les rouleaux en les positionnant grossièrement

— évacue les rouleaux de produit fini avec le même palan

— approvisionne les mandrins vides pour l'enroulage des produits finis

— avec le machiniste, il participe aux aboutages de jersey et de la feuille PVC (pose de bandes collantes, présentation et mise en action des presses d'aboutage)

— coupe presque aussitôt les rouleaux de produit fini pour pouvoir éliminer les parties raboutées donc défectueuses.

L'atelier K se plaignait de défauts sur les matières qui leur étaient livrées:

— le PVC livré et contrôlé par les ateliers précédents, s'avérait parfois non conforme ou défectueux (couleur - impression)

— le jersey, réceptionné parfois quelques mois plus tôt, et contrôlé par le magasin de réception par sondage, pouvait aussi ne pas convenir. En particulier son allongement pouvait être mis en cause et l'atelier K ne s'en apercevait qu'après contrôle de l'allongement du produit fini et vérification de la tension de déroulement.

Mais de son côté, il n'était pas exempt de tout reproche: toute absence momentanée du machiniste se traduisait souvent par une non-surveillance qui expliquait l'apparition de nombreux défauts, que les confectionneuses des ateliers suivants ne manquaient pas de souligner à leur tour.

Annexe 2

INFORMATIONS DIVERSES CONCERNANT LES MANOEUVRES AYANT QUITTE L'ENTREPRISE en 1974-75

	1974	1975
Départs volontaires	28	45
Licenciements	4	3

Durée du "séjour"	1974	1975
Moins de 1 semaine	5	9
Moins de 2 semaines	1	5
Moins de 1 mois	12	12
Moins de 3 mois	10	14
Moins de 6 mois	3	3
Moins de 1 an	1	3
Plus de 1 an	0	2

Ages	1974	1975
Moins de 20 ans	6	15
Moins de 25 ans	15	24
Moins de 30 ans	8	5
Plus de 30 ans	3	4

Situation de famille	1974	1975
Célibataires	20	32
Mariés sans enfants	8	8
Mariés avec enfants	4	5
Concubins	0	2
Divorcés	0	1

Origines	1974	1975
Rurale	2	6
Citadine	16	28
Immigrés	14	14

Domicile		1975
Campagne	2	4
Ville	15	28
Foyer, Jeune Trav.	15	16

10.5.4   Etude de cas: Hydro-Québec et Syndicats des employés de l'Hydro-Québec∗

Tâche:

Après avoir lu attentivement le texte qui suit, répondez aux questions suivantes:

1. Que signifie ici l'expression "travail qui ne serait pas sécuritaire"?

2. Le contremaître a-t-il indiqué à l'employé qu'il s'agissait d'un "travail sécuritaire"?

3. L'employé, dans ce cas, était-il justifié de ne pas accomplir la tâche qui lui était assignée?

4. Si l'employé avait accompli son travail sans discuter et si le volet s'était détaché par la suite, sur qui la responsabilité aurait-elle été rejetée?

Le requérant a présenté un grief à la Commission, le 25 septembre 1973, dans lequel il conteste une suspension de 2½ jours qui lui fut imposée le 20 septembre 1973.

La preuve

Les faits pertinents au présent litige peuvent être ainsi résumés. Le 20 septembre, Monsieur M. Havens, contremaître, demanda au requérant de fixer à une charpente de métal un volet qui s'en était détaché. Pour effectuer ce travail, le requérant devait souder au volet une pièce devant servir de support à une tige de métal. Au cours de son travail, il demanda en premier lieu au contremaître de lui procurer les pièces nécessaires pour effectuer la réparation qui lui était confiée; puis, plus tard, il s'adressa à nouveau à lui pour qu'il lui adjoigne un soudeur. Le contremaître refusa cette deuxième demande et lui répondit qu'il pouvait souder lui-même les pièces déjà mentionnées. Plus tard, le contremaître se rendit au lieu où le requérant devait accomplir la tâche qui lui avait été assignée et ce dernier l'informa qu'il attendait toujours un soudeur pour poursuivre son travail.

_____

∗ La Commission Hydrolectrique de Québec et le Syndicat des employés de métiers de l'Hydro-Québec, Ministère du Travail, Québec, Service de la recherche, 1974.

Par la suite, comme le requérant persistait toujours dans son refus de souder les pièces déjà mentionnées, alléguant que son travail ne serait pas "sécuritaire", le contremaître fit part de son attitude à ses supérieurs. Convoqué au bureau du surintendant de la commission, le requérant affirma à nouveau à ce dernier qui lui demandait pourquoi il refusait de souder les pièces de métal comme on le lui demandait, que ce ne serait pas "sécuritaire". C'est à la suite de cette brève rencontre, suivant le témoignage du requérant, que le surintendant l'aurait informé de sa suspension. Par contre, suivant le témoignage de ce dernier, ce ne serait qu'après s'être rendu à l'atelier et avoir vu les pièces que le requérant avait refusé de souder, qu'il décida de lui imposer une mesure disciplinaire.

Lors de l'audition, certains faits particuliers ont été établis qui revêtent une certaine importance dans l'appréciation du présent litige.

En ce qui concerne en premier lieu la fonction du requérant, mentionnons qu'il est classifié comme "mécanicien d'entretien, classe 18" et que son métier est celui de plombier. La preuve a en effet établi que les employés regroupés dans la classification qui vient d'être mentionnée appartiennent en réalité à divers métiers et que l'on compte parmi eux deux ou trois soudeurs auxquels sont habituellement confiées les tâches relevant de cette technique particulière. Concernant ces affectations spéciales des employés qui viennent d'être mentionnés, les divers témoignages concordent: plusieurs employés appartenant à la classification 18 en ont fait état et le contremaître, M. Havens, reconnaît que les travaux spécialisés de soudure leur sont habituellement confiés.

Par ailleurs, en ce qui concerne la complexité du travail de soudure que l'on demandait au requérant d'effectuer, des opinions divergentes furent exprimées. En effet, tandis que certains témoins de la commission sont d'avis qu'une simple "soudure d'amateur" ou une soudure suivant la technique du "bronzage" eut suffi; les témoins du syndicat dont un soudeur, affirment qu'il fallait pratiquer une soudure "à l'arc" pour éviter que le volet qui devait être fixé au plafond et était soumis à une certaine vibration produite par un éventail ne constitue un péril pour le personnel de l'entreprise.

Dispositions de la convention collective

La seule disposition de la convention collective qu'il importe de citer dans la présente décision se lit comme suit:

16.05 "L'arbitre dans le cas de griefs relatifs à des suspensions ou congédiement, a juridiction pour maintenir, réduire ou annuler la suspension ou le congédiement. Dans les cas où l'arbitre ne maintient pas la décision de la Direction, il a compétence pour ordonner à celle-ci de réinstaller l'employé avec tous ses droits et de l'indemniser à son taux de salaire régulier pour les heures régulières de travail perdues; l'indemnité doit tenir compte de ce que l'employé a gagné ailleurs dans l'intervalle''.

Prétentions des parties

Le porte-parole de la commission prétend que la preuve produite dans la présente affaire démontre que le requérant a fait montre d'insubordination en refusant sans raison valable d'exécuter, le 20 septembre 1973, le travail qui lui était assigné par un contremaître de la commission. Tout en reconnaissant que le requérant eut pu être justifié de ne pas accomplir la tâche qui lui était assignée, si sa sécurité ou celle du personnel de la commission eut été mise en péril, le représentant de la commission soutient que la preuve produite dans la présente affaire n'a aucunement établi l'existence d'un tel danger. De plus, en ce qui concerne l'habileté du requérant, plombier de métier, à accomplir des travaux de soudure, le représentant de la commission souligne qu'à aucun moment cet employé n'a informé le contremaître qu'il ne pouvait souder convenablement les pièces déjà mentionnées.

Le représentant du syndicat rappelle en premier lieu que, suivant la convention collective, il incombait à la commission d'établir d'une manière prépondérante la faute reprochée au requérant et soutient que cet employé n'a pas refusé capricieusement d'accomplir le travail qui lui avait été assigné, mais n'a pas voulu exécuter une fonction ''soudure'' qu'il ne pouvait effecteur d'une manière convenable. Concernant les techniques qui auraient dû être utilisées dans le présent cas pour lier l'une à l'autre les deux pièces de métal, le porte-parole du syndicat soutient que le requérant les ignorait. Enfin, selon le représentant du syndicat, si elles avaient été mal fixées, les pièces de métal qu'il s'agissait de souder dans le présent cas auraient représenté un danger réel pour tout le personnel, puisque étant soumises à une vibration constante, elles auraient pu, en se détachant, frapper et blesser un employé.

BIBLIOGRAPHIE DES OUVRAGES CITES

(1) PRICE, JAMES L., "The measurement of turnover", *Industrial Relations Journal*, vol. 6, no 4, pp. 33-46.

(2) SILCOCK, H., "The Recording and Measurement of Labor Turnover", *Personnel Management*, London, vol. 37, 1955, pp. 71-78.

(3) GARRISON, L. et J. FERGUSON, "Separation Interviews", *Personnel Journal*, September 1977, pp. 438-442.

(4) Conseil Economique du Canada, *Des travailleurs et des emplois*, une étude du marché du travail au Canada, 1976, pp. 194-195.

(5) Ibidem, p. 113.

(6) PORTER, L.W. et R.M., STEERS, "Organizational work and Personnal Factors in Employer Turnover and Absenteism., *Psychological Bulletin*, no 80, 1973, pp. 151-176.

(7) TELLY, C.S., FRENCH, W.L., et W.G., SCOTT, "The Relationship of Inequity to Turnover Among Hourly Workers, *Administrative Science Quarterly*, vol. 16, 1971, pp. 225-233.

(8) FLEISHMAN, E.A., et E.F., HARRIS, "Patterns of Leadership Behavior Related to Employee Greivances and Turnover", *Personnal Psychology*, vol. 15, 1962, pp. 43-56.

(9) TELLY, C.S., FRENCH, W.E., et W.G., SCOTT, Op. cit., p. 170.

(10) PORTER, L.W., et R.M., STEERS, Opus, cit., p. 160.

(11) WEISS, Dimitri, "Notes sur l'absentéisme", *Production et Gestion*, no 276, octobre 1975, pp. 7-16, "Nouveaux propos sur l'absentéisme", *Production et Gestion*, no 280, février 1976, pp. 23-35.

(12) IDEM, p. 11.

(13) IDEM, p. 12.

(14) SARTIN, Pierrette, "L'absentéisme", *Travail et Méthodes*, mars 1976, no 323, p. 33.

(15) HENRY, Robert, "L'absentéisme est-il un problème?", *Le Québec Industriel*, mai 1973, pp. 45-50.

(16) VROOM, Victor, *Work and Motivation*, New York, John Wiley & Sons, 1964.

(17) DUBOIS, Pierre, "L'absentéisme ouvrier dans l'industrie", *Revue Française des affaires sociales*, avril 1977, pp. 15-38.

(18) WEISS, Dimitri, Opus, cit., p. 10.

(19) B.N.A., *Labor Policy and Practice, Personnal Management*, Washington D.C., Bureau of National Affairs Inc., 1975, pp. 241-242.

(20) MIKALACHKI, A. et D.C., CHAPPLE, "Absenteism and Overtime: Double Jeopardy, *Relations industrielles*, Québec, vol. 32, no 4, 1977, pp. 532-546.

(21) BELANGER, Laurent et alii, *L'aménagement des temps de travail*, Rapport du XXXième Congrès des Relations industrielles, Presses Universitaires Laval, 1976.

(22) MIKALACHKI, A., et D.C., CHAPPLE, Opus cit., p. 546.

(23) JOHNSON, R.D., et T.O., PETERSON, "Absentéism or Attendance: Which is Industry's Problem", *Personnal Journal*, nov. 1975, pp. 568-572.

(24) BOUCHER, Bernard, La sécurité et la prévention des accidents, *Québec-Travail*, septembre-octobre 1973, p. 11.

(25) OUELLET, Florian, "La santé et la sécurité au travail", I.R.A.T., Québec, Brochure no 5, septembre 1975, pp. 54-55.

(26) BOUCHER, Bernard, Opus cit., p. 12.

(27) Données citées par Pierre SARTIN dans un article intitulé: "Les accidents du travail", *Travail et Méthodes*, no 313, mai 1975, p. 41.

(28) CARPENTIER, J., "Ergonomie et sécurité", dans *Accidents et sécurité du Travail*, Paris, Coll.: Travail humain, Presses Universitaires de France, 1972, p. 238.

(29) HEBERT, Gérard, "Accidents du travail: responsabilités des cadres", *Relations industrielles*, vol. 31, no 1, 1976, pp. 18-30.

(30) Expression tirée de LEPLAT, J., et X. CUNY, *Les accidents du travail*, Presses Universitaires de France, Coll.: Que sais-je?, no 1591, Paris, 1974, p. 100.

(31) Rapport du groupe de travail sur les objectifs et la structure de la Commission des Accidents de Travail du Québec, Alphonse Riverin président, juillet 1975, p. 24.

(32) HEBERT, Gérard, Opus cit., p. 16.

(33) LEPLAT, J., et X. CUNY, Opus cit., p. 110.

LECTURES ADDITIONNELLES EN FRANCAIS

———, "Les motivations seraient-elles insuffisantes pour lutter contre le fléau des accidents du travail", *Hommes et techniques*, Paris, novembre 1966, no 264, pp. 11-25.

BACHMANN E., "Comment l'entreprise doit-elle concevoir la sécurité", *Travail et Méthodes*, Paris, France, no 319, nov. 1975, pp. 19-25.

Bureau International du Travail, *La prévention des accidents*, cours d'éducation ouvrière, Genève, B.I.T., 1966, 54 p.

Bureau International du Travail, *Encyclopédie de médecine, d'hygiène et de sécurité au travail*, Genève, B.I.T., 1794 pp. 2 vol.

CARPENTIER, J., "Quelques réflexions sur les campagnes de sécurité", *Personnel*, (Paris), no 141, mars-avril 1971.

DESOILLIE, Henri, *La médecine du travail*, Paris, Presses Universitaires de France, Coll.: Que sais-je?, no 166, 1967, 125 p.

FAVERGE, J.-M., Psychosociologie des accidents du travail, P.U.F., Paris, Coll.: S.V.P., 1967, 160 p.

FROIDEVAUX, Paul, "L'absentéisme: le cas Berliet", *Hommes et Commerce*, no 131, avril 1973, pp. 18-26.

GREENBERG, L., "L'application de la législation sur la sécurité au travail", *Revue Internationale de Travail*, vol. 107, no 5, mai 1973, 461-477, Tiré à part, no 11, Dépt.

JENNES, R.-A., "Taux de roulement et permanence de l'emploi dans l'industrie canadienne", *Actualité Economique*, vol. 50, no 12, avril 1974, pp. 152-177.

MACE, H., "Facteurs mesurables de la rotation de la main-d'oeuvre, *Synopsis*, juillet-août 1969, pp. 21-32.

RAYMOND, V., "Causes psychologiques des accidents du travail", *Bulletin C.E.R.P.* 1954, vol. 3, no 3, p. 25.

SARTIN, P., "Prévention et sécurité", *Travail et Méthodes*, no 258, septembre 1970, pp. 41-47.

SARTIN, Pierrette, "Pour une conception plus humaine des bâtiments industriels", *Revue de l'entreprise*, no 7, juin 1977, pp. 17-24.

LECTURES ADDITIONNELLES EN ANGLAIS

BEHREND, Hilde and POEOCK, Stuart, "Absence and the Individual: A six-year study in one organization, *International Labor Review*, Nov.-Dec. 1976, vol. 114, no 3, pp. 311-327.

BURKE, R.-J. et WILCOX, D.-S., "Implications of the Relationship of Absenteism and Turnover", *Canadian Personnel and Industrial Relations Journal*, vol. 20, no 6, nov. 1973, pp. 24-27.

Bureau of National Affairs, *Absenteism and its Control*, Personnel Policies Forum, Survey, no 90, 1970, 19 p.

HUSE, E.-F., E.-K., TAYLOR, "The Reliability of Absence Measures", *Journal of Applied Psychology*, vol. 46, 1962, pp. 159-160.

HAWK, D., "Absenteism and Turnover", *Personnel Journal*, vol. 55, no 6, pp. 293-295.

KEMPEN, R.-W., "Reduction of Industrial Absenteism: Results of a behavioral approach". *Journal of Organizational Behavior Management*, vol. 1, no 1, 1977, pp. 1-21.

KNOWLES, M.C., "Labor Turnover: aspects of its significance", *The Journal of Industrial Relation*, vol. 18, no 1, March 1976, pp. 67-76.

MIKALACHKI, A., "The effects of Job Design on Turnover, Absenteism and Health", *Relations industrielles*, Québec, vol. 30, no 3, 1975, pp. 377-389.

MORGAN, G., et B.J., HERMAN, Perceived Consequences of Absenteism, *Journal of Applied Psychology*, vol. 61, no 6, 1976, pp. 738-742.

PETTMAN, B.-O., Ed., *Labor Turnover and Retention*, A Power Press Special Study, 1975, 204 p. (Contient une bibliographie de toⴜs les travaux publiés sur le sujet depuis 1952).

PETTMAN, B.-O., "Labour Turnover: a Critical Review", *British Society of Commerce Review*, 1973, no 2, pp. 70-72.

ROSS, J.-C. and A.-F., ZANDER, "Need Satisfaction and Employee Turnover", *Personnel Psychology*, 1957, 10, pp. 327-338.

SCHOLL, C.E., et R.M., BELLOWS, "A Method for Reducing Employee Turnover", *Personnel*, vol. 29, 1952, pp. 234-236.

URBAN, T.-F., et VESAI, M.-B., "Both sides of the Turnover Problem", *Personnel Administrator*, March-April 1972, pp. 34-37.

Création d'un milieu de travail satisfaisant et valorisant; rôle du directeur des ressources humaines.

Par création d'un milieu de travail satisfaisant et valorisant, nous référons aux diverses tentatives d'implantation de nouvelles formes d'organisation du travail. Ces tentatives visent à donner aux travailleurs, individuellement ou en groupe, un contrôle direct sur l'organisation de leur propre travail et ses conditions d'exécution, venant ainsi atténuer la dichotomie classique entre dirigeants et dirigés, selon laquelle les dirigeants accaparent en exclusivité les tâches de planification, d'organisation, de coordination et de contrôle et selon laquelle les travailleurs sont réduits au rôle de simples exécutants.

Pour les fins de cet exposé, nous regrouperons ces nouvelles tentatives d'amélioration de la qualité de la vie au travail sous deux grandes rubriques:

— L'enrichissement des tâches à la manière de Herzberg.

— L'implantation de groupes semi-autonomes de travail selon l'approche des "systèmes sociotechniques" (sociotechnical systems, S.T.S.).

11.1 L'enrichissement des tâches à la manière de Herzberg

Il faut, dès le départ, établir une distinction entre deux techniques d'organisation du travail (rotation des postes, élargissement des tâches) et l'enrichissement des tâches.

La rotation des postes "consiste à interchanger les opérateurs de différents postes de manière à rompre une certaine monotonie ou à ne pas laisser les mêmes personnes effectuer toujours les travaux les moins recherchés"[1]. Si la rotation des postes se traduit par une plus grande polyvalence de la part des opérateurs, elle ne constitue pas pour autant une forme nouvelle d'organisation du travail. Elle permet cependant une plus grande flexibilité dans l'affectation de la main-d'oeuvre et vient briser le caractère monotone d'un travail parcellaire. Alliée à l'implantation d'un groupe de travail semi-autonome, la rotation des postes, comme nous le verrons plus loin, prend un caractère différent puisque les opérateurs sont alors affectés successivement à des postes qui s'inscrivent dans un système de progression dans l'emploi (job progression system). Ce système implique une acquisition graduelle d'habiletés et une rémunération basée plutôt sur les habiletés et les connaissances acquises que sur une description formelle du travail à accomplir.

L'élargissement des tâches "consiste à regrouper des opérations d'exécution jusque-là réparties sur plusieurs postes successifs, afin que les opérateurs réalisent des ensembles ou des sous-ensembles complets"([2]). Cette technique permet un allongement du cycle de travail, une plus grande polyvalence de la part des opérateurs et incite ces derniers à développer une vision plus globale du travail accompli. Cependant, l'application de cette technique, à notre avis, contribue peu à rendre le travail plus attrayant, surtout si elle consiste à ajouter des opérations monotones et parcellaires les unes aux autres.

L'enrichissement des tâches s'intéresse avant tout à la tâche en elle-même et, indirectement, à l'opérateur. Il s'agit d'incorporer dans le contenu d'une tâche des éléments "motivationnels" et de croissance personnelle. Ces éléments ont trait à l'établissement de conditions de réalisation de soi, de reconnaissance, d'avancement, de responsabilités réelles. L'on reconnaît ici les concepts de base de la théorie des deux facteurs de Herzberg, qui établit une démarcation entre des facteurs d'ordre hygiénique et des facteurs d'ordre motivationnel. En général, l'enrichissement d'une tâche s'effectue par un déplacement des responsabilités managériales (planification, organisation et contrôle du travail) vers les exécutants qui se voient ainsi accorder un contrôle direct sur leur propre travail. Au niveau des ateliers plus particulièrement, l'enrichissement peut se faire en incorporant des tâches d'entretien à des tâches de routine.

Une tâche est considérée comme enrichie lorsqu'elle contient l'un ou l'autre, ou l'ensemble des éléments suivants([3]):

a) La connaissance des résultats: elle permet à l'exécutant de savoir où il en est dans son propre travail, de connaître ses erreurs et de les corriger.

b) La relation avec l'utilisateur des services fournis: l'exécutant doit être mis en relation avec le client qui utilise sa contribution à l'intérieur ou à l'extérieur de l'organisation.

c) La possibilité d'un apprentissage: la tâche doit être conçue de façon à ce qu'un individu puisse mettre en pratique ses connaissances et ses habiletés et en acquérir de nouvelles lui ouvrant ainsi l'accès à la prise en charge de responsabilités plus grandes.

d) La possibilité d'organiser son propre travail et de répartir son temps: il s'agit de permettre à l'individu de répartir son travail sur une journée normale selon la séquence qui lui convient le mieux.

330

e) L'expertise unique: la tâche restructurée doit fournir à l'individu l'occasion de faire valoir son habileté en lui donnant la possibilité de "s'approprier son travail" et de reconnaître sa propre contribution.

f) Le contrôle sur les ressources: en donnant à l'individu un certain contrôle sur l'allocation et l'utilisation des ressources, il devient plus conscient des coûts encourus et, partant, il se sent plus responsable. Ceci implique également une décentralisation poussée de la prise de décisions réelles au niveau des ateliers et des bureaux.

g) Des communications directes: la possibilité de communiquer directement avec ceux qui sont concernés sans passer par le dédale hiérarchique doit s'allier avec la possibilité de contrôler les ressources et d'établir soi-même sa séquence de travail.

h) L'obligation de rendre compte (personnal accountability): l'individu qui se voit attribuer plus d'autorité et de responsabilité dans sa tâche, doit également assumer l'obligation de rendre compte de sa propre performance.

Même si la plupart des expériences d'enrichissement de tâches connaissent momentanément le succès si l'on en juge par les compte-rendus disponibles(4), elles comportent certaines limites qui doivent être signalées.

a) Elles réfèrent rarement à une vision systémique des organisations. On peut difficilement procéder à l'enrichissement d'une ou de plusieurs tâches au sein d'une unité de travail sans entrevoir l'impact d'une telle action sur les autres secteurs de l'organisation, étant donné l'interdépendance qui existe entre les individus, les tâches d'un même processus de travail et les unités opérationnelles et de support. En d'autres termes, il peut arriver que l'enrichissement d'une tâche s'accompagne de l'appauvrissement d'une autre.

b) Elles minimisent l'impact de la technologie existante sur la nature des tâches en ne fournissant pas d'indications sur la manière de concevoir une technologie ou des procédés de fabrication qui favoriseraient la restructuration des tâches.

c) L'enrichissement des tâches peut se faire sans la participation des individus directement concernés. Dans ce cas, c'est la direction de l'entreprise qui prend l'initiative de l'expérience ou se l'approprie par la suite; par conséquent, la répartition du pouvoir ou de l'autorité au sein des organisations n'est pas trop remise en cause.

11.2 L'implantation de groupes semi-autonomes de travail selon l'approche "systèmes sociotechniques"

L'enrichissement du travail se fait dans la majorité des cas par le biais de la création de groupes de travail semi-autonomes. Jean Ruffier rapporte qu'en France, sur 7,500 postes ouvriers enrichis dans 34 entreprises, plus de la moitié serait sous forme de groupes semi-autonomes([5]). C'est la tendance qui semble également dominer dans les pays scandinaves, en Angleterre, aux Etats-Unis et au Canada.

Pour faciliter la compréhension de cette nouvelle forme d'organisation du travail, nous décrirons brièvement quelques expériences qui ont cours au Canada.

A la société Steinberg, une expérience d'amélioration de la qualité de la vie au travail se continue dans un entrepôt de Montréal. A la suite de longues discussions avec la direction, les représentants du syndicat acceptent de poursuivre l'expérience. Les employés, au nombre d'environ 20, sont impliqués dans des décisions concernant l'aménagement physique des locaux, l'établissement d'horaires de travail, les ordres d'expédition des produits, la détermination des budgets d'opérations et le contrôle des coûts; ils participent à la classification des emplois, à l'appréciation de leur rendement, à la détermination des échelles de salaires et des systèmes de boni. Pour ce faire ils ont reçu la formation nécessaire à la conduite d'analyses des aspects humains et techniques de l'organisation du travail.

Au sein de la fonction publique fédérale, on compte trois expériences qui sont en cours et qui font actuellement l'objet d'une évaluation. Un rapport à ce sujet sera probablement publié:

— Impôt (Bureau régional de London, Ontario -- Section de la vérification comptable, 140 employés).

— Secrétariat d'Etat (Ottawa - 30 traducteurs en deux groupes).

— Statistique Canada (Ottawa, Section de la perforation, 20 employés).

Après un stage de sensibilisation aux nouvelles formes d'organisation du travail, les perforateurs proposent des changements dans l'aménagement des bureaux de façon à regrouper les amis et à favoriser ainsi les contacts sociaux au travail. Le groupe choisit la semaine de travail comprimée et fixe son horaire de travail. Le flux du travail est conçu de manière à ce que les perforateurs puissent traiter directement avec ceux qui leur fournissent le travail, c'est-à-dire les programmeurs. Bientôt les employés choisiront eux-mêmes une partie du travail à accomplir. Toutes les questions reliées à l'exécution de ce travail sont déjà discutées et réglées par le groupe. Le principe de la sélection des nouveaux membres par le groupe est accepté.

D'autres expériences se font également à l'Alcan (Kitimat), à Air Canada (Montréal), à Cominco (Colombie Britannique), à l'Imperial Tobacco (Québec) et à la société Shell (Toronto, Sarnia).

Les deux expériences que nous avons décrites répondent assez bien au concept de groupes semi-autonomes formulé par Jean Ruffier: "Il y a groupes semi-autonomes à partir du moment où un ensemble de travailleurs dépourvu de responsabilité hiérarchique en son sein vient à organiser et répartir librement le travail entre ses membres"(6). L'idée de groupe semi-autonome implique qu'une somme de travail à accomplir est confiée à un certain nombre d'individus (de 4 à 20) qui doivent le répartir entre eux et qui doivent prendre ainsi en charge des programmes de fabrication d'un produit ou d'une partie d'un produit, ou encore un programme de "fourniture de services", en se conformant à des normes de quantité, de qualité, de coûts et de délais. Ils doivent également respecter les pratiques manufacturières reconnues dans les établissements ou les pratiques stipulées par une législation d'ordre public.

Comme nous l'avons indiqué plus haut, l'implantation d'un groupe semi-autonome se fait généralement à la suite d'une analyse des dimensions technologiques et humaines de l'organisation du travail.

L'analyse sociotechnique repose avant tout sur une vision systémique d'une organisation. L'organisation est envisagée comme un tout composite se mouvant dans un environnement plus ou moins stable. L'analyse procède d'abord à l'identification des limites du système qu'on veut observer. Définies au départ d'une façon hypothétique, les limites (boundaries) servent à circonscrire l'unité de travail qu'on veut étudier en vue de dégager par la suite les principales phases du flux du travail (work flow), de saisir la manière dont le travail se fait et la manière dont les individus aménagent leurs interactions dans l'accomplissement du travail. On distingue ainsi deux aspects principaux de l'organisation du travail: le système technique et le système social.

A l'intérieur du système technique, la "décomposition" du flux du travail en ses phases les plus simples (unit operations) permet d'identifier les événements critiques ou signaux d'intervention (key-variances) qui peuvent retarder ou empêcher tout le processus de fabrication du produit, d'une partie du produit ou de la fourniture des services. Dans l'organisation de type taylorien, ces événements critiques reçoivent l'attention, soit de la supervision, soit des services d'entretien ou de réparation, soit des services techniques. Un bon nombre de ces événements *(variances)* peuvent être rapatriés et contrôlés au niveau des exécutants à la base. Il s'agit alors d'établir une nouvelle ligne de démarcation entre ce qui peut être décidé à la base et ce qui revient à la hiérarchie ou aux services de support. A l'intérieur du système social, l'analyse se poursuit au niveau des rôles et des interrelations (relations à l'intérieur des groupes, relations supérieurs-subordonnés, relations avec d'autres unités de travail et avec l'ensemble de l'organisation) de façon à saisir dans quelle mesure la nature des rapports sociaux (formels et informels) influence la détermination et l'atteinte des objectifs de travail et des objectifs personnels, et dans quelle mesure les rôles assumés et les interactions facilitent ou non le maintien du système. L'information ainsi recueillie tant par l'analyse du système technique et du système social permet de dégager les avenues qui conduisent à l'optimisation conjuguée *(joint optimization)* des deux systèmes. La notion d'*optimisation conjuguée* devient donc le concept clef de l'analyse sociotechnique. Pour juger du degré d'atteinte d'un niveau d'optimisation, il faut alors se référer aux objectifs respectifs de chacun des systèmes.

Les résultats anticipés reliés au système technique ont trait à l'accroissement de la productivité, la diminution des coûts de production, la réduction de l'absentéisme, du roulement du personnel, des plaintes, etc.

Le degré d'atteinte des résultats anticipés reliés au système social peut être mesuré à l'aide des indicateurs suivants:

"— L'employé doit avoir l'occasion d'assumer un certain degré de responsabilité et contrôler lui-même son travail.

— Le travail doit permettre à l'employé d'utiliser pleinement ses habiletés.

— L'employé doit être tenu au courant de son rendement de façon régulière et objective (non-évaluative).

— Toutes les opérations isolées qu'un employé doit accomplir doivent être regroupées de façon à constituer une tâche globale et unique.

— Le cycle de travail doit être le plus long possible.

— Un poste de travail doit englober des activités et des tâches de façon à générer un certain degré de variété dans le travail.

— L'emploi doit permettre à l'employé de se perfectionner et de se développer.

— L'emploi doit générer chez un individu le sentiment qu'il se dirige vers un futur désirable ou acceptable, ce qui implique qu'il faut éliminer les emplois cul-de-sac *(dead-end jobs).*

— L'individu doit se retrouver au sein d'un réseau de relations sociales qui sont significatives pour lui et doit également être en mesure de trouver appui auprès de ses collègues de travail"(7).

Ces critères ne sont pas encore tous définis de façon opérationnelle: cela accentue pour le moment la difficulté de juger du degré d'optimisation conjuguée des deux systèmes technique et social; cela ne facilite pas non plus l'évaluation des expériences complétées ou en cours.

D'autres difficultés, qu'il faut signaler ici, sont également inhérentes à l'analyse et à la réorganisation du travail par le biais de l'approche socio-technique.

a) Le degré de sophistication de la technologie et les coûts impliqués présentent dans les établissements un ensemble de contraintes difficiles à surmonter au moment de la mise en place de nouvelles formes d'organisation du travail. Certaines expériences ont conduit à la suppression des lignes de montage et d'assemblage. Une telle action implique des coûts plus élevés au moment de la mise en place d'un nouveau système technique que les coûts normalement encourus au moment de l'installation d'une ligne de production conventionnelle. Le cas de l'usine Volvo à Kalmar (Suède) constitue un exemple où les coûts d'installation ont dépassé de 10% les prévisions.

b) La rotation des individus dans des postes comportant des exigences différentes en termes de connaissances et d'habiletés implique la mise sur pied de programmes de formation conçus à cet effet et entraîne des coûts additionnels.

c) L'introduction d'un système de progression dans l'emploi au sein d'un groupe de travail semi-autonome suppose qu'on rémunère les employés selon le degré d'habiletés acquises et démontrées et non selon la nomenclature des activités ou des responsabilités inhérentes à l'un ou à l'autre des postes de travail. Une telle progression dans l'acquisition des habiletés entraîne, par le fait même, un relèvement des rémunérations et implique des coûts additionnels.

d) Les leaders et les représentants des mouvements ouvriers appuient, en principe, l'idée d'une amélioration progressive de la qualité de la vie au travail. Depuis les premières heures de l'industrialisation, ils ont recherché de meilleures conditions de travail en termes de réduction des temps de travail, d'amélioration des conditions d'hygiène et de sécurité, d'amélioration des rémunérations et des avantages sociaux. Cependant, ces améliorations furent obtenues à la suite de tractations ou de marchandage qui s'inscrivaient et s'inscrivent encore dans une relation de "participation conflictuelle", alors que l'introduction de nouvelles formes d'organisation du travail exige une participation sous le signe de la collaboration. On comprend alors facilement la réticence initiale qu'éprouvent les leaders et les représentants syndicaux à donner leur appui à de telles expériences.

e) La mise en place d'un groupe de travail semi-autonome crée momentanément un vide au niveau des tâches normalement dévolues au premier palier de supervision et aux services techniques. Il faut donc repenser le rôle de ces derniers par un élargissement de leurs responsabilités à l'endroit de la formation à donner aux membres des équipes semi-autonomes et de l'aide à leur fournir.

f) On constate aussi une certaine réticence de la part des directions d'entreprise et des cadres à se lancer dans de telles expériences. Lorsque les directions donnent leur appui, ce n'est pas pour des raisons humanitaires. Elles entrevoient plutôt des possibilités d'accroître la productivité, réduire le taux de roulement et d'absentéisme. Dans les usines récemment implantées, c'est parfois une "occasion rêvée" de retarder la venue du syndicalisme. Par ailleurs, la logique qui sous-tend l'implantation de ces nouvelles formes d'organisation du travail s'accommode mal d'un relent d'autoritarisme chez un certain nombre de dirigeants qui acceptent mal l'idée d'associer les "gens de la base" à la prise de décisions importantes. Les cadres hiérarchiques de niveau intermédiaire et de premier palier, de même que les cadres-conseil éprouvent une certaine appréhension face à l'éventualité d'une modification du rôle qu'ils jouent actuellement dans les organisations fortement taylorisées.

11.3 Le rôle du directeur des ressources humaines: un agent interne de changement?

La réorganisation du travail au niveau des ateliers et des bureaux constitue un changement organisationnel important dont les répercussions sur la philosophie du management et le partage de l'autorité et des responsabilités managériales ne sont pas encore toutes connues. Au cours d'interventions sur les organisations, nous avons constaté que la manière d'introduire un changement est aussi importante que le changement lui-même. En d'autres termes, on doit consacrer autant d'attention au processus d'introduction du changement qu'au contenu du changement lui-même et le rôle du directeur des ressources humaines ou de son représentant variera selon la manière dont le changement est introduit.

Si le changement est initié, dirigé et contrôlé par le sommet de la hiérarchie, le directeur des ressources humaines continuera de jouer son rôle d'expert-conseil auprès des individus qui sont responsables de la conception et de l'implantation des changements et auprès de ceux qui "subissent" le changement. Dans ce cas, c'est la haute direction qui s'approprie le changement.

Si le changement est conçu et décidé par la base (une manière qui serait plus compatible avec la logique de conceptualisation et d'implantation propre à l'approche socio-technique), le directeur des ressources humaines sera appelé à jouer le rôle d'un *agent interne de changement*. Son travail consisterait alors à diffuser des connaissances aux intéressés et à les instrumenter convenablement pour effectuer les changements souhaités. Son rôle va s'exercer au sein d'un comité composé de représentants de la direction, de représentants syndicaux et parfois d'un conseiller externe. Ce comité a pour mission de guider, d'appuyer et de surveiller le travail des équipes spécialisées ou des groupes de développement qui sont directement impliqués dans l'élaboration et la mise en application des changements. Assumer un tel rôle suppose de la part du directeur des ressources humaines ou de son délégué une connaissance assez approfondie de la technologie de production au sein des usines ou du flux du travail au niveau des bureaux, une connaissance des structures et du fonctionnement des organisations de travail, une connaissance du comportement des individus et des groupes au sein des organisations. Assumer un tel rôle suppose également une capacité d'oeuvrer au sein d'un réseau de relations interpersonnelles fort complexes.

Nous ne pouvons, pour le moment, décrire avec plus de précision ce rôle nouveau que le préposé à la gestion des ressources humaines sera appelé à jouer dans un avenir rapproché. La documentation dont nous disposons actuellement sur les expériences d'amélioration de la qualité de la vie au travail ne nous permet pas de saisir avec précision le travail accompli par le préposé à la gestion des ressources humaines au cours de ces expériences. Les rapports publiés sous forme d'études de cas décrivent la nature et le déroulement des expériences de même que les résultats obtenus et les échecs constatés. Cependant, ces rapports nous renseignent peu sur le rôle effectivement joué par le préposé à la gestion des ressources humaines dans le pilotage de ces expériences. C'est donc un domaine qui demeure entièrement ouvert à la recherche dans les sciences sociales et les sciences de l'administration.

11.4 Questions

1) Les conclusions d'une recherche effectuée à l'échelle canadienne démontrent que dans l'ensemble les gens sont satisfaits de leur situation de travail. Dans ce cas, pourquoi faut-il chercher à améliorer la qualité de la vie au travail?

2) Décrivez brièvement les formes suivantes d'organisation du travail:

   — simplification du travail *(work simplification)*
   — rotation des postes *(job rotation)*
   — élargissement des tâches *(job enlargement)*
   — enrichissement des tâches *(job enrichment)*
   — participation à la prise de décisions au niveau des bureaux et des ateliers *(shop-floor industrial democracy)*
   — création de groupes de production semi-autonomes *(semi-autonomous work groups)*
   — groupes de production autonomes *(autonomous work groups)*
   — horaires flexibles *(flexi-time)*
   — semaine de travail raccourcie *(compressed work-week).*

3) Pourquoi les directions d'entreprise sont-elles intéressées à améliorer la qualité de la vie au travail?

4) Pourquoi les syndicats sont-ils réticents à faire partie de comités conjoints chargés de guider et de surveiller l'implantation de nouvelles formes d'organisation du travail? (Voir l'article de Marc Maurice, "Politiques syndicales pour l'amélioration des conditions de travail", *Revue française des affaires sociales,* 28ème année, no 9, janvier-mars, 1974, pp. 53-101).

5) Une tâche enrichie selon l'approche de Herzberg ne diffère pas tellement, en définitive, d'une tâche qui le serait via l'implantation d'un groupe de travail semi-autonome. Commentez cette affirmation.

6) Que signifie l'expression optimisation conjuguée du système technique et du système humain?

7) Décrivez brièvement le rôle que sera appelé à jouer un directeur des ressources humaines dans un avenir rapproché.

11.5 Travaux pratiques

11.5.1 Exercice:
Formes d'organisation du travail.

Les graphiques (figures 1 et 2) représentent deux formes différentes d'organisation du travail dans un atelier de montage d'appareils de télévision.*

Tâches:

1. Identifiez les principes qui sous-tendent chaque forme d'organisation du travail.

2. Décrivez la nature des rapports sociaux possibles au sein de chacune des formes d'organisation.

3. La productivité (nombre d'appareils assemblés par opérateur au cours d'une journée de 8 heures) sera-t-elle plus élevée dans l'atelier B que dans l'atelier A?

4. Le temps de formation des opérateurs sera-t-il plus élevé dans l'atelier A que dans l'atelier B?

Figure 1: ATELIER A

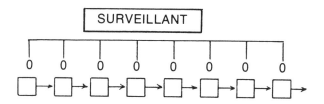

— Chaîne de montage sur laquelle travaillent 35 opérateurs. Leur cycle de travail est de 4 minutes par stade de montage.

— 0 représente un opérateur.

— ☐ représente les appareils à divers stades de la fabrication.

---

* Adapté de Daniel Boeri, *Le nouveau travail manuel: enrichissement des tâches et groupes autonomes,* Les Editions d'Organisation, Paris, 1977, p. 42.

Figure 2: ATELIER B

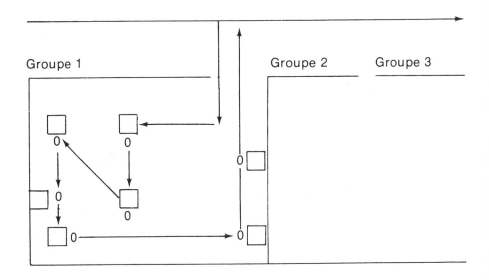

— Les 35 opérateurs sont regroupés en 5 groupes de 7 personnes. Chaque groupe assemble un appareil au complet.

— Le temps de cycle est de 20 minutes par appareil.

— Le surveillant a accepté de jouer le rôle de conseiller et de formateur auprès des groupes.

11.5.2 EXERCICE: Enrichissement d'une tâche*

1. *Description générale de la nature du travail.*

— Il s'agit d'un service spécialisé dans le traitement des réclamations formulées par des clients mécontents.

Le chef de service effectue un premier tri des lettres reçues et les remet aux personnes spécialisées dans chaque type de réclamation.

— Ces spécialistes conduisent les enquêtes et dictent aux secrétaires les réponses à adresser aux clients.

---

* Il s'agit d'un cas réel qui se rapproche sensiblement de l'expérience conduite à la société I.T.T., aux Etats-Unis, où l'on a demandé à des secrétaires de répondre aux plaintes formulées par les détenteurs d'actions, sans passer par le chef de service.

— Les secrétaires dactylographient les lettres et les retournent à chacun des spécialistes concernés pour y apporter des corrections, s'il y a lieu.

— Les lettres dactylographiées et ainsi corrigées sont acheminées vers le chef de service qui les signe.

2. *Description de la tâche d'une secrétaire.*

— La secrétaire prend la dictée, dactylographie la lettre et la transmet à la personne spécialisée.

— La secrétaire redactylographie la lettre lorsque le spécialiste juge bon d'y apporter des corrections.

Tâches:

1. INDIVIDUELLEMENT OU EN GROUPE, essayez de restructurer la *tâche de la secrétaire* de façon à ce que son contenu réponde à l'un ou l'autre ou à l'ensemble des critères d'enrichissement d'une tâche qui découlent de la théorie des deux facteurs de Herzberg et de la théorie des besoins de Maslow.

2. Décrivez l'impact que peut avoir une telle action sur la tâche du spécialiste de la réclamation et sur celle du chef de service.

11.5.3 Etude de cas:

LES PRODUITS PHARMACEUTIQUES DU QUEBEC INC. *

Cette entreprise, située dans la région de Québec, est une filiale d'une multinationale dont le siège social est aux Etats-Unis. Elle emploie environ 110 employés et fabrique une gamme de produits pharmaceutiques dont ''Formule-Z'' qui est un antiacide pétillant pour soulager les malaises imputables aux dérangements d'estomac ou à l'hyperacidité. Dans des proportions variées, le produit est un composé de bicarbonate de sodium, d'acide tartrique, de carbonate de sodium et d'acide citrique. On peut se le procurer de deux manières: sous forme de sachets (boîte de 200 sachets) ou sous forme de poudre (bouteille de 10 onces).

---

* La situation géographique, le nom de l'entreprise et la désignation du produit sont fictifs.

Description générale des opérations et quelques données comptables

L'entreprise comprend trois grandes divisions: la fabrication, l'engineering (conception des équipements, installation et entretien) et la distribution. La division "fabrication" comprend trois sections: la fabrication de la poudre (préparation du mélange), l'emballage (bouteilles et sachets), le contrôle des inventaires (matière première, produits finis).

Les règlements édictés par les agences gouvernementales sont très sévères et cela crée l'obligation de maintenir des stocks de matière première et de produits finis assez élevés pour qu'on puisse effectuer une multitude de vérifications à l'intérieur d'un laps de temps prescrit. L'entreprise est prospère et n'éprouve, pour le moment, aucune difficulté à soutenir la concurrence. La part du marché pour "Formule-Z" s'accroît légèrement d'année en année. Une ventilation des coûts de fabrication et de mise en marché, pour le dernier exercice financier, démontre que la matière première représente 88% du coût, la main-d'oeuvre directe 5% et les dépenses administratives 7%.

Opérations d'embouteillage et de mise en boîte des sachets

Le graphique suivant donne une représentation simplifiée de la disposition de l'équipement et de l'affectation des employés aux différents postes.

DISPOSITION PHYSIQUE DE L'EQUIPEMENT ET AFFECTATION DES EMPLOYES

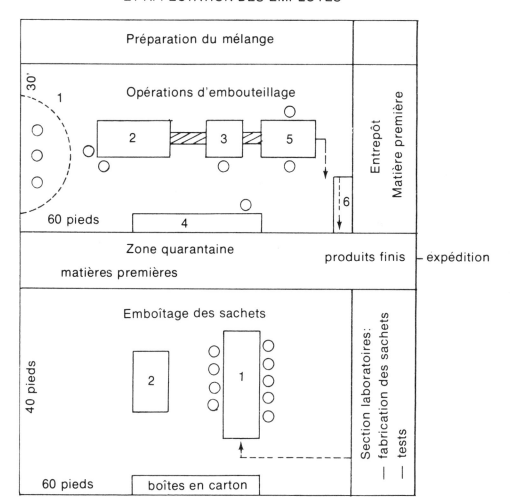

EMBOUTEILLAGE:

1 Des barils contiennent le mélange en vrac. Ce mélange est transporté par voie de succion dans un entonnoir situé sur la machine à embouteiller. Un opérateur actionne l'équipement de succion.

2 Le mélange est introduit dans les bouteilles par voie de gravité. Une opératrice actionne une manivelle qui libère la poudre en quantité suffisante pour emplir la bouteille. Une deuxième opératrice vérifie la

quantité, en enlève ou en ajoute. Les bouteilles remplies sont acheminées sur le convoyeur.

3 Les couvercles sont placés sur les bouteilles par un équipement conçu
à cet effet. Le numéro de lot est imprimé sur les couvercles. L'opératrice vérifie si le numéro est bien imprimé. Si l'équipement fait défaut,
l'opératrice pose le couvercle manuellement. Les bouteilles, au moment de la pose des couvercles, effectuent une rotation, de façon à
créer un stock-tampon (buffer) permettant aux opératrices à l'emballage d'ajuster leur rythme de travail.

4 Une ouvrière prépare les boîtes de carton dans lesquelles seront placées les bouteilles remplies. Ces boîtes ont la forme d'un plateau.

5 Les bouteilles sont placées dans les plateaux en carton. Ces plateaux
sont recouverts d'un papier de celluloïd et sont acheminés sous un jet
d'air chaud pour être scellés.

6 Les plateaux sont empilés temporairement pour être transportés plus
tard dans une zone de quarantaine (zone d'isolement).

EMBOITAGE DES SACHETS:

1 Les sachets contenant de l'acide acétylsalicylique auquel on a ajouté
une base effervescente sont déposés en vrac sur la table. La tâche des
ouvrières consiste à placer ces sachets dans des boîtes et à déposer
ces boîtes dans des caisses qui seront placées dans la zone de quarantaine avant d'être expédiées aux clients.

2 C'est une table non utilisée pour le moment, mais qui peut servir dans
le cas d'une variation en cours de production (production run).

Problème:

La direction est fortement préoccupée par l'aspect humain de l'organisation du travail qui prévaut dans la section de l'emballage et par la qualité de la vie de travail, en général. Avec chiffres à l'appui, elle constate que les employés sont très satisfaits de leurs conditions. Cependant, ces employés ne semblent pas impliqués dans leur travail et dans la marche générale de l'entreprise: ils ne sont pas motivés. La direction est prête à faire des changements qui impliqueraient une modification de la technologie d'emballage ou une modification du système social, ou encore, les deux à la fois; l'argent ne constitue pas un problème. La direction vous convoque et vous demande de la conseiller.

— L'unité de travail observée:

Après avoir effectué une analyse du système technique et du système social en prenant comme objet d'observation la section de l'emballage, vous avez rédigé un sommaire des éléments retenus.

Analyse du système technique

1 Les frontières du système socio-technique observé se situent aux confins de la section "emballage".

2 La technologie pour l'embouteillage de la poudre est quelque peu désuète. Un équipement plus moderne permettrait de doubler la productivité et, partant, de réduire de moitié des effectifs dans le cas où les cycles de production demeureraient inchangés. La technologie actuelle permet cependant de répondre complètement à la demande.

3 Les événements critiques ou signaux d'intervention qui surviennent en cours d'emballage sont en majorité contrôlés par des personnes autres que les opérateurs eux-mêmes (surveillant, préposé à l'entretien, etc.). Ces événements critiques *(key-variances)* sont les suivants:

— Disponibilité du mélange ou délai dans la préparation
— Bris momentané de l'équipement de succion
— Mélange effectué dans des proportions qui ne répondent pas aux normes de production
— Le convoyeur tombe parfois en panne créant ainsi un amoncellement de bouteilles non bouchées
— Les bouteilles ne sont pas toujours bien bouchées
— le numéro de lot n'est pas toujours imprimé correctement
— L'opératrice préposée à la préparation des plateaux en carton ne réussit pas toujours à répondre à la demande

— Le papier de celluloïd n'est pas toujours livré à temps, il est parfois froissé
— Le jet d'air chaud ne fonctionne pas toujours au degré de température exigé.

Analyse du système social

a) Aspect positifs:
— Les employés ont une grande confiance dans la direction et la supervision
— La direction a adopté une politique de non-licenciement. Il n'y a pas de roulement du personnel, ni absentéisme, ni accident de travail
— Aucune pression n'est exercée en vue d'accroître le rendement
— Les employés se considèrent bien rémunérés pour le travail qu'ils font
— Les opératrices à l'emboîtage peuvent causer entre elles; elles règlent leurs problèmes personnels entre elles
— La surveillante adopte une attitude maternelle
— L'environnement physique est toujours d'une propreté impeccable (un environnement stérile au sens bactériologique du terme)
— Pas de travail le soir, ni au cours des fins de semaine
— Les employés ne sont pas syndiqués.

b) Aspects négatifs:
— Absence d'information précise sur le rendement: les employés savent qu'ils sont évalués et croient que la surveillante les avertira si leur rendement s'éloigne de la norme
— Pas de possibilités de progression sur le plan professionnel et personnel: les employés exécutent des tâches routinières et parcellaires (des tâches cul-de-sac)
— Les assignations aux différents postes sont faites par la surveillante: chaque employé est assigné à un poste de travail en particulier. Cependant, après une formation adéquate, les employés seraient en mesure d'accomplir toutes les tâches d'emballage
— Le niveau d'aspirations des employés est plutôt "faible"
— Les employés de cette section ne se préoccupent pas ou peu de ce qu'on fait dans les autres divisions.

A la lumière de ces renseignements, vous devez rencontrer sous peu la direction pour discuter des possibilités. Vous pouvez décider de maintenir le statu quo ou bien inciter les individus concernés à effectuer des changements.

Tâche: Rédigez un rapport en prenant soin de décrire toutes les possibilités qui se présentent et d'indiquer les avantages et les inconvénients de chacune de même que les implications sur d'autres systèmes internes ou externes à l'entreprise.

BIBLIOGRAPHIE DES SOURCES CITEES

(1) RUFFIER, JEAN, "Les nouvelles formes d'organisation du travail dans l'industrie française", dans *L'organisation du travail et ses formes nouvelles*, Bibliothèque du Centre d'Etudes et de Recherches sur les Qualifications. La Documentation française, Paris, No 10, 1977, p. 125.

(2) *Ibidem*, p. 126.

(3) HERZBERG, F., "The Wise Old Turk", *Harvard Business Review*, Sept.-Oct. 1974, pp. 72-73.

(4) KATZEL, R.-A., BIENSTOCK, P. et P.-H. FEARSTEIN, *A Guide to Worker Productivity Experiments in the United States* 1971-75, Work in America Institude Inc. N.Y., N.Y. University Press, 1977. (Compte rendu de 103 études, dont une vingtaine traite de l'enrichissement des tâches comme tel).

(5) RUFFIER, JEAN, *op. cit.*, p. 130.

(6) RUFFIER, JEAN, *op. cit.*, p. 127.

(7) TODDEO, K. et GERALD LEFEBVRE, "The New Work Ethic", dans *Adapting to a Changing World*, The Labor Gazette, Ottawa, Ed. spéciale, 1978, pp. 31-32 (une traduction en français est disponible).

LECTURES ADDITIONNELLES EN FRANCAIS

_____, *La méthode L.E.S.T. de diagnostic des conditions de travail,* U.I.M.M., Paris, Cahiers Techniques, no 17, 1977.

_____, "Expériences d'amélioration des conditions de travail dans une grande banque", Document du C.E.S.A. Jouy-en-Josas, Paris, 13 p.

_____, *Evolution dans l'organisation du travail,* U.I.M.M., 56, avenue de Wagram, 75017 Paris, Doc. No 9, 1974, 72 p.

_____, "Les équipes autonomes d'entreprise et l'amélioration des conditions du travail", *Travail et Méthodes,* no spécial, 308, décembre 1974, 69 p.

ANDERSON, J.-W., "Limites technologiques de l'enrichissement des tâches", *Synopsis,* juin-août 1971, pp. 27-35.

AVISEM, *Techniques d'amélioration des conditions de travail dans l'industrie,* Paris, Editions Hommes et Techniques, 1977.

BITTEL, R. et GEORGE TREPO, *Démarrage d'une nouvelle usine organisée en groupes de production, Document du Centre d'Enseignement Supérieur des Affaires, (C.E.S.A.), 78350 Jouy-en-Josas,* France, 1978, 35 p.

BONIS, JEAN, "Schéma d'analyse des expériences de nouvelles formes d'organisation du travail", *Entreprise et personnel,* document de travail, 1976, (non publié).

CARPENTIER, J., "Techniques d'organisation et humanisation du travail", *Revue Internationale du Travail,* août 1974, pp. 111-125.

TCHOBANIAN, R., "Les syndicats et l'humanisation du travail", Tiré-à-part no 12, Département des relations industrielles, Université Laval, 1976, 20 pages.

DELAMOTTE, Y., "Enrichissement des tâches et groupes semi-autonomes, le sens de ces expériences", *Personnel,* Paris, mars-avril 1973, no 159, pp. 33-39.

DUBOIS, P., "Comment transformer les conditions de travail", *Economie et Humanisme,* nov.-déc. 1973, pp. 27-45.

DURAND, Claude, *Le travail enchaîné: organisation du travail et domination sociale,* Paris, Editions Du Seuil, 1978, 189 pages.

GRAND'MAISON, Jacques, *Des milieux de travail à réinventer,* Les Presses de l'Université de Montréal, 1975, 254 pages.

PROST, Gaston, *Les équipes semi-autonomes: une nouvelle organisation du travail,* Les Editions d'Organisation, Paris, 1976, 250 pages.

PAUL, W.J. et K.B. ROBERTSON, *L'enrichissement du travail,* Entreprise Moderne d'Edition, Paris.

LECTURES ADDITIONNELLES EN ANGLAIS

APPELBAUM, S.H., "Contemporary Personnal Administration: Agents of Change", *Personnal Journal,* nov. 1974, pp. 835-837.

DAVIS, L.E. et J.C. TAYLOR, *The Design of Jobs,* London, Pengouin Books, 1972, (Traduction française en préparation).

DAVIS, L.E. et A. CHERNS (eds), *Readings in Organizational Design,* Textes fournis par les éditeurs au cours d'un séminaire sur l'amélioration de la qualité de la vie au travail, Toronto, 1978, 693 pages.

DAVIS, L.E. et A. CHERNS, *Quality of Working Live,* Vol. I and II, The Free Press, New York, 1975.

GLASER, F.M., *Improving the Quality of Working Life,* Los Angeles, Human Interaction Research Institute, 1974, pp. 115-123.

GOMEZ, L.R. et S.J. MORRIS, "An Application of Job Enrichment in a Civil Service Setting: a demonstration stydy", *Public Personnal Management,* no 4, 1975, pp. 49-54.

348

PORTIGAL, Alain H., "Current Research on the Quality of Working Life, *Relations Industrielles,* Québec, Vol. 28, no 4, pp. 736-761.

SUSMAN, Gerald, *Autonomy at Work: A Socio-technical Analysis,* Praeger Publications Inc., New York, 1976.

WHITE, B.J., "Union Response to the Humanization of Work: An Explenatory Proposition, *Human Ressource Management,* Vol. 14, no 3, Automne 1975, pp. 2-10.

Annexe **"A"**: Liste annotée de cas en gestion des ressources humaines.

Ces cas peuvent servir comme compléments ou comme substituts à ceux qui apparaissent dans le présent ouvrage. Ils sont reproduits selon l'ordre des sujets traités. Nous indiquons également où l'on peut en obtenir des copies en français.

EXPOSE No 1: DEVELOPPEMENT D'UN SERVICE DE GESTION DES RESSOURCES HUMAINES

— Genevieve Chemicals Limited (9 pages)

Une importante entreprise chimique de la région de Montréal se dote d'un service de gestion des ressources humaines. Les phases de développement de la "fonction ressources humaines" sont décrites: les objectifs et les programmes d'action sont explicités. Un problème se pose au moment où l'on constate l'ampleur du service des ressources humaines et sa tendance à assumer des responsabilités normalement dévolues aux chefs hiérarchiques.

Ecole des Hautes Etudes Commerciales de Montréal
H.E.C. 5255, avenue Decelles, Montréal

— La Compagnie Souséro (7 pages)

Ce cas retrace l'évolution de la "fonction personnel" au sein d'une entreprise de la région de Montréal. Après le départ du directeur du personnel, la direction décide de le remplacer par un ancien contremaître. Ce dernier aimerait établir des politiques en matière de prévision d'effectifs, de sélection et de formation; cependant, la négociation collective accapare presque tout son temps.

Ecole des Hautes Etudes Commerciales (Montréal)

EXPOSE No 2: LE SUPPORT STRUCTUREL DE LA "FONCTION RESSOURCES HUMAINES"

— La révolte d'un agent de personnel (8 pages)

Un directeur du personnel récemment embauché éprouve une certaine difficulté à obtenir la collaboration des chefs de service. Ces derniers refusent de transmettre au service du personnel les dossiers qu'ils ont constitués, contestant ainsi le travail de reclassification effectué par le service du personnel et démontrant une réticence au moment de remplir les fiches d'appréciation. A la fin, le directeur du personnel quitte son poste, refusant d'entériner certaines nominations politiques.

Centrale de Cas — Montréal CCHEC 3091-7001
5780, avenue Decelles,
Bureau 440,
Montréal, P.Q., H3S 2C7
Canada

— Le chef de bureau (5 pages)

Ce cas traite de la répartition du travail au sein d'un service du personnel. Les chefs de section au sein du service "accordent" trop de temps à la direction des commis et délaissent leurs responsabilités propres. A la suite de problèmes au plan de la discipline et des méthodes de travail, le directeur du personnel songe à créer un nouveau poste: celui de chef de bureau.

Centrale de Cas - Montréal. CCHEC 3117-7201

EXPOSE No 4: GESTION PREVISIONNELLE DES EFFECTIFS

— Les Industries Spécialisées Ltée (4 pages)

C'est une entreprise qui éprouve un problème de recrutement au niveau des cadres. Il s'agit d'identifier les besoins en effectifs et de suggérer des correctifs à apporter.

Centrale de Cas - Montréal. CCHEC 3199-6831

— La compagnie française Thomson-Houston (texte et annexes, 19 pages)

La direction générale d'une entreprise employant 3,000 cadres répartis dans des unités décentralisées décide de créer une division des cadres. On a recours à l'ordinateur pour emmagasiner des données objectives sur le personnel d'encadrement et effectuer un premier tri de candidatures au moment de combler les postes. A la suite d'une fusion qui vient ajouter 2,000 cadres et le départ du directeur qui avait constitué le fichier, la direction générale se demande si elle va maintenir ce système de planification et d'affectation de ressources.

Centrale des Cas (Paris), Code: OH₁ 4.814
Chambre de Commerce et d'Industrie de Paris
108, boulevard Malesherbes
75017, Paris

— La Compagnie Macadam (19 pages)

Cette entreprise qui oeuvre dans l'industrie du pavage (une activité saisonnière), éprouve certaines difficultés au plan de la planification et l'affectation des ressources humaines. Le taux de roulement des effectifs est élevé. Le président, Nidelli, songe à créer un poste de directeur général du personnel.

Ecole des Hautes Etudes Commerciales (Montréal)

EXPOSE No 5: RECRUTEMENT, SELECTION ET ACCUEIL

— La Federated Life Insurance Co. (4 pages)

Suite à l'acquisition de deux compagnies et à la nécessité d'intégrer les opérations, des problèmes se posent en matière de gestion des ressources humaines. Il faut d'abord déterminer de façon rigoureuse les ressources disponibles en personnel de direction. Il faut établir ensuite un inventaire des postes futurs à combler et établir un programme de recrutement au niveau des gradués universitaires.

Centrale de Cas - Montréal. CCHEC 3173-7021

— La Compagnie Snow Roover (4 pages)

Trois candidatures ont été retenues pour combler le poste de surintendant à la production. Il s'agit d'effectuer un choix, de le justifier et d'indiquer la nature des informations supplémentaires qui seraient nécessaires pour faire un meilleur choix dans l'avenir.

Département des Relations Industrielles
Université Laval, Ste-Foy, Québec

— Société Jaseran II (4 pages)

La croissance du chiffre d'affaires va entraîner l'embauche d'un agent technique qui se chargera des tâches non opérationnelles au niveau d'un atelier où l'on retrouve deux chefs d'équipes et huit personnes. Une réunion doit avoir lieu où le chef d'atelier annoncera qu'un individu vient d'être embauché. Quelle sera la réaction des deux chefs d'équipes? Que penser d'une telle manière d'embaucher quelqu'un?

Centrale de Cas (Paris) OH$_3$ 5.062
Centre Parisien de l'Administration des Affaires.

— La Société Générale des Toiles de Mulhouse (7 pages)

Le titulaire d'un poste récemment créé tombe gravement malade et il faut le remplacer. Trois candidatures sont retenues et le poste est confié à un monsieur Veinante qui éprouve beaucoup de difficultés à s'adapter à son nouveau contexte de travail.

Centrale des Cas (Paris) RH 332 C.E.P.I.

— L'incident Côté (4 pages)

La difficulté consiste à combler le poste de préposé aux réclamations au sein d'une agence locale d'une entreprise spécialisée dans la fabrication de mobilier de bureau. Louis Côté, le candidat choisi, réussit difficilement à s'adapter à son travail: il faut prendre une décision à son sujet et indiquer comment on peut éviter une telle situation dans l'avenir.

Centrale de Cas - Montréal. CCHEC 3018-7201

— Décision à la Zenith Life (24 pages)

Quatre candidats se sont présentés à une entrevue et le poste de président de la compagnie sera vacant dans deux ans. A la lumière du contenu des entrevues et des informations obtenues à l'aide d'un ''curriculum vitae'', il s'agit d'effectuer un choix et de le justifier.

EXPOSE No 6: FORMATION PROFESSIONNELLE, FORMATION DES CADRES, EVALUATION DU POTENTIEL ET DE LA PERFORMANCE

— La Compagnie Lamson (4 pages)

A la suite de l'implantation d'une nouvelle tour de raffinage du pétrole, un groupe de contremaîtres a reçu une formation technique très spécialisée. Leur entraînement étant terminé, ils formulent des critiques à l'endroit d'un projet de la direction qui veut les assigner aux anciennes tours. Comment expliquer une telle critique? Quels sont les effets de la formation?

Centrale des Cas - Paris, ou
Faculté des Sciences de l'Administration,
Université Laval.

— L'Hôpital Général Ste-Famille (3 pages)

L'hôpital fait face à une pénurie d'infirmières; le roulement et l'absentéisme sont élevés. On s'interroge sur la valeur d'un programme de formation et sur les moyens à prendre pour améliorer la formation et assainir le climat des relations de travail.

Information Canada
Supervision efficace de l'administration

— S.E.R.C.E.: Partie I (4 pages) (plus trois annexes).
Partie II (2 pages) (plus annexes)

Ce cas illustre les difficultés rencontrées au cours de l'établissement d'un plan de formation dans une entreprise française. Quels sont les critères qui sous-tendent le choix d'un plan de formation? Il faut rappeler ici que le plan de formation dans une entreprise française doit être soumis au Comité d'Entreprise pour fins de discussion et que l'employeur, en vertu de la loi sur la formation professionnelle, doit affecter 1.8% de la masse salariale aux activités de formation.

Centrale de Cas - Paris, OH_1 5.066, OH_2 5.073

— Provigo (15 pages)

Cette société distributrice de produits alimentaires est née de la fusion de trois entreprises québécoises. Ce cas illustre l'implantation d'un programme de développement des ressources humaines basé sur une étude systématique des besoins. Il s'agit de commenter la démarche empruntée par cette entreprise au cours de la détermination des besoins en formation (personnel d'encadrement).
H.E.C. Montréal.
— La Compagnie Pharmex (4 pages)

"Il s'agit d'une simulation d'entrevues d'évaluation entre un commis et son supérieur immédiat qui permet d'observer la logistique du dialogue et de voir jusqu'à quel point l'entrevue peut être un moyen de développement de l'employé".

(Description extraite du Catalogue de Cas, Centrale de Cas, Montréal).
Centrale de Cas - Montréal. CCHEC 3031-7407

— Evaluation des cadres dans une compagnie électronique (2 pages)

La société vient d'implanter un système d'évaluation formel, écrit et périodique. Les rapports indiquent une amélioration sensible chez le personnel évalué; cependant, le président entretient un doute sérieux à l'endroit de ces évaluations.

Institut Supérieur Européen d'Administration
des Affaires (INSEAD).
Fontainebleau, France
a/s M. Jacques Rojot

EXPOSE No 7: ADMINISTRATION DES SALAIRES

— Exercice sur l'évaluation des emplois (5 pages)

Il s'agit d'évaluer chacun des emplois qui apparaissent en annexes, en utilisant le système des points et des facteurs.

Hautes Etudes Commerciales (Montréal)
a/s Michel Archambault

— St-Alphonse d'Youville (Caisse populaire)

Ce cas est divisé en six parties et fait état des activités d'un conseiller dans l'établissement d'un plan d'évaluation des tâches et dans l'élaboration d'une structure salariale.

Centrale de cas - Montréal. CCHEC 3471-7601, 7611, 7621, 7631, 7641, 7651.

EXPOSE No 8: NEGOCIATION ET ADMINISTRATION D'UNE
CONVENTION COLLECTIVE

Pour comprendre les problèmes reliés à l'interprétation et l'application d'une convention collective, nous suggérons de lire les recueils S.A.G. (Sentence Arbitrale des Griefs) publiés par le ministère du Travail du Québec).

Le recueil comprend des index consolidés où l'on retrouve les sentences classées par sujets. La plupart des causes décrites peuvent faire l'objet d'un cas en gestion des ressources humaines. Pour fins de négociation d'une convention collective, nous suggérons l'exercice suivant:

— Exercice sur la prise de décision dans les relations professionnelles au sein de l'entreprise.

Institut International d'Etudes Sociales
154, rue de Lausanne CH-1211
Genève, Suisse
Doc: I.E.M.E. 6017

EXPOSE No 9: CLIMAT ORGANISATIONNEL: MOTIVATION ET
SATISFACTION AU TRAVAIL

— L'Hôpital Général Ste-Famille (3 pages)

L'hôpital fait face à une pénurie d'infirmières au moment où le
roulement et l'absentéisme sont élevés. La direction s'interroge sur les
facteurs qui peuvent expliquer la baisse du "moral" et sur les correctifs à
apporter.

Information Canada, Ottawa
Recueil: Supervision efficace de l'administration

— The Thermophysics Group (5 pages)

A la suite de changements majeurs au plan de la supervision et de
l'organisation interne du travail, le comportement des individus au sein
d'un groupe de recherches se modifie sensiblement. Il s'agit, pour l'étudiant, de prédire ces modifications de comportement et d'en indiquer les
conséquences sur la satisfaction et le rendement.

Centrale de cas - Montréal.

— La Compagnie de Produits Pétroliers Feuille d'Erable (3 pages)

L'entreprise déménage ses bureaux du centre-ville vers la zone
des bassins et des chantiers de construction, le long du St-Laurent. Le
moral se détériore chez les employés et le directeur-propriétaire se demande quelles mesures il doit prendre.

Information Canada
Supervision efficace de l'administration

EXPOSE No 10: ROULEMENT, ABSENTEISME, ACCIDENTS DE TRA-
VAIL
— La compagnie Vividad (2 pages)

L'entreprise fait face à un accroissement sensible de l'absentéisme et la direction songe à accentuer le caractère punitif des mesures
disciplinaires. Cependant, un jeune gradué de relations industrielles
propose une solution qui demeure discutable.

Traduit et adapté de Dale Yoder:
Personnel Principles and Policies, 2nd Edition,
Prentice-Hall, 1959, pp. 420-421.
Dept. rel. ind. Université Laval.
— La compagnie de papier Finex (3 pages)

Une employé est victime d'un accident... les inspecteurs avaient
négligé de bloquer le lot comme c'était leur devoir. Il s'agit de déterminer
les causes directes et indirectes de l'accident et d'indiquer les mesures à
prendre dans l'avenir.

Albert, L. Michaud Y. et R., Piotte, *La direction du personnel,*
Les Editions d'Arc, Québec 1973, pp. 256-259.

— Le chasse-neige Russel (3 pages)

Ce cas traite du refus d'obtempérer à un ordre de la part d'un
employé qui se croyait justifié d'agir ainsi. La décision de l'employeur est
contestée par le recours à l'arbitrage. Le cas donne la sentence rendue
par l'arbitre.

Centrale de Cas - Montréal. CCHEC 3560-7221

— La Société Stiles (9 pages)

Le directeur technique tient une réunion avec tous les chefs
d'équipe qui doivent assumer une responsabilité en matière de sécurité
au travail. Cette réunion a lieu à la suite d'un accident où un ouvrier eut la
tête pratiquement broyée par une machine de montage automatique.

C.E.S.A., 78350, Jouy en Josas, France — Cote: 2065-96
Département des sciences humaines et organisation
(Traduction d'un américain)

EXPOSE No 11: CREATION ET MAINTIEN D'UN CLIMAT DE TRAVAIL
SATISFAISANT ET VALORISANT

— L'amélioration des conditions de travail chez Martin S.A. (30
pages)

A la suite d'une enquête psycho-sociologique, 4,556 demandes
ont été exprimées. Une commission est mise sur pied pour proposer un
plan d'action et des modifications éventuelles. Cette commission aboutit
à 40 recommandations regroupées sous les rubriques suivantes:

— Organisation et souplesse des installations
— Unités de travail plus humaines et accueillantes
— Insertion et adaptation de l'individu
— Style de relations et ambiance de travail
— Système de classification
— Temps de travail
— Conditions matérielles
— Services au personnel

Il s'agit pour des groupes de participants d'indiquer la ou les manières de mettre en application ces 40 recommandations.

Centrale de Cas - Paris. H-133-K-75

— Tous les cas présentés (15) dans le volume de Davis L. E. et A.-B. Cherns. *Improving the Quality of Working Life,* peuvent faire l'objet d'une étude et d'une réflexion de la part des étudiants. La description est suivie d'un commentaire de la part de l'auteur. Certains cas font état du rôle joué par le conseiller ou l'agent de changement.

— Tous les cas présentés dans Maher, J.R., *New Perspectives in Job Enrichment,* N. Y., Van Nostrand, Reinhold Co., 1971.

— Le cas de SAAB-SCANIA: Un rapport sur l'historique et la nature des changements effectués à Saab-Scania a été rédigé par J. P. Norstedt et S. Aguren, Confédération Patronale Suédoise (S.A.F.) Département technique, Stocklom, 1973, 52 pp.

— L'aérospatiale (Division Hélicoptères, établissement de Marigname) (46 pages).

Ce cas relate les changements effectués à la division Hélicoptères et la démarche suivie au cours de l'implantation de ces changements. L'enrichissement des tâches, l'implantation d'horaires flexibles, la formation et l'accueil, la mise sur pied d'unités autonomes de production constituent les principales aires de changement.

Cahier technique No 16
Union des Industries Minières et Métallurgiques
56, Avenue de Wagram
75854 Paris — CEDEX 17
France

— L'auteur du présent ouvrage dispose également d'un recueil d'une centaine de cas d'améliorations des conditions de travail effectuées dans des entreprises françaises.

Laurent Bélanger
Département Relations industrielles
Université Laval
Ste-Foy, Qué.
G1K 7P4

Annexe "B": Liste de films, en français, par sujets, qui peuvent être utilisés comme supports audio-visuels et comme études de cas (certains sont des cas filmés) dans l'enseignement de la gestion des ressources humaines. Ces films peuvent être loués (ou achetés) à l'un ou l'autre des endroits suivants:

1 International Telemedia Entreprise
   47, Densley Avenue
   Toronto, Canada

2 Mediathèque
   Centre audio-visuel de l'entreprise
   21, rue Clément Marot
   75008, Paris, France

3 Les Analyses cinématographiques
   15, Avenue de Segur
   75007, Paris, France

4 ONF Office National du Film (Location seulement)
   Ottawa, Canada

5 Cinémathèque (Location seulement)
   Université Laval
   Ste-Foy, Qué. GIK 7P4

Sujet: LA SELECTION ET L'ACCUEIL

Titres:
— L'entretien de sélection
   Les Analyses Cinématographiques

— Bienvenue à bord — 23 minutes
   Les Analyses Cinématographiques

— Le contremaître et son équipe — 12 minutes
   Mediathèque

— L'accueil — 22 minutes
   Mediathèque

Sujet: FORMATION PROFESSIONNELLE

— Travailler pour quelque chose — 26 minutes
ONF

— Le cas des établissements Plessis
1ère et 2ème partie — 25 minutes, 36 minutes
Les Analyses Cinématographiques

— La formation continue dans l'entreprise — 11 minutes
Les Analyses Cinématographiques

— Une décision capitale — 26 minutes
Mediathèque

— Huit travailleurs parlent de formation — 30 minutes
Mediathèque

Sujet: PROMOTION, EVALUATION, MUTATION

— L'entretien d'évaluation — 50 minutes
Les Analyses Cinématographiques

— Le cas Michèle Delorme — 12 minutes
Mediathèque

Sujet: EVALUATION DES TACHES,
ADMINISTRATION DES SALAIRES

— Qualification du travail *(job évaluation)* — 12 minutes
Mediathèque

Sujet: RELATIONS DU TRAVAIL: NEGOCIATION ET ADMINIS-
TRATION DE LA CONVENTION COLLECTIVE, DISCIPLINE

— Brave type ou type bien — 21 minutes
ONF

— De la rumeur à la négociation — 28 minutes
Les Analyses Cinématographiques

— Notre syndicat — 21 minutes
Mediathèque

— Contrat de travail — 37 minutes
ONF

— Ancienneté et compétence — 13 minutes
Mediathèque

— Discipline: une question de jugement — 20 minutes
Mediathèque

Sujet: MOTIVATION ET SATISFACTION AU TRAVAIL

— Profils des chefs — 30 minutes
ONF

— Le travail dans la joie (Frédérick Herzberg)
Cinémathèque de l'Université Laval

— Travail et motivation (2 films — 15 minutes, 20 minutes)
Les Analyses Cinématographiques

Sujet: ROULEMENT, ABSENTEISME, SECURITE ET HYGIENE

— Le rêve de Milton Whitty — 20 minutes (sécurité)
ONF

— Le retour de Milton Whitty — 20 minutes (sécurité)
ONF

— Encore deux absents — 6 minutes
Les Analyses Cinématographiques

— Alors... on applique les sanctions — 11 minutes (absentéisme)
Les Analyses Cinématographiques

— Attention! Danger! — 13 minutes (sécurité) *(Watch your step)*
Mediathèque
— Premier jour à l'usine — 23 minutes (roulement)
Mediathèque

Sujet: AMELIORATION DES CONDITIONS DE TRAVAIL

— Comment mettre en place une action d'enrichissement? Série Frédérick Herzberg — 23 minutes
Les Analyses Cinématographiques

— Direction par les objectifs (4 films) (John Humble)
Les Analyses Cinématographiques

362

— Vivre avec son temps — 15 minutes (les horaires flexibles)
  Les Analyses Cinématographiques

— Les conditions de travail — 10 minutes
  Les Analyses Cinématographiques

— Optimum — 27 minutes (ergonomie)
  Mediathèque

———————